레비아탄(Leviathan) Ⅱ

레비아탄 II

발 행 | 2024년 02월 14일
저 자 | 정승렬
펴낸이 | 한건희
펴낸곳 | 주식회사 부크크
출판사등록 | 2014.07.15.(제2014-16호)
주 소 | 서울특별시 금천구 가산디지털1로 119 SK트윈타워 A동 305호
전 화 | 1670-8316
이메일 | info@bookk.co.kr

ISBN | 979-11-410-7109-7

www.bookk.co.kr

레비아탄 II

정승렬 지음

차례

제16장 위기의 여인

　어디선가 새벽안개를 뚫고 강을 따라 미끄러지듯 배 한척이 나루터에 당도했다. 사람들이 분주히 짐을 챙겨 배에서 내리고 있는 중에 때마침 아침 해가 저 멀리 수평선 위로 떠오르기 시작했다. 돛에 걸린 활대에 햇살이 엇비스듬히 비쳐 들어왔지만 아직 해는 떠오르지 않았다. 사람들이 모두 내린 뒤에야 꽃이 그려진 분홍색 장옷으로 얼굴을 둘러 싼 세령이 세 아이들과 함께 배에서 내렸다. 짐을 챙겨 앞서 내린 두칠이가 맞바라보이는 곳에 서서 손을 흔들고 연방 헤벌쭉 웃고 있었다. 아이들도 그의 웃음에 화답하는 뜻에서 얼굴에 미소를 지으며 너나없이 손을 흔들었다.

행신마을에서 육영왕후의 생가가 있는 이곳 경상도 고을까지는 상당히 먼 거리여서 피곤할 법도 한데 그들의 표정은 하나같이 밝았다. 두칠이는 익히 다닌 길이라 안개가 자욱이 깔린 상황에서도 어렵지 않게 길을 찾을 수 있었다. 먼저 이곳에 온 아이들이 숨어 지내고 있는 안가로 가는 산길은 그가 수없이 다닌 길이었지만 오늘따라 안개 사이로 보이는 나무들이 음침하고 괴이하기 짝이 없었다.

깊은 산속이라 그런지 얼굴과 손이 꽁꽁 얼 정도로 추운 날씨와 불어오는 겨울바람이 매서웠다. 세령은 상단에서 떠나오기 전부터 이런 혹독한 추위를 대비해 세 아이들을 따뜻하게 입혔다. 길상과 정월, 그리고 다연은 목화솜을 넣어 두툼하게 만든 옷을 입었다. 거기에다 토끼털이 달린 모자인 남바위를 머리에 쓰고 목도리인 볼끼로 턱과 귀 그리고 두 뺨을 감싸 추위를 막았다.

다행히 이곳은 눈이 내리지 않아 그나마 걷기가 한결 수월했다. 거기에다 쉴 새 없이 입을 너불대는 수다쟁이 두칠이가 있어서인지 세령과 아이들은 심심하지 않았다. 그들이 으슥한 산 고개를 두 개정도 넘어가자 자욱이 깔렸던 안개가 서서히 걷히고 있었다. 그와 동시에 언제 그랬냐는 듯 동녘 하늘에는 선연한 햇빛이 쨍쨍 내리쬐기 시작했다.

먼길을 오는 동안 조금 지쳤는지 세 아이들은 세령과 두칠이 뒤에서 지척지척 따라왔다. 그들이 걷고 있는 산길 옆으로 이름 모를 묘지들이 드문드문 모습을 드러냈다. 다연과 정월은 묘지들 사이로 바람 소리가 들릴 때마다 등골이 선뜩하고 오싹오싹하였다. 겨우 사람 하나가 지나갈 만큼 좁은 오솔길에는 오랫동안 사람이 안 다닌 듯 겨우 흔적만 남아 있었다. 가지만 앙상한 겨울나무들을 끼고 더 깊이 들어 갈수록 그 흔적조차 갈수록 희미해졌다. 다연과 정월이는 갑자기 기분이 이상한지 세령이 옆으로 다가와 얼른 손을 잡았다. 세령은 여자아이들이 무서워 한다는 것을 눈치 채고는 웃으며 손을 꼭 잡아 주었다. 다른 아이들과 달리 길상이는 어느새 와 있었던지 두칠이 옆에 서서 씩씩하게 앞으로 걸어 나갔다. 거기에서 고개를 하나 넘어 가자 넓은 개간지가 한눈에 펼쳐지면서 뒤로 제법 큰 마을이 시야에 들어왔다.

"후유, 누나! 바로 저기가 안가가 있는 곳이에요. 그래도 늦지 않게 도착해서 정말 다행이에요."

목적지에 무사히 도착했다는 안도감에 두칠이가 숨을 내쉬었다.

"후, 듣던 대로 마을이 엄청 크구나. 얘들아 조금만 힘내. 이제 다 왔어."

세령은 이마에 맺힌 땀을 손등으로 닦아 내었다.

말이 끝나기도 무섭게 양어깨에 짐을 잔뜩 짊어진 두칠이가 목을 움츠리고는 종종걸음으로 마을을 향해 걸어갔다. 그러자 길상이가 그를 놓칠세라 부지런히 따라갔다.

"야, 두칠아! 길상아! 좀 천천히 가. 어휴, 저것들을 그냥 확!"

세령은 못 말리겠다는 듯이 고개를 절레절레 저었다.

그들 다섯은 정오 가까이 되어 간신히 마을에 도착할 수 있었다. 세령과 아이들이 마을 입구에 들어서자 무슨 잔치라도 벌어졌는지

적지 않은 사람들로 활기가 넘치고 있었다. 얼핏 보기에도 다른 마을들과 달리 확연히 다른 모습이었다. 그들은 혹시 모를 위험에 대비해 되도록 다른 사람 눈에 띄지 않게 몸가짐을 조심히 하며 한적한 길로 걸었다.

조금 뒤 안가로 가는 길목에 있는 주막에서 봇짐장수로 보이는 사람들이 삼삼오오 모여 잡담을 나누고 있었다. 그중에 막걸리 한 사발을 벌컥대고 쭉 들이마신 사내 하나가 술에 취한 듯 쌍스러운 말투로 떠들고 있었다.

"염병할, 나라님은 죽었는지…… 살았는지…… 알 수도 없잖아. 꺽! 어휴, 이건 또 어디서 굴러먹다 온 계집인지 말이야. 끄억! 어허허, 지가 나라님보다 높은 지위에 올라섰잖아. 뭐, 내 말이 틀렸는가?"

"암, 맞는 말이지."

"근데 어떻게 됐어? 나라를 엉망진창으로 만들다 못해…… 하루가 멀다 하고 백성들의 고혈을 빨아 가니……이런 씨부럴! 이 어찌 제대로 된 나라라 하겠는가? 뭐, 그것뿐인가… 탐관오리로 가득 찬 저 관아 놈들 좀 보게. 아무 죄도 없는…… 남의 집 어린아이들까지… 죄다 붙잡아가고 있잖나? 카악 퉤! 이런 쌍놈의 새끼들 같으니라고! 그야말로 이 나라가 생지옥이나 다름없다 이거야. 꺼억."

"허허, 이 친구 많이 취했군. 이보게, 제발 그 놈의 목소리 좀 낮추라니까. 혓바닥을 함부로 놀렸다가 경을 치게 되면 어쩌려고 그래?"

주막 주위를 살피던 다른 사내가 그에게 조용히 하라고 타일렀다.

"아이고, 억울하게 죽은 육영왕후 마마… 세자저하……세자빈마마님…원자 아기씨. 불쌍해서 이를 어쩌나!"

주위의 만류에도 불구하고 사내는 술에 취해 꼬부라진 혀로 떠들어댔다.

우연찮게 주막 앞을 지나가며 그 사내의 이야기를 들은 세령은 괜스레 마음이 착잡해졌다. 그녀는 백성을 귀하게 여기는 제대로 된 군주를 만났다면 상황이 지금과는 아주 많이 달랐을 텐데 하는 슬픔과 아쉬움이 복합된 묘한 감정을 느꼈다. 한 가지 확실한 것은 어느 곳을 가든지 권력을 장악한 왕후 추씨의 폭정과 횡포에 내휘둘린 백성들의 생활은 더욱더 피폐할 대로 피폐해진 상태였다는 것이다.

장사꾼과 손님들로 붐비는 시장통을 벗어나 오른쪽 길목으로 들어서자 대문이 활짝 열려있는 커다란 기와집이 나타났다. 그들이 집 앞에 도착하자 그때 마침 집안에서 신나게 뛰어 노는 아이들의 목소리로 시끌벅적했다.

"으흠, 이리 오너라. 게 아무도 없느냐?"

두칠이가 헛기침을 두어 번 하고는 큰 소리를 냈다.

잠시 뒤 그 소리를 들은 사내 하인 한 사람과 마당에서 뛰어 놀던 몇몇 아이들이 호기심에 쪼르르 달려 나왔다.

"아이고, 아가씨 오셨습니까요? 어서 안으로 들어가시죠."

사내는 세령의 얼굴을 보자 갑자기 허리를 꾸벅 굽히며 인사를 했다.

"그동안 잘 지냈는가?"

세령이 온화한 미소를 지으며 아이들과 함께 집안으로 들어갔다.

사내를 따라 집밖으로 나왔던 아이들은 두칠이를 보자 얼마나 반가웠던지 서로 얼싸안고 기뻐하였다. 궁에서 빠져나온 아이들을 행신 상단에서 이곳 경상도까지 무사히 데려다 준 사람은 다름 아닌 두칠이었다. 그래서 그런지 서로에 대한 애틋함이 남달라 보였다.

오랜 여행 끝에 안가에서 여장을 푼 세 아이들은 점심을 먹은 뒤 그곳 아이들과 인사를 나누었다. 처음 만난 아이들은 이곳에 오게 된 사연도 비슷하여 마치 오래된 친구처럼 금세 친해졌다.

안가로 쓰고 있는 집은 듣던 대로 정말 으리으리했다. 세령이 그 집 정원에 들어서자마자 가장 먼저 눈에 띈 것은 연못이었다. 당대 최고의 명망가로 불린 육영왕후의 생가라는 것을 모르는 바가 아니었으나 그녀는 생각했던 것 이상으로 집의 규모가 궁궐처럼 화려하고 웅장했기에 크게 놀랐다.

연못 옆으로는 얼핏 보기에도 꽤 넓은 마당이 있었다. 그곳에는 아이들 여럿이서 추위 때문에 볼이 발개도 환하게 웃으며 신나게 뛰어 놀고 있었다. 잠시 뒤 세령은 이곳의 집과 땅을 관리하고 있는 마름 최 서방에게 그간의 사정에 대해 자세히 들을 수 있었다. 그동안 이 집은 육영왕후의 종친들이 든든하게 뒤를 봐주었다는 사실을 알게 되었다. 바로 그런 이유 때문에 다행스럽게도 관아의 눈을 피할 수 있는 좋은 피신처가 될 수 있었다.

"그동안 정말 고생이 많으셨어요. 아버지께서도 조금만 더 힘을 내시고 버텨 달라 당부의 말씀을 전해드리라고 하셨어요."

세령은 미리 준비해 놓은 선물 보따리를 건넸다.

"아휴, 이거 매번 대행수님께 신세를 지니 몸 둘 바를 모르겠습니다. 아무튼 아이들을 위해 요긴하게 잘 쓰겠습니다."

최 서방은 고마움과 미안함이 한데 섞여 어찌할 바를 몰라 했다.

"저 많은 아이들을 돌봐주시는 것만으로도 정말 큰일을 해주고 계시는 겁니다. 그러니 부담 갖지 마시고 필요한 데 꼭 쓰세요. 혹여 돈이 부족하게 되면 언제든지 기별을 넣어 주세요. 두칠이를 통해 바로 보내드리도록 하겠습니다."

세령의 언중에는 상대가 무안하지 않게 하려는 따뜻한 배려와 겸손이 담겨 있었다.

"아이고, 너무 감사해서 무슨 말씀을 드려야 할지 모르겠사옵니다."

최 서방은 지금 충분하게 행복한 표정이었다.

세령과 최 서방은 따뜻한 차를 마시면서 이런저런 이야기를 나누었다. 그러던 중 그녀는 최 서방에게서 태룡산에 대한 소식을 우연히 듣게 되었다. 얼마 전 요괴들이 인근 마을을 쑥대밭으로 만든 이야기부터 시작해 최근 태룡산 분지마을에서 있었던 일까지 소상히 알려 주었다.

"아 글쎄, 엊그저께는 분지마을에 정체 모를 자객들이 습격을 했다지 뭡니까."

"아니, 어떻게 그런 일이……사람들은……무사한가요?"

세령은 걱정스러운 표정으로 물었다.

"아휴, 말도 마십시오. 난리도 그런 난리가 없었다고 합니다. 자객들이 집집마다 불을 지른 것뿐만 아니라 어른이고 아이고를 가리지 않고 죄다 납치해 갔다지 뭡니까."

"그게, 사실입니까?"

최 서방의 이야기를 전해들은 그녀의 얼굴빛이 차츰 하얗게 변색되었다. 상단에서 떠나오기 전 두칠이에게 산 밑 마을에 대한 소식은 들어 알고 있었지만 태룡산 분지마을마저 자객의 습격을 당했다는 최 서방의 말에 그녀는 큰 충격을 받았다.

"저, 아가씨, 혹시 어디 몸이 불편하신가요? 안색이 안 좋으신데 무슨 근심이라도 있으십니까?"

최 서방이 걱정스러운 빛으로 조심스레 물었다.

"실은……상단 단원들이 공납품인 인삼을 구하러 저희보다 앞서 태룡산으로 떠났습니다. 계획대로라면 지금쯤 분지마을에 도착해 있을 텐데……그런 큰 일이 벌어졌다니 걱정이 되어서 그럽니다."

부르르 떨리는 아랫입술을 깨물고, 겨우 호흡을 조절하고 나서야 그녀는 침착하게 목소리를 낼 수 있었다.

"아니 세상에, 그쪽 단원들이 태룡산에 올랐다고요? 그게 사실입니까? 허허, 이런 낭패가 있나."

누가 봐도 늘 웃는 기색이던 최 서방의 얼굴에서 웃음기가 사라지고 그의 입에서 탄식이 절로 흘러나왔다.

"여기서 태룡산까지는 얼마나 걸립니까?"

세령은 무언가 결심한 듯 자리에서 일어섰다.

"태룡산까지 가는 거리는 보통 말을 타고 반나절 정도면 갈 수 있는 거리입니다. 그런데 산에 오르려면 반드시 요괴들이 출몰하고 있는 마을을 지나가야만 하는데…… 그건 무모한 자살행위나 다름없는 행동입니다. 설마…아가씨께서 가시려는 것은 아니시겠죠?"

그녀의 갑작스러운 행동에 최 서방은 무척 당혹스러워했다.

"그들은 저에게 친형제지간이나 다름없는 사이입니다. 그 마을 외에 다른 곳으로 갈 방법은 없습니까?"

그녀의 두 눈에는 태룡산으로 가고 싶어 하는 갈망의 빛이 역력했다.

"안타깝지만 다른 길은 없습니다. 그리고 설령 태룡산 입구에 도착한다 해도 겨울 산행은 갑작스레 눈 폭풍을 만날 수도 있죠. 이럴 경우 침착성을 잃고 허둥대다가 불의의 사고를 당할 수도 있어요. 음, 작년 이맘때에도 약초를 캐러 산에 올랐던 심마니들이 폭설로 고립돼 허기와 추위로 죽는 일이 발생했죠. 평생 산을 타는 것을 업으로 삼고 살아온 산꾼들 조차 오르기 힘든 산이 바로 태룡산입니다. 그러니 아가씨도 더 이상은 생각하지도 마십시오."

최 서방의 입장에서는 남의 일처럼 강 건너 불구경하는 식으로 방관만 할 수도 없는 노릇이었다.

"누나, 그건 아저씨 말씀이 백 번 옳아요. 지금 여기도 한낮에 이렇게 추운데…… 조선 팔도에서 가장 춥기로 유명한 태룡산은 어떻겠어요? 그러니 인내심을 갖고 형들을 한 번 기다려 보자고요."

그녀의 성격을 누구보다 잘 알고 있는 두칠이가 애원조로 부탁했다.

"휴, 그래, 알겠어."

세령은 마지못해 긍정도 부정도 아닌 애매한 표정으로 길게 한숨을 내쉬고는 다시 자리에 와서 앉았다. 그녀는 품안에 간직하고 있던 삼손의 머리띠를 손끝으로 만지작거리자 보드랍고 따뜻한 촉감이 느껴졌다. 동시에 삼손의 온화한 얼굴이 떠올랐는데 바로 지척에서 환히 보이는 듯했다. 그녀는 자신도 모르게 미소가 지어졌다.

그때, 어색한 방 안 분위기에 때맞춰 갑자기 밖에서 시끄러운 소리가 들렸다. 마당에서 아이들의 비명소리가 들리자 그들은 하던 일을 멈추고 안채에서 뛰어 나갔다.

무장을 한 군사들 중 몇몇이 담을 넘어 들어와 대문에 건 빗장을 뽑아내었다. 그러자 다수의 군사들이 금방 대문을 박차고 우르르 집안으로 쳐들어왔다. 어느새 넓은 마당에는 군사들로 빼곡히 들어차 있었다. 하나같이 서슬이 퍼런 눈빛을 한 군사들은 본채까지 들이닥쳐 하인들과 아이들을 향해 악다구니를 퍼부으며 칼과 창으로 위협했다. 조금 뒤에 아이들이 있는 곳까지 한걸음에 달려온 세령은 눈앞에 벌어진 충격적인 상황에 숨이 턱 막혀 아무 말도 할 수 없었다.

"아니, 지금 뭣들 하고 있는 것이오? 감히 여기가 어디라고 함부로 들어와 난리를 치는 것인가. 지금 당장 썩 물러가시오!"

분노에 찬 최 서방은 두 눈을 희번뜩이며 관군들을 향해 소리를 질렀다.

"보아하니 주인 없는 집이나 지키는 개 신세처럼 보이는데……
쳇! 꼴에 주제넘게 주인행세를 하려는 것이냐?"

군사들 틈에서 송곳 같은 가늘고 날카로운 목소리를 내며 한 사
내가 앞으로 걸어 나왔다.

세령은 그 사내의 얼굴을 보는 순간 심장의 고동이 딱 멈추는
것 같았다. 비단 그녀뿐만이 아니었다. 겁을 먹은 아이들 틈에 서
있던 길상이도 사내를 보자마자 얼굴이 백지장처럼 창백해졌다.

살기등등한 기세로 마당 앞으로 걸어 나온 사내는 기다란 칼을
허리에 차고 있었다. 세령은 그자와 눈이 딱 마주치자 온몸이 얼어
붙는 것 같이 조금도 움직일 수가 없었다. 사내는 들쑥날쑥한 누런
이빨을 드러내며 징글맞게 크게 웃더니 순간 무섭게 눈을 부릅뜨
며 그녀를 노려보았다. 금세라도 칼을 빼들고 덤벼들 듯한 기세였
다. 험상궂은 인상의 사내는 다름 아닌 길상이를 때리고 납치하려
던 의금부 나장이었다.

그녀는 쇠몽치로 머리에 직격으로 맞은 듯 정신이 멍했다. 더 나
아가 그녀의 두 다리가 땅에 박힌 말뚝처럼 굳어버린 것만 같았다.

한편 최 서방은 집으로 쳐들어 온 군사들의 복장을 자세히 보니
인근 관아에서 나온 관군들이 아니었다. 모두가 처음 보는 얼굴들
이었다. 더욱이 육영왕후의 종친들이 고을 현감과 긴밀한 관계였기
에 이리 갑작스레 태도가 돌변해 강압적으로 나온다는 것은 있을
수 없는 일이었다.

"무엄하오! 감히 여기가 어디라고 몰려와서 방자하게 구는 것이
오? 이곳은 이 나라의 국모이셨던 육영왕후 마마님의 생가요. 내

보아하니 이곳 관아에서 나온 군사들도 아닌 것 같은데 도대체 당신들의 정체가 뭐요!"

최서방이 세령 앞으로 나오더니 핏대를 세우며 다시 흥분하기 시작했다.

"난 한양에서 온 금군별장이다. 네 놈들이 감히 왕후마마의 소유물을 빼돌리고도 살기를 바랐더냐!"

그때 똬리를 튼 독사같이 독기를 품은 사내가 나서며 버럭 고함을 질렀다.

"당신들 정말 금군이 맞소? 어찌 금군이라는 자들이 육영왕후 마마님의 생가에 쳐들어와 이토록 시정잡배처럼 군단 말이오?"

최 서방도 지지 않고 언성을 높였다.

조선에 살고 있는 사람들이라면 평생 백성들을 가엾게 여기고 자애로웠던 육영왕후를 존경하지 않는 사람들이 없었다. 그 사실을 잘 알고 있는 금군별장도 마음에 찔리는 데가 있는지 얼굴을 다른 데로 돌렸다.

안가로 들이닥친 군사들은 한양 도성 안에서 임금을 지키는 임무를 맡은 금군들과 의금부 군사들이었다.

세령의 입장에서는 그들이 어떻게 알고 여기까지 찾아왔는지는 모르겠지만 참으로 믿기 어려운 희한한 일이었다. 그녀는 잠시 어리둥절한 표정이었으나, 이내 짚이는 것이 있는 듯 눈빛이 번쩍 빛났다.

이곳으로 오기 전부터 웬 낯선 사람이 매일 상단 본원 주변을 어슬렁거리며 돌아다닌다는 이야기가 문득 생각이 난 것이다.

본원 앞은 하루에도 여러 장사꾼과 많은 사람들이 지나다니는 길목에 위치해 있기 때문에 당시 그녀는 그다지 대수롭지 않게 여겼다. 그러던 어느 날, 해가 떨어져갈 무렵이었다. 길상과 두칠이가 포목점을 다녀오는 길이었는데 때마침 본원 앞을 감시하는 듯한 사내의 뒷모습을 보았다고 했다. 수상쩍게 생각한 두칠이가 누구냐고 소리를 내자 당황한 사내가 뒤도 돌아보지 않고 줄달음질을 쳤다고 했다. 그 사내의 뒷모습을 얼핏 본 길상이는 어두운 예감을 느꼈다고 했는데 자기가 본 사내가 다름 아닌 의금부 나장이었다고 확신했다.

세령은 금군별장 옆에 서서 조소하는 듯이 웃고 있는 나장을 보자 문제의 실마리가 풀리기 시작하였다. 길상이의 예감대로 본원을 감시하던 자는 나장이었던 것이다. 그녀는 갑자기 아이들에게 몹시 미안한 마음이 들었다. 자신이 주의 깊게 살폈다면 이런 낭패는 당하지 않았으리라는 자책감 때문이었다.

"뭣들 하느냐! 당장 죄인들을 의금부로 압송하라!"

금군별장이 그동안 참을 만큼 참았다는 듯 약간 격앙된 목소리로 말했다.

"잠깐, 두 눈으로 똑똑히 보시오. 지금 이곳에 누가 죄인이 있단 말이오. 세상 물정 모르는 순진한 저 어린 아이들이 죄인이라는 겁니까? 아니면 이곳 육영왕후 마마님의 생가를 지키고 있는 가신들이 죄인이라는 겁니까? 주상전하께서도 조정대신들에게 이곳 생가를 각별히 보살필 것을 명하신 것으로 알고 있소. 더군다나 주상전하의 뜻을 받들어 모시고 있는 금군별장나리께서 어찌 이리 저잣거리의 무뢰배보다 못한 짓을 하려는 것이오! 이것이 진정 주상전하의 뜻인지 분명하게 밝히세요!"

별안간 어디서 용기가 났는지 우아하고 단아한 자태의 세령이 막힘없고 당당한 태도로 소리를 냈다. 금군과 의금부 군사들이 쳐다보거나 말거나 수군거리거나 말거나, 그녀의 모습에는 그들이 감히 범접하기 어려운 기품이 서려 있었다.

"지금 조선의 진정한 지존의 자리에 앉아 계신 분은 바로 왕후마마님이시다. 너희 모두는 왕후마마님의 뜻을 저버린 것도 모자라 왕후마마님의 소유인 저 아이들을 빼돌렸다. 그러므로 왕명을 거역하고 왕후마마님의 소유물을 탐한 너희는 모두 대역 죄인들이다."

금군별장은 한양으로 압송할 배 시간이 촉박하여 단 몇 분이라도 지체할 수가 없었는지 마음이 조급해지기 시작했다.

시간이 흐를수록 점점 분위기가 살벌해지자 아이들은 공포에 질려 몸을 덜덜대며 어찌할 바를 몰랐다. 바로 그때였다. 집 바깥에서 웅성거리는 소리가 크게 나더니 열려있는 대문으로 육영왕후의 종친들과 다수의 무장한 사병들 그리고 그 뒤를 따라 고을 관아의 현감과 나졸들이 차례대로 들어섰다.

"어험, 지금 여기서 뭣들 하는 짓인가?"

수염과 머리털이 희끗희끗한 종친 한 명이 헛기침을 크게 한번 내고는 근엄한 시선으로 금군별장을 응시했다.

반백이 넘어 보이는 그의 얼굴과 풍채에서 대쪽 같은 절개를 지닌, 사대부의 지조가 풍겨져 나왔다. 그를 알아본 금군별장은 사색이 되어 버렸다.

"아니, 당신은 ……홍문관 대제학이셨던 육종윤대감이 아니십니까?"

금군별장은 그의 당당한 기세에 눌려 저절로 목덜미가 움츠러들었다.

"그렇네. 그런데 도성 궁궐 안에 있어야 할 금군과 의금부 군사들이 지금 여기서 무얼 하고 있는 것인가?"

도열해 있는 군사들을 빙 둘러보던 육종윤의 엄숙한 얼굴에는 범하기 어려운 기백이 깔려 있었다.

그는 한양의 조정 신료들 가운데 백성들로부터 존경 받았던 몇 안 되는 인물이었다. 어느 날 그의 누나인 육영왕후가 갑작스럽게 의문의 죽음을 당하자 정치에 염증을 느껴 서둘러 낙향을 해 버렸다. 육영왕후의 혈육인 그 역시 새로운 왕후의 표적이었다. 하지만 워낙 백성들의 신망을 얻고 있는 터라 왕후와 조정 세력들이 손끝 하나 건드릴 수 없었다.

"저 아이들을 한양으로 압송하라는 어명이 내렸소이다. 지금 대감과 여기 있는 자들이 하는 행동은 역모 죄와 다를 바가 없습니다. 하지만 아이들만 순순히 내놓는다면 다른 사람들은 모두 눈감아 줄 것이오."

금군별장은 한 발 뒤로 물러서는 자세를 취했다.

"어험! 방금 뭐라 했느냐? 역모……역모라고? 그게 주상전하와 이 나라 백성들을 지켜야 할 금군별장이 할 소리더냐? 이제 보니 백성들의 고혈을 빨아먹는 것도 모자라, 죄 없는 아이들을 유괴하고 있는 계비의 사냥개들이 다 되었구나. 너희의 주군이신 주상전하는 생사조차 알 수 없는 상황인데 이리 한가하게도 이곳까지 내려오다니 네 놈들이야말로 주상전하를 배신하고 사악한 계비에 편에 선 역적 놈들이다!"

"이보시오! 대감. 말을 삼가시오!"

"육영왕후 마마님을 죽인 것도 모자라 이 나라의 국본이신 세자 저하와 세자빈마마님까지 억울하게 누명을 씌워 죽인 죄! 목숨을 바쳐 그 분들을 지켜드리기는커녕 악랄한 마녀의 개가 되어 종묘사직을 무너트린 네 놈들의 죄악은 이미 하늘에 닿았다!"

"닥치시오!"

"그동안의 죄를 뉘우친다면 지금 이 자리에서 스스로 할복을 하거라! 그리 따르는 자에게는 선처를 베풀어 부관참시는 면하게 해주겠다. 오로지 그것만이 네 놈들의 죄를 참회할 수 있는 길이 될 것이다."

적의로 불타는 눈빛이 살벌하기 그지없는 육종윤은 본채가 들썩들썩하도록 언성을 높여 금군들을 꾸짖었다.

곧바로 그가 손을 들자 본채 지붕 위에 화살을 든 사병들이 빼곡히 모습을 드러냈다. 어느덧 겹겹이 포위를 당한 군사들은 당황하기 시작했다. 조금 전까지만 해도 기고만장했던 그들의 태도가 전의를 상실한 힘없는 모습으로 변했다. 육종윤의 최후통첩을 받은 것이나 다름없는 금군별장은 안색이 대번에 백지장처럼 창백해졌다.

"이보시오, 대감! 지금 뭐 하자는 것이오? 기어코 우리끼리 피를 보겠다는 겁니까? 예서 그러지 말고 당장 어명을 받들어 들이시오!"

육종윤의 위압적인 기세에 기가 눌려 버린 금군별장의 눈은 점점 벌겋게 충혈되어 갔다.

"허허, 누가 내린 어명이더냐? 이제 네 놈들이 살 길은 없다. 그나마 군사로서 명예롭게 죽을 기회를 얻었다 여기거라."

마치 바윗돌같이 태연한 육종윤의 얼굴에는 아무런 표정의 미동도 없었다.

금군들과 대치하는 동안 세령은 나장에게서 눈을 떼지 않고 서 있었다. 혹시라도 미꾸라지처럼 약삭빠르게 이곳을 빠져나가지는 않을까 염려되고 신경이 쓰였기 때문이었다. 나장은 살기등등한 모습은 온데간데없고 다른 군사 뒤에 숨어 쥐 죽은 듯이 숨을 죽이고 눈치를 보고 있었다.

"이보시오, 대감! 진정…… 어명을 받들지 않을 참입니까?"

금군별장은 공포감에 잔뜩 짓눌려서 저절로 몸을 부들부들 떨었다.

"네 이놈! 어디서 어명이라는 말을 계속 함부로 놀리는 것이냐? 주상전하가 내리지도 않은 어명을 하늘이 알고 땅이 알거늘, 감히 네 놈이 세치 혀로 우릴 속이고 겁박하려는 것이냐? 군사들은 모두 듣거라! 나의 인내심은 이제 얼마 남지 않았다. 여기서 개죽음을 당하든지 아니면 명예롭게 할복해 죽든지 둘 중 하나를 선택하라!"

육종윤은 더욱 진노에 찬 목소리로 소리쳤다.

군사들은 이럴 수도 없고 저럴 수도 없는 진퇴양난의 길에 빠졌다. 금군별장이 한동안 상대편을 주시하다가 눈을 딱 감고는 두 손으로 칼을 꽉 잡았다.

"저, 대역 죄인들을 추포하라!"

금군별장은 이판사판 결판을 내고야 말겠다는 결심을 굳힌 듯 고성을 질렀다.

하지만 군사들은 선뜻 공격할 자세를 취하지 못하고 주춤거렸다. 그들로서는 새처럼 하늘로 높이 치솟아 오르기 전에는 도망갈 길이 전혀 없었다.

"여봐라! 내 말을 즉각 시행하라!"

육종운은 한 치의 망설임도 없이 들고 있던 한쪽 손을 내리며 단호하게 지시를 내렸다.

그러자 본채를 에워싸고 있던 사병들이 일사분란하게 움직였다. 그들은 화살을 활시위에 걸고 일제히 군사들을 향해 겨누었다.

칼을 높이 빼든 금군별장이 괴성을 지르며 육종운을 향해 달려들었다. 그 순간 어디선가 빠르게 날아드는 화살이 그의 이마 한가운데에 박히며 그대로 뒤로 나자빠졌다. 금군별장이 쓰러진 것을 본 군사들은 전위를 상실한 체 도망치기 시작했다. 개중에 몇 명은 죽음을 각오한 듯 마당에 있던 아이들과 종신들을 향해 무기를 휘두르며 달려들었다. 지붕 위에 있는 사병들은 이때를 기다렸다는 듯이 화살을 쐈다. 순간 마당 안으로 화살이 비 오듯 쏟아지고 군사들이 어떻게 손쓸 겨를도 없이 맥없이 쓰러지기 시작했다. 지붕 위에서 노련한 솜씨로 활시위를 연달아 잡아당기는 사병들의 화살은 정확하게 군사들의 몸통을 향해 날아가 명중했다. 마당 안은 삽시간에 군사들의 시체로 쌓여 갔다.

세령은 이 상황이 하도 기가 막힌지 정신이 나간 사람처럼 멍하게 서 있었다. 아이들도 처참한 광경을 차마 보지 못하고 등을 돌려 손으로 눈을 가렸다.

삽시간에 군사들 모두가 화살을 맞고 땅바닥에 쓰러졌다. 그 광경을 보고 기겁하기는 그 마을의 현감과 나졸들도 마찬가지였다.

차가운 바람을 타고 역한 피비린내가 코를 찔렀다. 사병들이 어겹이 져 있는 시체들 틈에 숨이 붙어 있는 자들을 색출하기 위해 일일이 확인하고 다녔다.

"아니, 대감. 왕후가 보낸 금군과 의금부 군사들을 이리 줄초상이 나게 했으니 이제 어떻게 하실 작정이십니까?"

고을의 현감이 어느새 육종윤의 곁에 와서는 걱정스럽게 물었다.

"자네도 보지 않았는가. 사특한 계비는 이미 모든 걸 알고 이곳으로 군사들을 보냈네. 우리가 가만히 있다가는 모두가 몰살당하고 말 것일세. 그러니 이젠 우리가 움직일 차례네. 이곳에 가만히 갇혀서 일족과 고을 사람들 전체가 개죽음을 당할 바에야, 우리가 한양으로 먼저 올라가 계비의 목을 반드시 쳐야만 하네."

육종윤이 마당에 쌓여있는 시체를 바라보며 사생결단을 낼 각오로 말했다.

"뜻이 정 그러하시다면 저희들도 모두 대감을 따르겠습니다."

현감은 고개를 크게 끄덕이며 그가 하던 말에 동감을 표시해 보였다.

본채 마당이 쥐 죽은 듯이 조용해졌다. 그제야 아이들이 안도의 숨을 길게 내뿜었다. 세령도 아이들이 모두 무사한 것을 보고서야 마음이 조금 진정되었다. 그 중에서도 길상과 정월 그리고 다연이의 얼굴을 확인하자 모든 것이 비로소 끝났음을 직감하였다. 그녀가 서둘러 아이들이 있는 곳으로 발걸음을 내딛으려는 바로 그 순간이었다.

시체 더미 속에서 군사 하나가 갑자기 불쑥 일어났다. 그는 전광석화처럼 재빠르게 그녀의 목에 칼을 대었다. 세령은 상대의 목소리만 들었을 뿐인데 그가 누구인지 눈치챘다. 맞은편에서 어찌할 바를 몰라 울상이 된 길상이의 얼굴 표정을 보자 더욱 확실해졌다. 그 광경을 본 다른 아이들이 비명을 질러대기 시작했다.

"흐흐흐, 이를 어쩌나, 악연도 이런 악연이 없네. 조금 전 화살이 날아올 때 천지신명께 빌었다. 내 네년을 그냥 두지 않겠다고! 흐흐흐, 드디어 시장바닥에서 당했던 쪽팔림을 돌려 줄 수 있겠구나."

그녀의 등 뒤에서 한 손으로는 목을 세게 휘감아 조르고 다른 손으로 목에 칼을 대고 있는 자는 다름 아닌 의금부 나장이었다.

"으……윽."

그녀는 목이 졸려서 숨이 넘어갈 지경이었다.

그녀가 너무 고통스러워 두 눈을 밑으로 내리깔자 퍼런 서슬의 칼날이 섬뜩 비쳤다. 급작스럽게 벌어진 사태에 다른 사람들이 모두 당황할 수밖에 없었다. 사병들이 활을 조준해 나장을 맞추려 했지만 세령 뒤에 바짝 붙어 있는 탓에 그럴 수도 없는 노릇이었다.

"네 이놈! 이게 무슨 짓이냐? 썩, 칼을 내려놓지 못하겠느냐?"

육종윤은 인질극을 벌이고 있는 나장을 향해 호통을 쳤다.

"쳇, 염병할! 어이 잘난 대감나리. 당신이라면 지금 이 상황에서 칼을 놓을 수 있겠소? 이 계집을 살리고 싶다면 여기서 나갈 수 있게 길을 터주시오. 안 그러면 이 년은 죽소."

나장은 그의 말이 못마땅한 듯이 이맛살을 찌푸렸다.

그때 사병 한 명이 그를 맞추려고 화살을 쏘았는데 살짝 옆으로 비껴나갔다. 나장은 자신의 요구가 받아들여지지 않자 세령의 목에 댄 칼에 힘을 세게 주었다. 그러자 칼날이 그녀의 목덜미에 자상을 내며 피를 흘리게 만들었다. 그녀의 엷은 분홍빛 저고리는 금세 검붉은 피로 얼룩져 갔다.

"다들 멈춰라! 내 허락이 있을 때까지 활을 쏘지 말거라."

육종윤은 급히 손을 들어 사병들을 진정시켰다.

"으……윽."

순간 죽음의 공포에 질린 그녀가 그만 흐느껴 울기 시작했다.

그녀는 무심결에 아련한 추억이 주마등처럼 머릿속을 스치고 지나갔다. 고향 행신마을에 있는 아버지의 얼굴과 태룡산 분지마을에 가 있을 상단 단원들의 얼굴, 그리고 그녀가 애타게 기다리는 한 사람. 바로 삼손의 얼굴이 오래 떠올랐다. 그러자 그녀는 태룡산을 지척에 두고도 삼손을 만나지 못하는 서글픔에 눈물이 앞을 가렸다. 세령은 삼손의 얼굴을 영원히 기억하기 위해서라도 그를 꼭 한 번이라도 보고 싶다는 간절한 소원을 하늘에 빌었다.

제17장 전쟁의 그림자

　그 곳에 무슨 잔치가 벌어졌는지 여럿이서 부르는 노랫소리와 악공들의 풍악 소리가 숲 전체에 울려 퍼졌다. 오래 전 화산이 폭발하면서 땅에 용암이 흘러간 흔적이 고스란히 남겨져 있는 원시림이었다. 이상한 것은 지금이 겨울인지 여름인지 분간을 할 수 없었다는 것이었다. 탄닌은 사람이나 동물의 발자국이 전혀 나 있지 않은 숲길을 걸어가다 보니 무언가 신비한 느낌마저 들었다. 밝지도 않고 어둡지도 않은 숲에는 눈이 아플 만큼 푸르른 다양한 식물이 서식하고 있었다. 나뭇잎 하나가 바스락하는 소리도 또렷이 들릴 만큼 숲길은 조용하다 못해 고요했다.

앞에서 길을 인도하는 탄닌은 뒤에서 따라오고 있는 삼손과 단원들에게 목적지에 거의 다 온 것 같다는 신호를 보냈다.

어떻게 된 일인지 화염검은 그들을 용 사냥꾼들이 거주하고 있는 장소에서 조금 멀리 떨어진 곳으로 데리고 왔다. 삼손은 마음의 부담감이 커서 좀 더 집중을 못했기 때문이라는 생각을 지울 수가 없었다.

그들이 조금 더 깊숙이 숲길을 따라 들어가자 빽빽이 서 있는 거제수나무가 보였다. 나무의 키가 얼마나 큰지 마치 구름에 닿을 듯한 높이로 자라나 있었다. 어느 틈엔가 숲 여기저기서 연초록빛을 내며 구애의 춤사위를 펼치는 반딧불이들이 모여들었다.

"이보게, 반딧불이가 나타났네. 지금이 겨울철인데… 얘들이 왜 지금 내 눈에 보이는 거지? 좀 이상하지 않나?"

정길이가 이상하다는 듯이 고개를 한번 갸우뚱했다.

"휴, 수수께끼 같은 이상한 일이 어디 한둘인가?"

송철은 내심 궁금했지만 아무렇지 않은 듯 대답했다.

금세 사라질 줄 알았던 반딧불이는 길을 안내하겠다는 듯 반짝반짝 빛을 발광하며 그들의 앞에서 날아갔다.

"어라, 이게 뭐야. 반딧불이가 우리를 그들에게 이끌고 가고 있어요!"

탄닌은 반딧불이 하나를 손으로 잡아 유심히 살펴보았다.

"아니, 그 말이 사실이냐?"

그의 말에 놀랐는지 숲길을 지나던 삼손이 걸음을 멈칫했다.

"야, 정말 대단하네! 하하하. 세손각하, 지금 이 반딧불이는 마법으로 만들어진 거예요. 용 사냥꾼들에게 이 정도야 식은 죽 먹기보다 쉬운 일이죠. 하하하, 지금 보니 이 숲속도 진짜가 아닌 마법이네요."

탄닌은 어이가 없다는 듯 웃었다.

"허허, 이런 낭패를 당하다니 그 자들도 결코 만만한 상대가 아니구나. 아니 근데, 반딧불이가 길을 안내해주는 것이라면 우리가 여기에 있다는 것을 알고 있다는 말이 아니냐?"

"아마도 처음부터 알고 있었을 거예요."

탄닌이 고개를 끄덕였다.

"와, 이런 걸 만들 수 있다니 용 사냥꾼들은 재주도 많은 것 같소."

춘삼은 거듭 감탄하는 표정을 지었다.

"인정하긴 싫지만, 마법이면 마법, 싸움이면 싸움, 순간이동이면 순간이동, 놈들은 정말 못하는 게 없는 팔방미인이라오."

탄닌의 얼굴이 그다지 탐탁해 보이지 않았다.

"이보시오. 마법이라는 말은 알아들을 만한데 그…… 순간이동이란 게 뭐요?"

정길이 그들의 대화 속에 느닷없이 끼어들었다.

"내 원 참, 이리 답답해서야. 그쪽도 조금 전 몸소 체험해보지 않았소."

탄닌은 머리를 좌우로 약간 설레설레 내저었다.

"아니, 모를 수도 있지. 남들 앞에서 그리 핀잔을 줄 건 또 뭐요?"

정길도 지지 않고 탄닌에게 버럭 한 마디 내뱉었다.

"지금 뭣들 하는 게냐?"

삼손의 눈에 힘이 잔뜩 실렸다.

"송구합니다."

정길이 고개를 푹 숙였다.

"근데, 여기가 용 사냥꾼들의 거처가 확실한 것이오?"

송철이 한참 만에 차분한 음성으로 말을 하기 시작했다.

탄닌은 송철의 물음에 다른 단원들과 달리 호의적으로 반응했다. 그가 공주의 운명적인 남자라는 사실을 참작했기 때문이었다.

"그건 아니오. 워낙 신출귀몰한 놈들이라 사는 거처도 수시로 옮겨 다니고 있소."

"음, 어머님이 여기에 계셔야 할 텐데."

처음과는 달리 삼손의 얼굴에 체념의 빛이 어려 있었다.

조금 뒤 반딧불이는 그들을 넓은 평지로 인도하고는 눈앞에서 사라졌다. 그들이 막 잠에서 깬 듯 정신을 차리고 보니 노랫소리와 풍악 소리가 너무 커서 옆 사람의 말소리도 들리지 않았다. 그런데 희한하게도 그곳에는 개미 새끼 하나 볼 수 없었다. 그들은 무엇에 홀린 듯 여기까지 온 것이 확실하다고 생각했다. 불현듯 주변을 살피던 삼손이 이 상황이 도무지 이해가 가질 않았다. 얼마나 답답하고 화가 났는지 그는 등에 메고 있던 화염검을 뽑아 땅을 힘껏 내리쳤다. 그러자 순식간에 뇌성과 번개가 하늘을 찢을 듯이 요란했다. 곧이어 사람이 날아갈 정도로 강한 바람이 숲속에 불었다. 동시에 화염검에서 강한 빛이 발산하기 시작할 무렵부터 그곳에는 울창한 나무들과 바위들이 없어졌다. 뒤이어 잎이 우거진 푸른 숲도 눈 깜작할 사이에 사라졌다.

대신 그들 앞에는 허름한 집들이 옹기종기 모여 서로 지붕을 맞대고 있는 마을이 모습을 드러냈다. 춘삼과 송철 그리고 정길은 너무나 놀라서 이게 정말 꿈인지 생시인지를 의심하고 있었다. 삼손과 탄닌은 서로를 번갈아 보고는 약속이나 한 듯이 앞장서서 마을 안으로 들어섰다. 나머지 세 사람도 경계심을 유지한 채 그들의 뒤를 따르기 시작했다.

송철이 그곳에 있는 집들을 둘러보았다. 마치 화전민들이 사는 마을과 어딘지 모르게 엇비슷하게 보였다.

그들이 마을로 조금 더 걸어 들어가자 어디에선가 조잘대며 노는 아이들의 소리가 들렸다. 그들은 이제부터 따로따로 흩어져서 사람들을 찾아보기로 하고 서둘러 걸음을 재촉했다.

송철은 혼자서 아이들의 소리가 들리는 방향으로 향했다. 그 소리가 점점 가까이 들리는 순간 너무나 귀에 익은 목소리가 들려왔다. 그는 깜짝 놀라서 휙 고개를 돌렸다. 그러자 골목길 안에 낯익은 얼굴들이 여기저기 눈에 띄었다. 그때 한 여자아이와 눈이 마주쳤다.

"오빠!"

아이는 큰 소리를 지르며 뛰어왔다.

"복순아!"

송철도 너무나 기쁜 나머지 있는 힘을 다해 달려갔다.

아이들도 그의 얼굴을 보자 기쁨의 환호성을 지르며 뛰어 오기 시작했다. 송철은 제일 먼저 달려온 복순이를 번쩍 안아 올리고는 꼭 안아 주었다.

"오빠, 여기는 어떻게 알고 왔어? 혼자 온 거야?"

복순이는 그의 목을 꼭 껴안고 좋아서 어쩔 줄을 몰라 했다.

"아니, 세손 각하와 다른 오빠들 하고 같이 왔어. 우리 복순이 많이 무서웠지?"

송철은 복받치는 감정을 어떻게 추스를 수가 없었다.

"무섭기는 여기서 얼마나 재밌었는데. 아, 맞다! 세자빈마마님하고 공주언니…아니, 공주마마도 다들 좋아하셨어. 맛있는 음식도 많이 먹었다."

복순이는 기분이 좋은지 연방 히히 웃었다.

"뭐, 그럼 다들 무사한 거야?"

송철은 어안이 벙벙한 얼굴로 복순이를 쳐다보았다.

그때 뒤이어 달려 온 아이들이 그를 에워싸며 다시 만난 반가움에 기뻐서 두 팔을 벌리며 팔짝팔짝 뛰며 좋아했다.

지어진지 오래된 굴피집 앞에서 이상한 기운이 감도는 것을 느낀 삼손과 탄닌은 가던 걸음을 멈추었다.

"잠깐, 용 사냥꾼들입니다. 이곳에 놈들이 있어요."

"이 집에 말이냐?"

"어, 이게 어떻게 된 일이지? 공주와 세자빈마마님도…… 여기 있는 게 틀림없어요."

탄닌의 말이 끝나기도 전에 집 안에는 여러 사람들의 웃음꽃이 만발하였다.

"아니, 그런데 이게 무슨 소리지? 웃음소리 같은데……."

화기애애한 웃음소리를 듣는 순간, 삼손은 아연히 탄닌의 눈을 보았다.

그때 마침 방문이 활짝 열리며 최씨 노인이 나왔다. 열린 문 안으로 세자빈마마와 공주의 모습이 선명하게 보였다. 삼손과 탄닌의 걱정과는 달리 두 사람은 아주 밝은 표정으로 그들을 향해 환하게 미소를 지어 보였다.

"허허허. 세손 각하! 이 늙은이 생각보다 더 빨리 찾아오셨네요. 허허허."

백발의 긴 머리와 발끝까지 길게 늘어진 흰색의 두루마기를 입어서인지 최씨 노인의 몸에서 광채가 뿜어져 나오는 듯했다.

"어서 오너라! 세손. 이 어미 때문에 많이 놀랐느냐? 안색이 별로 좋아 보이지 않는구나."

뒤이어 쫓아 나온 세자빈은 가만히 손을 들어 올려 삼손의 얼굴을 쓰다듬었다.

"어……어머니! 이리 무탈하시니 정말 다행입니다."

아무 탈 없이 무사한 것을 확인한 후, 삼손은 목멘 소리로 어머니를 불렀다.

"세손 각하, 아니……오라버니!"

삼손을 보자 공주는 감격스러운 듯 목소리까지 떨려 나왔다.

"그래, 내 동생……이렇게 다시 보니 너무나 기쁘구나!"

삼손은 공주를 보자 서로 부둥켜안고 기뻐했다.

'공주야!'

삼손 곁에 있던 탄닌은 공주가 무사한 것을 보고서야 마음이 조금 진정되었다.

　'탄닌!'

　공주도 탄닌과 서로 눈이 마주치자 그제야 안도의 숨을 내쉴 수 있었다.

　때마침 집 가까이에서 사람들이 시끌벅적 떠드는 소리가 들려왔다. 삼손과 탄닌은 인기척이 나는 편으로 문득 고개를 돌렸다. 그러자 최씨 노인과 함께 먼저 떠났던 왕호와 화룡, 승수가 모습을 보였다. 조금 뒤 춘삼이와 정길이가 그 뒤를 따라 왔다. 삼손은 그들의 얼굴을 보자마자 일일이 부둥켜안고 그동안 흘린 눈물보다 더 많은 감격의 눈물을 쏟아 냈다.

　"아니, 대체 이게 어떻게 된 일입니까?"

　마음이 겨우 진정된 삼손은 궁금한 표정으로 최씨 노인을 바라보았다.

　"허허허. 용 사냥꾼들 때문에 세자빈마마님과 공주마마께서는 큰 화를 면할 수 있으셨습니다."

　최씨 노인은 차분한 목소리로 말문을 떼었다.

　"이보시오, 영감! 그게 무슨 소리요? 세자빈마마와 공주마마가 납치 된 것이 저자들의 짓이 아니었다는 말이오?"

　대화 중에 불쑥 끼어 든 탄닌이 혼란스러운 듯 여러 번 눈을 깜박거렸다.

　탄닌은 용 사냥꾼들의 생각이라도 속 시원하게 들여다보면 좋으련만 아무 일도 할 수 없는 자신에 대하여 깊은 무력감을 느끼고 있었다. 삼손 역시 이러나저러나 답답하기는 마찬가지였다.

"허허허. 그래, 네 말이 맞다. 분지마을을 습격한 자객들은 왕후가 보낸 군사들이었어."

최씨 노인은 그들의 의중을 짐작하는 것 같았다.

"아니, 그게 사실이오?"

"글쎄, 그렇다니까."

"아니, 어떻게 왕후의 군사들이 이런 악천후에 태룡산에 오를 수 있단 말입니까?"

삼손이 기가 막힌 표정으로 최씨 노인을 쳐다보았다.

"으흠! 그자들은 평범한 사람들이 아니었습니다. 반신반인인 네피림들이었죠."

최씨 노인은 조금 전과 달리 심각한 표정을 짓고 있었다.

"뭐? 네피림들이었다고요?"

삼손은 분위기가 심상치 않음을 짐작하고 최씨 노인에게서 잠시도 눈을 떼지 못했다.

"도대체 그놈들이 태룡산을 어떻게 알고 온 거지?"

전혀 예상하지 못했던 방향으로 일이 흘러가자 탄닌은 혼잣말로 뭐라고 중얼거렸다.

삼손은 분지마을을 습격한 자객들의 정체가 네피림이라는 사실을 알게 되자 큰 혼란에 빠져드는 것만 같았다. 그는 네피림이 만만치 않은 상대라는 것을 잘 알고 있었다. 이제 입장이 바뀌어져 어머니와 공주의 오랜 은신처인 태룡산마저 위험에 빠진 사태를 결코 가볍게 볼 수 만은 없었다.

"그러잖아도 지금 몇 놈을 붙잡아 문초를 하고 있는 중입니다. 그리로 가보시겠습니까?"

최씨 노인은 삼손에게 눈짓을 보냈다.

"아 그래요? 어떤 놈들인지 얼굴도 볼 겸 당장 가보죠."

"저, 근데 세손 각하! 이곳에 족장이 좀 유별난 성격이라…… 혹시라도, 예의에 크게 어긋나더라도……부디 너그럽게 봐주십시오. 꼭 그리 해주실 수 있겠습니까?"

최씨 노인은 조심스럽게 말을 꺼냈다.

"하하하. 어르신께서 그리 말씀하시니 어떤 분인지 더 궁금해지는 군요."

삼손이 흔쾌히 고개를 끄덕였다.

탄닌은 자신의 정체가 드러나게 될까봐 갑자기 말이 안 나올 정도로 긴장하기 시작했다.

최씨 노인은 앞장서서 길을 걷기 시작했다. 세 사람은 가는 동안 아무 말 없이 마냥 걷기만 하였다. 조금 뒤 얼기설기 판자를 대어 지은 마구간 같은 곳에 도착하였다. 그러자 고통에 못 이겨 지르는 낯선 사내의 비명 소리가 들렸다.

그들은 조용히 그 안으로 들어갔다. 그때 거구의 용 사냥꾼들이 자객들의 옷을 모두 벗긴 뒤 고신을 가하고 있었다. 그들 가운데 한 여인이 인기척을 느끼고는 문득 뒤를 돌아보았다. 그녀는 금빛 나는 부드러운 머릿결과 나이를 분간 할 수 없을 정도로 용모와 자태가 아름다웠다.

탄닌은 자신의 얼굴을 뚫어져라 쳐다보는 그녀의 시선을 감당하기 어려워 고개를 옆으로 돌렸다. 지금껏 한 번도 경험해보지 못한 긴장감을 견디기가 어려웠다.

그녀는 삼손을 보고 세손이라는 걸 한눈에 알아보았다. 족히 수백 년도 더 살아 온 그녀는 여걸답게 아우라를 뿜어내며 먼저 다가갔다.

"그대가 말로만 듣던 조선의 세손인가 보군! 난 이곳의 족장인 셀라라고 하네."

그녀는 삼손이 나이 어리고 의관이 분명치 못함을 봄인지 초면에 하대를 하였다.

"하하하. 반갑습니다. 보아하니 조선이 아닌 타국에서 온 듯한데 어디에서 오셨습니까?"

삼손은 이국적인 외모가 돋보이는 그녀를 신기한 듯 쳐다보았다.

"호호호. 글쎄, 바람따라 구름따라 여러 곳을 돌아다녔지. 그러다 보니 어느 한 곳을 딱히 설명하기가 힘들겠구려."

그녀는 약간 멋쩍은 듯 어색한 미소를 띠었다.

"아하, 그렇군요. 그런데 저기 있는 왕후의 군사들을 그쪽에서 붙잡았다고 들었습니다. 어찌 저희를 도우셨습니까?"

삼손은 땅바닥에 무릎이 꿇린 채 결박당해 있는 자객들을 엄숙한 표정으로 바라보며 물었다.

"아는지 모르겠지만, 두 종족은 본래 사람들 틈에 자연스럽게 섞여 산다는 공통점이 있었네. 하지만 네피림들이 변질되고 나서 두 종족은 갈라지고 말았지. 그 후로 서로를 감시하고 견제하는 것이 일상화가 되다시피 했네. 둘은 마치 물과 기름처럼 서로 어울리지 못했고 결국 적대적인 관계가 되었지."

"아, 그런 이유가 있었군요. 근데, 그게 전부인가요?"

"사실, 우리 종족은 말일세. 태룡산에 사는 드래곤을 잡으려고 오랫동안 기회를 보고 있었네. 하지만 여기 알루쉬가 쳐놓은 보호결계 때문에 뜻대로 접근하기가 쉽지 않았지."

그녀는 눈을 할끗 흘기며 탄닌을 쳐다보았다.

"아니, 셀라! 글쎄 내가 몇 번을 말해줘야 해. 태룡산에는 애초부터 드래곤은 없었다고. 어휴, 대체 내 말을 듣긴 듣는 거야?"

최씨 노인이 갑자기 목에 핏대를 세우고 언성을 높였다.

그 순간 탄닌은 어떻게 해야 할지 몰라 난감한 표정을 지었다. 그녀에게 정체를 들킬까 봐 바늘방석에 앉은 것 같은 불안한 기분이었다.

"그래 알았어. 내가 잘못했어. 어휴, 그만 진정 좀 해."

그녀는 칭얼대는 아이를 다독거려 주듯 그를 달래주었다.

"으흠, 셀라, 이젠 내 말을 믿어 줄 거지?"

최씨 노인은 잠깐 투정을 부리듯 한 것이 효과가 있자 그제야 차분해지는 모양이었다.

"그래 알았어. 믿어 줄게."

그녀는 최씨 노인의 말을 듣고 어이없는 웃음을 지었다.

삼손은 두 사람의 행동으로 보아 보통 사이는 아닐 것이라고 추측하였다. 마치 토닥거리는 모습은 정다운 오누이 같기도 하고, 티격태격 싸운 부부 같기도 하고, 밀고 당기는 연애감정이 남아있는 오랜 연인사이 같기도 했다.

그녀는 분위기를 바꾸고 싶었는지 조금 전 끊겼던 말을 계속 이어갔다.

"태룡산을 계속 주시하고 있었던 우린 네피림들의 움직임을 포착했네. 그래서 즉시 그들에게 경고를 보냈어. 우리의 영역을 침범하지 말라고 말일세."

"그런데 결국은……."

삼손은 분노와 놀라움으로 말을 잇지 못했다.

"네피림들은 우리의 경고를 무시하고 분지마을을 습격했네. 어떤 이유에서인지 알루쉬가 쳐놓은 보호결계가 깨졌어. 기회를 엿보던 놈들은 닥치는 대로 사람을 죽이고 마을에 불을 질렀네. 무고한 사람들이 희생당하는 것을 막기 위해 결국 우리가 나선 것일세."

"아, 그랬군요."

그녀의 말을 들은 삼손은 마음에 찔리는 데가 있는지 얼굴을 다른 데로 돌렸다.

"하긴 나도 처음엔 이해를 못했었네. 네피림들은 우리가 있는 곳에는 절대로 얼씬거리지 않거든. 놈들이 무모할 정도로 쳐들어왔다는 것이 이해가 가질 않았지. 현장에서 놈들을 붙잡고 나서야 그 이유를 알게 되었네. 바로 분지마을에 세자빈이 있었기 때문이었지."

"어머님이 계신 곳으로 저자들이 찾아왔다면 왕후가 모든 것을 알고 있었겠군요?"

"암, 당연하지. 왕후는 세자빈이 살아 있다는 것을 알고 저 놈들을 보낸 걸세. 만일 세자빈이 그곳에 계속 머물렀다면 왕후는 더 많은 네피림들을 보내 목숨을 노렸을 것이네. 그런 이유 때문에 세 자빈을 이곳으로 데리고 온 걸세."

"허허허. 어찌 되었던 간에 셀라족장 때문에 큰 위기를 넘겼습니다."

최씨 노인은 그녀를 삼손 앞에서 치켜세웠다.

"어머니와 동생 그리고 아이들을 구해 주어 정말 고맙습니다. 보살펴 주신 은혜는 죽어서도 잊지 못할 겁니다."

삼손은 고마운 마음에 그만 눈시울이 붉어졌다.

그때 셀라가 아무 말 없이 서 있는 탄닌의 얼굴을 뚫어져라 직시하고 있었다. 왠지 모르게 어색하고 긴장한 빛이 역력해 보이는 탄닌을 보고 그녀의 눈빛이 이상하게 변하기 시작했다. 그녀는 처음엔 무심결에 쳐다보았는데, 자꾸 보니 그에게 뭔가 이상한 구석이 있다고 느꼈던 것이다.

탄닌은 어색한 표정과 불편해 보이는 몸짓 때문에 그녀가 자신을 계속 의심하고 있다는 것을 직감했다.

"음, 그쪽은 이름이 무엇인가? 혹 어디 몸이 불편한 것이냐?"

셀라가 먼저 말을 걸어 왔다.

"으음……난…나는……."

갑자기 당황한 탄닌의 입에서는 으음하는 신음 소리만이 절로 새어 나왔다.

"어이쿠, 이런, 내 정신 좀 봐. 소개가 늦었군 그래. 여긴 내 손주나 다름없는 아이야. 이름은 탄닌이라고 부르지. 허허허, 이 아이가 워낙 내성적인 성격이라 낯을 가리니 이해를 좀 해줘."

최씨 노인은 탄닌의 어깨에 손을 얹으며 태연하게 행동했다.

"음……탄닌. 이름이 나처럼 아주 특이하구나."

그녀는 하고 싶은 말은 많지만 꾹 참는 표정이었다.

드래곤과 용 사냥꾼들의 관계가 적대적이라는 것을 잘 알고 있는 삼손은 마음이 편치 않았다. 최씨 노인도 탄닌이 드래곤이라는 사실이 발각되지 않기 위해서 분위기를 바꾸려고 얼른 화제를 돌렸다.

"그나저나 새로운 사실을 알아낸 것은 없어?"

"알루쉬, 넌 정말 눈치 하나는 빠르다니까. 그렇잖아도 말해 줄게 하나 있지. 음, 이번에 왕후가 세자빈을 죽이려고 한 것은 맞아. 근데 놀라운 사실은 공주를 궁으로 데려가려고 했다는 거야."

그녀의 말투가 호기심을 돋우었다.

"아니, 공주를 궁으로 데려가려 했다니 그게 무슨 소리야?"

그녀의 말을 듣고 최씨 노인은 크게 놀랐다.

셀라는 눈을 아래로 깔고 잠시 생각에 잠겼다. 세 사람이 어떻게 받아들일지 벌써부터 그 파장을 염려하는 눈치였다. 사실 그녀도 붙잡은 네피림들을 취조하기 전까지는 전혀 예상하지 못한 일이었던 것이다. 그녀는 한동안 침묵을 지킨 뒤 곧 불안스러운 눈길로 그들을 보고 입을 열었다.

"휴, 이걸 말해야 될지 말아야 될지 모르겠네."

"아니, 대체 뭔데 그래? 셀라! 어서 속 시원하게 말해 봐."

최씨 노인의 눈에 근심이 서려 있었다.

"알았어. 대신 중간에 말 끊지 마, 알루쉬!"

"그럴게."

"오래 전 왕후는 아기였던 공주에게 자신의 피를 마시게 했어. 자기가 숭배하는 몰렉에게 인신 공양을 하기 위해 벌인 짓이었지. 그런데 어느 궁녀가 나타나면서 모든 일이 삽시에 엉망진창이 되고 말았어. 궁녀는 왕후의 제물이었던 공주를 데리고 무사히 궁을 탈출했고 태룡산으로 숨어 버렸지. 그런데 놀라운 사실은 그 궁녀가 바로 용이었다는 거야. 영원불멸의 삶을 살기를 원했던 왕후는 용의 피가 절실히 필요했어. 근데 눈앞에서 기회를 놓치고 만 거야. 네피림의 피를 마신 공주는 죽을 수밖에 없는 가혹한 운명을 맞이했지. 하지만 어찌 된 영문인지 그 아이는 별 탈 없이 자라났어. 태룡산에 살고 있는 첩자들이 그 사실을 왕후에게 알렸고 그녀는 공주가 죽지 않은 이유를 직감으로 알게 되었지. 바로 공주가 용의 피를 마셨다는 것을 확신하게 되었어. 용의 피는 그 어떠한 독성이라도 깨끗하게 만들 뿐만 아니라 죽음을 피해갈 수 있는 능력이 있지. 그래서 왕후는 공주의 몸속에 있는 용의 피를 노리고 저놈들을 태룡산으로 보낸 거였어."

"아니, 몸속에 있는 피를 노리다니! 아무리 악랄하다지만 어떻게 그럴 수가 있나?"

최씨 노인은 놀란 표정을 지으며 마른침을 삼켰다.

"네피림은 반신반인으로 하늘로부터 저주받은 존재들이야. 그들 종족은 먼 훗날 있을 심판의 날에 무저갱 속으로 들어가 영원한 형벌인 죽음을 당할 거야. 그렇기에 왕후는 더 기를 쓰고 영생의 기운이 들어 있는 용의 피를 구하려 드는 것이지."

그녀는 붙잡힌 자객들에게 시선을 떼지 못하고 서 있었다.

왕후가 공주의 목숨이나 다름없는 피를 노리고 있다는 사실에 탄닌은 분노가 치밀어 올랐다. 더욱이 엄마를 죽인 원흉인 왕후를 절대로 그냥 둘 수 없었다. 잠시 동안 그는 눈을 감은 채로 무언가를 골똘히 생각해 보았다. 이윽고 그는 결단을 내린 듯 눈을 번쩍 떴다. 왕후의 군사들이 그녀를 찾기 전에 자신이 먼저 왕후의 숨통을 끊어 놓고야 말겠다고. 탄닌은 그 말을 마음속으로 몇 번이고 되뇌었다.

"알루쉬, 직접 공주를 키웠으니 잘 알고 있잖아? 그 아이가 용의 피를 마셨다는 게 사실이야?"

셀라는 최씨 노인에게 확인하고 싶었다.

"그래 사실이야."

최씨 노인은 고개를 끄덕거렸다.

탄닌은 그들의 말을 듣고 엄마가 생각났다. 그는 울컥 가슴속에서 뜨거운 것이 치밀어 오르는 것을 누르느라 안간힘을 쓰고 있었다.

"이봐! 셀라, 이곳은 좀 안전한 거야? 왕후가 워낙 집요해서 말이야."

최씨 노인은 뭔가 곰곰이 생각하더니 입을 열었다.

"사실 나도 그게 좀 걱정이야. 그러잖아도 그 일로 알루쉬와 상의하고 싶었어."

그녀는 최씨 노인의 의중을 잘 알고 있는 듯 했다.

"아니, 이곳도 안전하지 않다는 말씀인가요?"

삼손은 순간 얼굴에 그늘이 드리워졌다.

"휴, 자네는 아직 한 번도 겪어보지 못했겠지만 놈들은 반신반인일세. 무작정 만만히만 볼 수도 없는 놈들이지. 자네가 화염검으로 순간이동을 한 것처럼 놈들은 적게는 수백 명, 많게는 수천 명도 옮길 수 있네."

셀라가 삼손을 바라보며 한숨을 내쉬었다.

"셀라! 무슨 방도가 없을까? 왕후에게 세자빈마마님과 공주님을 잃을 순 없어."

최씨 노인의 음성에는 이미 조바심이 일고 있었다.

"미안해 알루쉬, 이미 엎질러진 물이야, 이젠 되돌릴 수도 없게 되었어. 이건 전쟁이야! 전쟁!"

그녀의 얼굴에 근심이 가득했다.

탄닌은 처음부터 이곳이 마음에 썩 내키지 않았다. 아무리 마법과 무예에 뛰어난 용 사냥꾼들이라고는 하지만 네피림들도 그리 호락호락한 상대가 아니라는 것을 잘 알고 있었기 때문이었다. 그들은 타고난 예지력과 초인적인 힘은 물론 시공간을 자유자재로 넘나들 수 있는 능력을 소유하고 있었다. 네피림들은 용 사냥꾼들과 비교해도 결코 뒤처지지 않았다.

바로 그 순간이었다. 탄닌은 드래곤의 예지력이 꿈틀거리기 시작했다. 그의 마음속 깊은 곳에서 불안감이 고개를 내밀었다. 그때 한쪽 구석 땅바닥에 무릎이 꿇린 네피림의 번득이는 눈과 시선이 마주쳤다. 동시에 탄닌은 섬뜩하고 이상한 기분이 들었다. 꼭 무슨 일이 터질 것만 같은 불길한 예감 속으로 점점 휘몰아 들어가고 있는 것 같았다. 지금 당장 모두에게 말하고 싶었지만 셀라에게 자신의 정체를 스스로 드러내는 꼴이기에 그럴 수도 없는 노릇이었다.

그의 예감대로 평화로운 시간은 그리 오래가지 못했다. 갑자기 지진이 일어난 듯 지축을 흔드는 요란한 말발굽 소리가 들려왔다. 군사들의 고함소리에 화들짝 놀란 그들은 얼른 밖으로 뛰쳐나왔다. 그들은 동시에 눈을 들어 건너편을 바라다보았다. 그곳으로 자욱한 흙먼지가 일고 있었다. 뒤이어 깃발을 휘날리며 한 떼의 군사들이 시꺼멓게 줄을 지어 마을로 쳐 들어오고 있었다.

그 와중에 사내 하나가 가쁜 숨을 쉬며 허둥지둥 뛰어왔다.

"족장님! 어서 이곳을 피하셔야 합니다."

그는 몹시 놀라서 당황하는 빛이 얼굴에 역력했다.

"도대체 이게 어떻게 된 일이냐?"

셀라는 깜짝 놀라서 눈이 똥그래졌다.

"왕후가 보낸 군사들입니다. 지금 사방에서 몰려오고 있습니다."

사내의 표정에서 촌각을 지체할 수 없는 상황임을 알 수 있었다.

"이런, 젠장!"

그녀도 무척 당혹스러워했다.

"휴우, 세손 각하 이러고 있을 때가 아닙니다! 어서 마마님과 공주님을 모시고 떠나세요."

최씨 노인이 급한 듯한 목소리로 말했다.

"알겠습니다. 그럼 먼저 가보겠습니다."

삼손은 말이 끝나기도 전에 자리를 떴다.

삼손과 탄닌은 세자빈과 공주가 있는 집으로 한걸음에 달려왔다. 어느새 알았는지 사람들이 웅성웅성 모여 있었다.

삼손은 집 앞에 모여 있는 사람들의 숫자를 세어 보더니 전에 없이 얼굴이 굳어졌다.

그때에 북소리가 여기저기서 둥둥거리며 가깝게 울려나기 시작했다. 군사들이 와하는 함성을 지르며 마을을 향해 진군하는 소리였다.

사람들은 저 많은 군사들이 순간이동 능력으로 왔다는 것에 기겁하지 않을 수 없었다. 왕후는 결코 만만한 상대가 아니라는 것을 아는 데는 긴 시간이 필요하지 않았다.

곧바로 용 사냥꾼들과 적군이 싸우며 질러 대는 비명은 너무 끔찍스럽고 처절하게 들렸다. 얼마 전 태룡산 인근 마을에서 겪었던 끔찍한 악몽이 떠올랐는지 아이들은 그 소리에 무서워 몸을 벌벌 떨었다.

삼손은 그런 아이들의 모습을 보며 안타까운 마음이 들었다. 그때 그는 등에서 덜그럭덜그럭 거리며 크고 단단한 물건이 부딪쳐 맞닿는 소리를 느끼고 있었다. 순간 삼손은 등덜미에 찬물을 끼얹은 듯이 정신이 번쩍 났다. 한참 전부터 등에 멘 화염검이 그를 부르고 있었던 것이었다.

"어머니! 이쪽으로 오세요. 공주 너도! 자, 다들 이리로 모이게. 어서."

삼손은 주변에 있는 사람들을 불러 모았다.

거기에 모인 사람들 가운데 춘삼이와 송철 그리고 정길 세 사람만이 그가 무엇 때문에 그러는지 알 것만 같았다. 주변이 어수선했지만 세자빈과 공주 그리고 아이들과 단원들은 그가 시키는 대로 손을 잡고 원형으로 빙 둘러섰다. 삼손이 서둘러 화염검을 들고 순간이동을 하려는 찰나였다.

날카로운 화살이 쉭 소리를 내며 그들을 향해 마구 날아들었다. 그와 동시에 탄닌이 땅을 박차며 공중으로 뛰어 올랐다. 그는 청룡언월도와 같은 기다란 검으로 빗발치는 화살들을 모조리 막아냈다. 더 이상 화살이 날아들지 않자 땅에 사뿐히 착지한 탄닌은 뭔가 이상한 낌새가 느껴졌다. 아니나 다를까, 어느새 왔는지 집 앞에는 다섯 명의 덩치 좋은 사내들이 딱 버티고 서 있었다.

"네피림이다!!! 자, 여긴 제가 막을 테니 세손 각하 어서 가세요!"

탄닌이 그들을 발견하고 고함을 질렀다.

"안돼, 탄닌! 널 두고 그냥 갈 수 없어."

공주가 눈물을 글썽이며 울먹였다.

"제가 약속했죠! 공주님 혼자 나두는 일은 결코 없을 거라고요. 저도 곧 쫓아갈게요."

탄닌은 애정 어린 눈으로 그녀를 쳐다보았다.

그는 말이 끝나기도 전에 이글거리는 눈빛으로 사내들에게 달려들었다. 삼손이 화염검으로 순간이동을 할 수 있도록 시간을 벌려는 계산이었다.

네피림들과 격렬하게 싸우는 탄닌의 모습을 지켜보던 공주의 눈에서 주르륵 눈물이 흘러내렸다. 아이들과 행신 상단의 단원들도 엎치락뒤치락하는 싸움 광경에 놀라 비명을 질렀다.

삼손도 한동안 그 모습을 지켜보고 있었다. 탄닌을 도와주고 싶었지만 사람들의 안전이 우선이었다.

삼손은 등에 멘 화염검을 꺼낸 뒤 혼잣말로 뭐라고 중얼거렸다. 마당에는 사람들이 빙 둘러 서고는 서로의 손을 꼭 잡고 있었다. 얼마 뒤 사람들 한 가운데에 서 있는 삼손의 화염검에서 강한 빛이 뿜어져 나오기 시작했다.

삼손은 양손으로 붙잡은 검을 힘껏 땅에 꽂았다. 그러자 곧장 화염검이 강한 빛을 내쏟고는 사람들과 함께 순식간에 사라졌다. 당황한 네피림들이 주변을 아무리 찾아봐도 그들은 온데간데없었다.

공주가 무사히 탈출한 것을 확인한 탄닌은 그제야 안도하는 기색이었다. 그는 생각과 마음이 편안해지자 더욱 힘이 솟았다. 싸움에서 고전을 면치 못하고 있는 네피림들은 상대가 사람이 아님을 깨달았다. 하지만 너무 뒤늦게 알아차렸던 것이 자신들의 비극이 될지는 몰랐다.

제 18장　꿈속에서라도

넓은 마당에는 죽은 사람들의 시체 썩는 역한 냄새가 코를 찔렀다. 하수구가 막힌 탓에 진한 핏물이 고여 군데군데 웅덩이가 생겼다. 여기저기서 날아든 까마귀들은 사람들이 다가와도 달아날 줄 몰랐다. 집요하게 살점을 뜯어 입에 물고는 그제야 퍼드덕 날아갔다. 독기를 품은 나장은 세령의 목에서 칼을 떼지 않고 여전히 사병들과 대치하고 있는 중이었다. 목에 깊숙한 자상을 입은 그녀는 피를 너무 많이 흘려 탈진 상태에 놓였다.

옴짝달싹 않고 서있었더니 자꾸만 저절로 고개가 수그러지고 눈이 감겼다. 더군다나 정신이 자꾸 아찔해지고 다리가 후들거려서 그 자리에 풀썩 주저앉고만 싶었다.

육종윤도 마음 같아서는 나장의 목을 당장이라도 치고 싶었다. 하지만 그녀의 안위를 생각하지 않을 수 없었다.

"이런, 씨발! 그때 시장에서 안 만났으면 너나 나나 이 험한 꼴은 당하지 않았을 거 아니냐고!"

그는 분이 풀리지 않았는지 그녀의 귀에다 대고 욕을 섞어 가며 주절거렸다.

"으윽! 어서 죽여라."

그녀는 조용히 그러나 단호하게 말했다.

"흐흐흐. 왜 그렇게 성을 내는 거지? 아, 생각났다. 그때 시장에서 같이 있었던 돌쇠 같은 놈이 보고 싶어서 그런 거야?"

벌겋게 달아오른 볼따구니를 씰룩거리던 나장은 노골적으로 비아냥거렸다.

"헛소리 집어치워!"

"어, 반응이 그게 뭐지? 벌써 그 놈하고 그렇고 그런 사이인거야? 오 내님이여! 흐흐흐, 걱정하지 마……넌 내가 책임질 테니까. 난 네년과 끝까지 함께 갈거든."

나장은 갑자기 한 손으로 그녀의 가슴을 핥듯이 쓸어내리며 견딜 수 없는 모멸감을 느끼게 하였다.

"더러운 개자식!"

그녀는 눈 주위가 부들부들 떨리기 시작했다.

그녀는 나장에게 붙잡혀 이런 수모를 당하는 것이 치가 떨릴 만큼 원통하고 너무나 수치스러웠다. 먼발치에서 쭈그리고 앉아 있는 두칠이와 아이들은 그런 광경을 보고도 아무것도 할 수 없어 한없이 눈물만 흘릴 뿐이었다.

바로 그때 하늘이 노했는지 갑작스레 천둥이 울리고 번갯불이 번쩍이고 눈발이 흩날리기 시작했다. 청명하던 하늘이 난데없이 검게 어두워졌다. 동시에 새들이 나무 위를 선회하며 귀를 찢을 듯이 날카로운 울음소리를 내었다. 육영왕후의 생가에 모여 있던 사람들은 이상한 징조에 놀라 불안에 짓눌리기 시작했다.

불길한 전조 증상에 공포심을 느꼈음인지 나장은 눈알을 망둥이처럼 이리저리 굴리기에 이르렀다. 그칠 줄을 모르는 번개가 온 하늘을 쪼갤 듯이 번쩍였다. 끊이지 않고 계속되는 뇌성이 요란했지만 세령은 조용히 눈을 감은 채 지쳐서 미동도 않고 서 있었다.

"이런 염병할 날씨 같으니라고! 너 허튼 수작 부리기만 해 봐!"

겁에 질린 나장은 번개로부터 멀어지기 위해 뒷걸음질로 조금씩 움직이기 시작했다.

"후후, 꼴에 벼락 맞아 죽을까봐 겁이 나나 보지? 하긴 지은 죄가 많으니 그럴 만도 하겠네."

세령은 뒷걸음질을 하고 있는 나장의 행동을 보니 그저 헛웃음만 나올 뿐이었다.

"이런 쌍! 죽고 싶지 않으면 입 닥쳐!"

나장은 버럭 소리를 질렀다.

세령은 더이상 말할 것도 없었다. 그녀는 자신의 목을 겨누고 있는 칼만 아니어도 나장을 쉽게 제압할 수 있을 거란 생각을 수도 없이 했다. 단 한 번의 결정적인 기회만 온다면 반드시 시도해 볼 셈이었다. 천둥, 번개와 함께 사방에서 불어오는 눈바람까지 거세어졌다. 나장의 심장 박동 소리는 시간이 흐를수록 점점 빨라졌고, 숨도 가빠지기 시작했다.

그녀는 별안간 변한 고약한 날씨를 때마침 찾아 온 천우신조와 같이 여겼다. 나장이 뒤로 걸을 때마다 몸의 균형이 흐트러지기 시작했다.

그가 세령을 인질로 잡고 슬몃슬몃 뒷걸음질을 칠 때마다 대치하고 있던 사병들과 관아의 나졸들도 점점 포위망을 좁혀왔다. 나장이 뒤쪽으로 갈수록 쥐구멍을 하나 빼면 나갈 곳이라고는 한 군데도 없는 그저 흰 벽뿐이었다. 이윽고 나장의 등이 완전히 막다른 벽에 붙었다. 사방으로 물샐틈없는 포위망이 좁혀오자 그는 모든 것이 다 끝났음을 직감했다.

"야, 이런 씨발놈들아!!! 그만 다가오지 못해!! 흐흐흐흐, 여기서 나 혼자 죽을 것 같아? 저승길은 이 년과 같이 갈 거다! 이 좆같은 새끼들아!"

나장은 끝내 실성한 사람처럼 혼자서 노발대발하며 악다구니를 써 댔다.

생쥐 한 마리가 벽 쥐구멍에서 툭 튀어나온 것은 바로 그때였다. 쥐는 다짜고짜 나장의 다리를 타고 올라가 순식간에 칼을 쥔 손을 깨물었다. 갑자기 따끔거리는 통증과 함께 쥐를 보자 나장은 비명을 지르며 들고 있던 칼을 힘없이 내려뜨렸다. 그 순간 세령은 기다렸다는 듯이 두 손을 맞잡아 팔꿈치로 나장의 복부를 강하게 가격했다. 그러자 나장은 고통스러운 신음소리를 토해 내며 고부라지

듯이 허리를 숙였다. 곧장 그녀가 나장의 머리를 두 손으로 꽉 잡고 아래로 내리면서 무릎으로 턱을 올려쳤다. 나장은 외마디 비명과 함께 턱뼈가 부러지는 소리가 크게 들렸다. 곧 코와 입에서도 피를 뿜으며 그 자리에서 폭 고꾸라졌다. 그녀는 분이 풀리지 않았는지 시체처럼 쓰러져 있는 나장을 향해 발길질을 하면서 울부짖었다.

그때 사병들과 나졸들이 우르르 달려들며 그녀를 나장에게서 떼어냈다. 뒤이어 본채마당 저만치에 서 있던 두칠과 길상, 정월, 그리고 다연이가 눈물로 얼룩진 얼굴로 단숨에 달려왔다. 그들은 서로를 부둥켜안고 누가 먼저랄 것도 없이 소리 내어 울기 시작했다.

"그놈을 단단히 결박하여 이리 끌고 오너라."

육종윤의 쩌렁쩌렁한 목소리가 처마 끝에 달린 풍경마저 흔들기세였다.

얼굴이 온통 피투성이가 된 나장은 굵은 포승줄로 묶인 채 절룩거리며 끌려갔다. 육종윤 앞으로 끌려 온 그는 고개를 들어 여전히 독기 서린 눈으로 세령을 노려봤다.

세령은 진즉에 자신의 손으로 죽이지 못한 것을 내내 후회하고 있었다.

"네 놈은 왕후의 개가 되어 비열한 방법으로 아이들을 사지로 몰고 갔다. 네 놈의 죄는 죽음으로도 용서받지 못할 것이다. 그리하여 난 네 놈에게 가장 고통스럽고 잔인한 형벌을 내릴 것이다. 여봐라, 당장 이 놈의 사지를 찢어버리도록 거열형에 처하라!"

육종윤은 그의 얼굴을 뚫어지게 주시했다.

"네, 대감마님!"

사병들과 나졸들은 명령이 떨어지기가 무섭게 움직였다.

포획 당한 짐승 새끼 마냥 나장은 거의 질질 끌려가다시피 했다. 마당을 가로 질러 나가는 동안 땅바닥에 쌓여 있는 시체더미를 보자 잔뜩 겁을 집어 먹고는 살려 달라고 소리쳤다.

사병들과 나졸들은 그런 그의 행동을 무시한 채 계속 끌고 나가려 했다.

"아이고 제발 살려주십시오!!! 소인이 잘못했습니다!! 대…대감마님……제가 죽을죄를 지었습니다. 부디 한 번만 용서해주십시오! 제발 살려…주세요."

그는 어린 아이처럼 땅바닥에 털썩 주저앉아 떼를 쓰며 바둥바둥 발버둥을 쳤다.

"어험, 뭣들 하는 게냐? 저놈을 여기서 당장 들어내지 못할까!"

육종윤은 노여운 표정까지 지으며 나장의 처절한 절규를 단호하게 잘랐다.

이 소동은 결국 울고불고 지랄 발광하던 나장이 밖으로 끌려 나가고 나서야 끝이 났다.

"몸이 많이 상한 듯한데 괜찮은 것이냐?"

육종윤은 걱정스러운 얼굴로 세령을 바라보았다.

"전, 괜찮습니다. 다만, 왕후가 이곳을 알고 군사를 보냈다면 행신 상단에 계신 아버님이 무탈하게 잘 계실지 걱정이 됩니다."

그녀의 얼굴에는 지치고 피곤한 기색이 역력했다.

"그래, 실은 나도 그게 마음에 걸리는구나."

육종윤은 걱정스러운 표정으로 그녀를 돌아보았다.

그때, 뜬금없이 마을 어귀에서 사람들의 함성 소리가 메아리처럼 들려왔다. 시간이 지날수록 힘찬 함성 소리는 온 마을에 쩌렁쩌렁 울렸다. 이내 점점 커지는 사람들의 함성은 파도처럼 육영왕후의 생가 앞까지 덮쳐왔다.

어느새 담 너머에서는 수많은 인파들로 웅성거리는 소리가 들렸다. 뒤이어 목이 터져라 만세를 부르짖는 요란한 함성으로 가득 찼다.

집안에 있던 육종윤과 세령은 갑작스러운 큰 소리에 놀라 몸이 옴칫대었다. 조금 뒤 바깥 상황을 살피러 나갔던 최 서방이 돌아왔다. 그는 황급히 오느라고 얼굴이 빨갛게 상기되어 있었다.

"대감마님! 큰 일 났습니다."

최 서방은 무엇에 놀랐는지 육종윤에게 와락 다가들었다.

"도대체 무슨 일이냐? 큰일이라니?"

육종윤은 긴장한 듯한 표정으로 물었다.

"아니, 그게 아니라…… 지금 당장 밖으로 나가보셔야 할 것 같습니다. 지금 집 앞에…… 세자빈마마님께서 오셨습니다. 그뿐 아니라, 세손 각하께서도 함께 와 계십니다. 대감마님께서 어여, 나가보시는 것이 좋을 듯합니다."

최 서방은 놀란 가슴을 진정시키느라고 힘겹게 숨을 고르고 있었다.

"뭐……세자빈마마님과 세손 각하께서 이곳에 오셨다는 말이냐?"

육종윤의 목소리는 약간 떨리고 있었다.

그제야 세령은 마을 사람들이 환호성을 지른 이유를 알게 되었다. 곧장 그녀는 육종윤의 뒤를 따라 나갔다. 본채 안에 남아있는 사람들도 그동안 말로만 듣던 세자빈과 세손의 얼굴을 보기 위해 대문을 향해 달려 나갔다.

끼익 소리를 내며 대문이 열리자 마을 거리에는 이미 수많은 사람들로 발 디딜 틈이 없었다. 세령이 주위를 살피니 그 인파 가운데 한 여인의 모습이 훤히 눈에 들어왔다. 그녀가 한눈에 봐도 그 여인이 누구라는 것을 알 수 있을 것만 같았다. 그 수려하고 기품 있는 자태가 눈이 부실 정도로 아름다웠다.

육종윤도 그녀를 한 눈에 알아보았다. 그는 곧장 겹겹이 진을 친 사람들을 헤집고 여인이 있는 서 있는 곳으로 급급히 걸음을 옮겨갔다. 조금 뒤 수많은 인파를 뚫고 여인 앞에 선 육종윤의 검은 눈이 놀라움으로 크게 커졌다. 그는 그 여인을 보는 것만으로도 가슴이 벅차올랐다. 그는 그 여인을 만난 반가움에 잠시 할 말을 잊었다. 그리고 몇 분이 지나서야 복받치는 감정을 겨우 추스를 수 있었다. 아무 말 없이 숨을 고르고 또 고른 끝에 그는 공손히 예를 갖추며 그 여인에게 큰 절을 올렸다.

"신 대제학 육종윤! 세자빈마마를 뵈옵나이다, 흑흑흑, 그동안 신이 불충을 저질렀나이다. 흑흑, 저를 큰 벌로 엄히 꾸짖어 주옵소서!"

육종윤은 땅바닥에 엎드려 가슴을 치며 통곡을 했다.

"대제학 대감은 그만 일어나세요. 이렇게 얼굴을 다시 보게 되다니 기쁘기가 한량없구려."

그녀는 그에게 자비심이 깃든 온화한 미소를 지으며 바라보았다.

"흑흑, 세자빈마마, 성은이 망극하옵니다."

육종윤은 힘겹게 자리에서 일어나더니 손등으로 눈물을 닦았다.

세자빈 곁에 서 있던 삼손은 그를 흐뭇한 표정으로 바라보았다. 육종윤을 꿰뚫어 본 삼손은 그가 충성스럽고 절개가 굳은 사람이라는 것을 단박에 알아보았다. 조금 뒤에 육종윤은 눈물이 어룽어룽한 눈으로 삼손과 눈이 마주쳤다. 그는 믿을 수 없는 놀라운 광경을 본 듯이 입이 쩍 벌어져서 그만 다물지를 못하였다.

삼손을 보는 순간 육종윤은 그가 누구인지를 단박에 알아보았다. 그는 너무 놀라 그 자리에 얼어붙었다. 그러더니 한참 만에 그가 떨리는 음성으로 겨우 입을 떼었다.

"세자빈마마, 혹, 이분께서……세자 저하의 아들이신…… 세손 각하이시옵니까?"

자신의 조카인 왕세자 현우의 얼굴과 빼다 박은 듯 닮은 삼손의 얼굴을 보면서 육종윤은 계속해서 흐르는 눈물을 주체할 수 없었다.

"네, 맞습니다. 이래서 피는 물보다 진하다고 하는 거겠죠. 이 아이가 바로 세자 저하의 적통인 세손입니다. 세자 저하께서도 여기에 계셨다면 얼마나 기뻐하셨을지……."

그녀는 감격에 겨워 말을 잇지 못했다.

"신 육종윤 세손 각하를 뵈옵니다."

그는 삼손에게 곧바로 예의 바르게 허리를 굽혀 깍듯이 인사를 하였다.

"그러잖아도 내 대감의 명성은 익히 알고 있었습니다. 무엇보다 오래 전에 어머니께서 태룡산으로 몸을 피하 실 수 있게 도와주신 분이 바로 대감이라는 사실도요. 내 언젠가는 꼭 대감을 만나 고마운 마음을 전하고 싶었습니다."

삼손은 얼마나 반가왔던지 덥석 그의 손을 잡았다.

"허허허. 어찌 이리도 세자 저하를 꼭 닮으셨는지요? 용안도 저하와 판에 박은 듯 똑같고 하시는 말투와 행동도 참 많이 닮으셨습니다. 조금 전 세자빈마마님의 말씀대로 이래서 피는 속일 수 없는 것 같사옵니다."

육종윤은 옷소매로 얼른 흐르는 눈물을 닦았다. 그는 서먹한 분위기를 확 바꾸는 삼손의 행동을 보며 행복한 웃음이 절로 나왔다.

"하하하. 제가 그리 아버님을 많이 닮았습니까? 그것참, 듣던 중 반가운 소리군요. 진외종조부께 아직 듣지 못한 이야기는 차차 듣도록 하겠습니다."

삼손은 간만에 하얀 이를 빛내며 활짝 웃었다.

그토록 간절히 바랐던 어진 군주가 살아 돌아왔다는 소식을 들은 백성들은 들뜬 마음으로 마을 거리로 쏟아져 나왔다. 그들은 세자빈과 세손을 보면서 마음 저 밑에서부터 차 올라오는 벅찬 감정을 온몸으로 느끼며 이구동성으로 만세를 불렀다.

세령은 먼발치에서 그 광경을 지켜보고 있었다. 목에 심한 부상을 당했지만 아픔을 꿋꿋하게 견디는 중이었다. 그녀는 몹시 지치고 피곤한 탓인지 세자빈과 세손의 얼굴이 흐릿하게 보였다.

그때 길상이가 무언가를 발견했는지 호들갑스럽게 세령을 불렀다.

"누나! 저기 좀 봐요!"

세령은 정신이 가물가물하는 가운데 길상이의 외침이 마치 아득한 꿈결처럼 들렸다. 몇 번을 불러도 아무런 응답이 없자 길상이는 그녀의 몸을 세차게 흔들어 댔다.

"그래……동철아. 왜 그래? 무슨 일이야?"

그제야 세령은 정신이 들었다.

"삼손형이 저기 있다고요! 저기 봐요. 세자빈마마님 옆에 서 있잖아요."

길상이가 손을 들어 인파들 가운데 서 있는 삼손을 가리켰다.

세령은 곧바로 길상이가 가리킨 곳을 잠잠히 바라보았다. 그녀는 눈앞의 사실이 믿기지 않는 듯 눈을 슴뻑 감았다 떴다. 그녀가 좀 더 자세히 살펴보니 길상이의 말대로 육종윤 대감과 세자빈마마와 함께 있는 사내는 삼손이 분명했다.

그녀는 이 상황이 어찌 된 영문인지 몰라 어리둥절했다. 지금쯤 태룡산에 있어야 할 삼손이 바로 눈앞에 보이자 적잖이 당황하였다. 그녀는 이내 냉정을 되찾고 대체 무슨 일인가 하여 그를 다시 바라보았다. 수많은 사람들에 둘러싸여 있는 그의 모습에서 감히 범접할 수 없는 기품 같은 것이 느껴졌다. 그녀의 예상이 맞았다. 삼손의 진짜 신분은 세손이었던 것이다.

"누나, 그런데 삼손 형이 세자빈마마님과는 어떤 사이에요? 왜, 형이 저 곳에 서 있는 거죠?"

길상이는 잘 이해가 안 간다는 듯 머리를 갸웃거렸다.

"그건……."

세령은 차마 말할 수 없었다.

"근데, 저기에 삼손 형만 있고……세손 각하의 모습은 왜 보이지 않는 걸까? 거 참, 이상하네."

두칠은 삼손 주위에 있는 사람들을 일일이 확인한 뒤 혼잣말로 자꾸 쏙닥였다.

그녀는 저고리 속에 숨겨 둔 용의 문양이 선명하게 그려져 있는 삼손의 머리띠를 꺼냈다. 세령은 그걸 한참 들여다보다가 고개를 들어 삼손을 그윽이 바라보았다.

그의 머리띠를 들고 있는 그녀의 두 손은 가늘게 떨리기 시작했다. 세령은 왠지 모르게 서글픈 생각이 들었다. 걷잡을 수 없는 감정이 무슨 독성을 가진 사약처럼 피를 타고 온몸 속으로 퍼지는 것만 같았다.

양반가도 아닌 시전 장사꾼의 딸인 자신이 세손 각하를 사모하고 있다는 사실이 순간 두려워지기 시작했다.

그럼에도 불구하고 그녀는 이렇게 살아서 그저 먼발치에서나마 다시 그를 볼 수 있어서 너무나 감사했고 기쁨을 형언할 수가 없었다.

그녀는 머리띠를 손에 꼭 쥔 채 한참 동안 삼손을 말없이 바라보았다. 곧 그를 바라보는 그녀의 눈에는 눈물이 그렁그렁 차올랐다. 자연스레 나오는 울음을 삼키고 있는 세령은 눈물이 앞을 가리자 시야가 자꾸만 흐려졌다. 그녀는 너무 지치고 피곤해서 눈만 감아도 잠이 올 것 같았다. 저만치 떨어져 있는 삼손에게서 시선을 떼지 못하고 끝까지 버티던 그녀는 결국 의식을 잃고 그대로 쓰러졌다.

갑자기 쓰러진 세령을 보고 깜짝 놀란 두칠과 아이들은 온 마을이 떠나갈 정도로 비명을 질렀다. 순간 수많은 사람들의 이목이 그리로 집중되었다. 삼손의 두 시선도 재빨리 소동이 벌어지고 있는 곳을 향했다. 그때 울먹이던 길상이가 삼손과 눈이 딱 마주치자 빨리 오라는 손짓과 함께 큰 소리로 외치기 시작했다.

"삼손형!!! 여기 세령이 누나가 쓰러졌어요!! 빨리 와주세요!"

삼손은 길상이의 돌고래와 같은 목소리를 단번에 알아들을 수가 있었다. 서둘러 인파를 뚫고서 간 그는 쓰러져 있는 세령을 보자 숨이 멎을 것처럼 경직됐다. 두칠과 아이들은 삼손을 보자 서럽고 슬픈지 세령을 부둥켜안고 엉엉 소리 내어 울었다.

삼손은 입을 딱 벌리고 멍하니 그 자리에 무릎을 털썩 꿇고 앉았다. 그는 목에 깊은 상처를 입은 세령을 찬찬히 보면서 눈가에 맺혔던 눈물방울이 뚝 떨어져 내렸다. 그녀 곁으로 바짝 다가선 그는 하염없이 눈물을 흘리며 번쩍 그녀를 안아 올렸다.

사람들은 무슨 일인지 궁금해 하며 주변으로 몰려 들었다. 세자빈과 육종윤도 어느새 다가와서는 그녀의 몸 상태를 살피고 있었다. 세자빈은 아들이 연모한다는 여인이 바로 눈앞의 그녀임을 한눈에 봐도 알 수 있었다. 곧바로 삼손은 그녀를 안고 육영왕후의 생가 안으로 발걸음을 옮겼다.

저녁노을이 서쪽 하늘을 붉게 물들이면서 어둑어둑한 땅거미가 마당을 내리덮고 있었다. 최씨 노인이 마지막 시침을 끝내고 난 뒤 세령은 병세가 현저하게 호전됐다. 표현 그대로 그녀의 몸이 확실히 성한 사람처럼 되살아났다. 온종일 그녀 곁에서 모든 치료 과정을 지켜보던 삼손은 최씨 노인의 의술에 감탄을 금하지 않을 수 없었다.

　그녀는 칼로 베어 찢어진 목의 상처를 열댓 바늘이나 꿰맸다. 최씨 노인은 칼날이 조금만 더 깊이 들어갔었다면 그녀는 하마터면 목숨을 잃을 뻔 했다고 삼손에게 알려주었다.

　"아씨의 목에 난 상처가 생각보다 깊지 않아 천만 다행입니다. 기혈의 흐름과 통증을 줄여주는 침과 뜸을 놨으니 견디시기가 훨씬 수월하실 겁니다. 그러니 세손 각하께서도 너무 심려하지 마십시오."

　"어르신! 이 은혜를 어떻게 갚아야 할지 모르겠습니다. 정말 고맙습니다."

　삼손은 최씨 노인의 의술에 감복하여 덥석 그의 손을 잡았다.

　"고맙다는 인사는 제가 아니라 탄닌에게 하십시오. 그 녀석이 아니었으면 전 제때 이곳으로 올 수 없었을 겁니다."

　최씨 노인의 얼굴에 탄닌을 걱정하는 표정이 역력했다.

　"아차, 내 정신 좀 보게. 탄닌은 어떻게 됐습니까?"

　삼손은 그때 뭔가 생각이 난 듯 노인을 바라보았다.

　"처음에 양쪽은 우열을 가리지 못하고 일진일퇴를 거듭하고 있었죠. 그때 탄닌은 저희를 돕기 위해 본격적으로 싸움에 끼어들었어요. 근데 거짓말처럼 저희 쪽이 우세해지기 시작했습니다. 역시, 탄닌이 무섭긴 하더군요. 허허, 어디서 그런 힘이 생기는지 그 많은 네피림들을 일거에 모조리 무찔러 버렸으니 말입니다. 사기가 오른 탄닌은 끊임없이 몰려드는 적을 단통에 해치웠지요. 허허허, 세손 각하께서도 직접 그 장면을 보셨다면 아마 크게 놀라고 마셨을 겁니다."

최씨 노인은 그때의 광경이 믿기지 않는 듯 눈을 슴벅 감았다 뜨기를 반복했다.

"아니요, 전 알 것 같습니다. 그 누구보다 탄닌이 강하다는 것을요."

삼손은 당연하다는 듯이 고개를 끄덕였다.

삼손은 탄닌에게 고마움을 느꼈다. 사람들을 이곳까지 무사히 데리고 올 수 있었던 것도 모두 탄닌의 덕분이었다. 그때 탄닌이 왕후의 군사들을 막아내지 않았다면 일이 어떻게 되었을지 장담할 수 없는 상황이었다.

날은 이미 저물어 어디선가 부엉이가 울고 있었다. 밤이 깊어가자 기온도 덩달아 뚝 떨어졌다. 세령의 몸 상태를 유심히 살피던 최씨 노인은 아침에 다시 오겠다며 방문을 나섰다. 둘만 남게 된 방 안에는 그녀의 새근새근하는 숨소리만 들려왔다. 삼손은 깊은 잠에 든 세령의 얼굴을 찬찬히 내려다보았다.

짙은 눈썹, 쌍꺼풀이 진 눈, 약간 둥글고 갸름한 얼굴이 고운 꽃을 대하고 있는 것 같았다. 그녀는 반듯한 이마에서부터 양귀비꽃 같은 윗입술까지 부드러운 곡선을 그리며 내려오는 오뚝한 코가

꽤 예뻤다. 그동안 얼마나 간절히 보고 싶었던 얼굴이었는지 모른다.

그는 행신 상단을 떠난 뒤로 한 번도 그녀를 잊어 본 적이 없었다. 매일 밤 꾸는 꿈속에서도 그녀는 아름답기만 했다. 새벽이 동틀 무렵, 몽환 속에 나타난 그녀의 모습이 점점 연기처럼 사라지려고 할 때에도 그는 그 손을 놓지 않으려고 기를 썼다.

희미한 호롱불 밑에서 문득 그녀의 상처 난 목과 창백한 얼굴을 다시 보자 삼손은 가슴이 미어져 왔다. 그녀가 무섭고 힘들 때 함께 해 주지 못한 것이 그는 이루 다 말할 수 없이 미안했다. 서러움이 북받쳤는지 그사이 삼손의 눈에서는 쉴 새 없이 눈물이 흘러서 앞을 잘 분간할 수 없었다. 그러다가 그는 허리를 숙여 그녀의 귀에 자신의 얼굴을 맞대고 무언가를 소곤거렸다.

가끔씩 들어오는 외풍에 호롱불이 흔들릴 때마다 방안에 불빛도 흐려졌다 밝아졌다를 반복하였다. 편안히 잠든 그녀를 한없이 바라보다가 삼손은 자신도 모르게 그녀의 옆에서 잠이 들고 말았다. 두 사람이 잠든 것을 방해하고 싶지 않은지 작고 약한 호롱불빛이 사라질 듯 말 듯 자꾸 춤을 추다가 얼마 있지 않아 곧 꺼져 버렸다.

제 19장　꼭두각시

　까마득히 높은 절벽 위에 두 사람이 서 있었다. 그 밑으로는 아찔한 천 길 낭떠러지가 발아래 펼쳐졌다. 새벽에 부는 바람이어서 그런지 찬 기운이 폐부 깊숙이까지 밀려 들어왔다. 두 시간 전 관아 옥사에서 탈옥한 나장은 고통스러운 듯 가쁜 숨을 몰아쉬고 있는 중이었다. 그는 쫓아오던 관군들이 보이지 않자 그제야 안심이 되는 모양이었다. 하늘이 무너져도 솟아날 구멍이 있다는 것이 자신을 두고서 하는 말처럼 느껴졌다. 또 그는 본인이 억세게 운이 좋은 사람이라고 속으로 쾌재를 불렀다.

"휴우, 아니, 이렇게⋯⋯나를 도와주는 이유가 뭐요? 혹시, 한양에서 오셨소?

나장은 의아한 듯 고개를 갸우뚱했다.

그는 얼굴을 알아 볼 수 없을 정도로 만신창이가 되어 있었다. 바로 맞은편에는 적당한 체구에 복면을 쓴 사내가 횃불을 들고 서 있었다.

"미치지 않고서야⋯⋯ 그 누가 일개 나장 따위를 구하기 위해 한양에서 올 것 같으냐?"

그의 목소리는 비장했고 한마디 한마디에 가시가 돋쳐 있었다.

"넌⋯⋯누구냐?"

나장은 분위기가 심상치 않음을 짐작하고 얼굴엔 긴장의 빛이 감돌았다.

"곧 죽을 새끼가 그런 걸 알아서 뭐하려고? 그래도 네 놈 마지막 소원이니까 얼굴은 보여주마."

사내는 얼굴에 쓴 복면을 벗은 뒤 눈을 치뜨며 그를 노려 보았다.

지금 막 얼굴을 드러낸 사내는 다름 아닌 춘삼이었다. 그는 분노가 가득한 눈이었다.

"네 놈은 건드려서는 안 될 아이를 건드렸어! 감히 네 놈 따위가 그 아이를 죽이려고 해? 네 놈이 얼마나 어리석은 짓을 했는지 뼈가 저리도록 느끼게 해주마."

춘삼은 상기된 목소리로 또박또박 한마디씩 끊어 가며 말했다.

"이보게, 내 말 좀 들어 보게. 그년과 무슨 사이인지는 모르겠으나……아니, 내가 다 잘못했네. 여기서 날 살려 보내주면……두 번 다시 그 계집을 해코지 않겠다고 맹세하겠네, 자네…혹시, 돈이 필요한가? 내가 한양에 올라가게 되면 갖고 있는 재산의 절반을 자네에게 주겠네. 자그마치 은자 이백 냥일세."

나장은 사색된 얼굴로 안절부절 어쩔 줄을 몰라 했다.

"허허, 이 새끼 봐라? 지금 나를 매수하려 드는 게냐? 그래 좋다. 그 전에 내 한 가지만 묻자. 그 많은 재물은 어떻게 모았느냐? 만일 하나라도 내게 거짓으로 고하면, 넌 가차 없이 죽을 것이다."

춘삼은 칼집에서 칼을 뽑으려다가 뭔가를 확인하기 위해 잠시 멈추어 숨을 골랐다.

"아니 이런, 담벼락 같은 사람을 보았나? 자네는 세상 물정을 통 모르고 있군 그래. 나 같은 나장이 어디 가서 그런 큰돈을 만질 수 있겠나? 근데 새 왕후가 궁에 들어오면서부터 상황이 달라졌네. 왕후가 신전을 지은 건 혹 알고 있나?"

"듣고 있으니까 하던 말이나 계속해 봐."

"왕후는 신전에서 쓸 제물이 필요했지. 그게 바로 아이들이라네. 대부분의 조정 신료들은 왕후에게 잘 보이기 위해 경쟁이 붙었어. 그야말로 재물로 바칠 아이들을 구하기 위해 혈안이 되어 버렸지. 난 그 기회를 놓치지 않고 붙잡은 거야. 한 마디로 내겐 행운이나 다름없었네. 한번 생각해 보게. 아이들을 납치해 조정 신료들에게 넘기기만 하는 일이니 아주 쉬운 일이 아닌가. 내 재물은 그렇게 모으게 되었네. 흐흐흐, 그러니 부담 갖지 말고, 그 돈으로 평생 떵떵거리며 살아 보게나."

나장은 자랑하듯 말했다.

춘삼은 어느 정도는 예상했지만 이 정도일 줄은 정말 몰랐다. 악행을 서슴없이 자행하고 있는 왕후와 조정 신료들에 대한 분노가 치밀어 올랐다. 그리고 돈이 된다 하면 그 어떤 짓도 마다하지 않는 나장 같은 인간을 죽이고 싶었다.

"결국 네 놈도 조정 신료들과 똑같은 새끼야. 비열한 행동이 너무나 닮았어. 그동안 네놈에게 끌려간 아이들이 너무 불쌍하구나. 네놈은 무고한 아이들을 죽음으로 내몰았어. 내 네놈을 절대 용서하지 않겠다!"

춘삼은 칼을 빼들고는 나장의 목에 칼끝을 들이밀었다.

"어어, 이보게, 왜……이러는가? 은자로도 부족하면 집 한 채도 그냥 다 주겠네. 아니, 애당초에 날……죽이려고 했다면……그냥 감옥에 나두지, 왜 나를 꺼내 이곳까지 데려 온 건가? 아, 혹시, 그 계집 때문에 그러는 것이라면 내가 약조하지 않았나……두 번다시 얼씬거리지 않겠다고 말일세."

나장은 온몸에 가는 털까지 빳빳해질 만큼 두려움을 느꼈다.

나장의 행동을 지켜보던 춘삼은 어떠한 대꾸도 않고 빙긋 한 번웃었다. 하지만 그 웃음에는 싸늘한 조소가 섞여 있었다.

"그렇게 살고 싶으냐?"

춘삼은 그를 내려다보며 마음을 넌지시 떠보았다.

"아이고, 제발 살려만 주십시오! 소인의 목숨을 살려 주신다면무슨 일이건 시키는 대로 다하겠습니다요."

나장은 사시나무 떨 듯 몸을 부들부들 떨었다.

"방금 네가 한 말을 지킬 수 있느냐?"

춘삼은 무슨 이유에서인지 되물었다.

"나리가 시키는 일이라면…… 뒷간의 똥물이라도 퍼다 마시겠습니다. 제발, 이놈을 한 번만 믿어주십시오!"

나장은 별안간 춘삼이의 다리를 붙잡고 흑흑 울기 시작했다.

"좋다, 어디 한번 네놈을 믿어보기로 해 보지. 혹시라도, 괜히 딴 마음 먹지 말거라. 만일 또다시 허튼 짓을 한다면, 쥐도 새도 모르게 네놈을 죽일 것이야."

"아이고 나리, 알겠습니다요."

"난 잠시도 네놈에게서 눈을 떼지 않고 계속 지켜 볼 것이다. 이쯤 말했으면 무슨 뜻인지 알아듣겠지?"

춘삼이가 눈을 부라리며 협박조로 위협했다.

"아……당연히 알아듣지요. 알아듣고말고요. 그럼, 소인을 살려주시는 겁니까?"

나장은 잘하면 살 수도 있겠다는 생각이 들었다. 스스로도 이 상황이 믿을 수가 없는지 입을 딱 벌렸다.

"난 상대가 누구든 간에 약속은 꼭 지킨다. 그러기에 널 놓아주기로 마음먹었다. 그러니 네놈도 나와 한 약조를 반드시 지켜야 할 것이다. 알겠느냐?"

춘삼의 얼굴은 억지로 울분을 삼키려는 표정이 역력했다.

"아이고, 나리. 고맙습니다. 이 은혜를 어떻게 갚으면 좋겠습니까? 무엇이든지 분부만 내리십시오! 소인 뭐든지 할 각오가 되어 있습니다."

나장은 기뻐서 어쩔 줄을 몰라 했다.

"먼저 네 놈의 이름이 무엇이냐?"

춘삼은 여전히 그를 바라보는 눈빛이 살벌했다.

"소인의 이름은 심어준이라고 하옵니다. 현재 의금부에서 나장의 직책을 맡고 있습니다. 나리, 이제 제가 무엇을 어떻게 하면 될지…… 소상히 말씀해보십시오."

그의 태도가 전과 달리 아주 달라져있었다.

"넌 닷새 후, 통금이 시작되면 내탕고에 불을 질러야 한다."

춘삼은 나장에게 명령조로 말을 뱉었다.

"아니, 그 말씀은…… 소인보고 내탕고에 불을 지르라는 말씀입니까?"

나장은 너무 놀란 나머지 벌린 입을 다물지 못했다.

순간 나장은 그야말로 미치고 팔짝 뛸 노릇이었다. 만일 하나 발각이라도 될 경우에는 죽게 될 것이 불을 보듯 뻔한 일이었다. 하지만 눈에 쌍심지를 켜고 있는 그가 시키는 일을 무작정 못한다고 할 수도 없는 노릇이었다. 이러지도 저러지도 못하고 냉가슴만 앓고 있는 중에 여차하면 멀리 도망갈 생각까지 하고 있었다.

"그렇다. 네가 할 일은 바로 그것이다. 가만, 네놈 얼굴을 보니 벌써 도망갈 생각부터 하고 있구나. 혹, 그런 것이냐?"

춘삼이는 상대방의 마음속을 훤히 들여다보는 듯 나장의 목에 다시 칼끝을 겨누었다.

"아, 아닙니다요……하겠습니다. 제가 반드시 내탕고에 불을 지르고 말겠습니다. 제발 믿어주십시오!"

그는 속마음을 들킨 사람처럼 깜짝 놀라고서는 안절부절못했다.

그때 춘삼은 겉에 입은 두꺼운 솜옷을 만지작거렸다. 잠시 뒤 작고 둥글게 빚은 붉은 갈색 빛깔의 환을 하나 꺼내더니 나장에게 건네주었다. 환을 손에 쥔 나장은 조심스럽게 그의 눈치를 살피며 쳐다보았다.

"어서 삼키거라."

춘삼은 나장의 목에 바싹 칼날을 들이밀었다.

"아니, 대체 이게 뭡니까? 먹어도 괜찮은 건지……."

나장은 의심과 경계의 빛이 가득한 눈초리로 그를 바라보았다.

"지금 너에겐 선택할 권리가 없다는 걸, 벌써 잊어버렸느냐?"

춘삼이의 말은 최후통첩이나 다름없었다.

"아…아닙니다. 소인 먹겠습니다요."

나장은 손바닥에 있는 환을 입안에 넣었다.

조금 뒤 나장은 약미가 강해서인지 씹어 먹는 표정이 몹시 괴로워보였다. 입안에서 씹고 있는 환이 전례가 없이 쓰다는 듯이 나장은 오만상을 찌푸리며 한참 만에 겨우 삼킬 수 있었다. 그가 완전히 환을 먹은 것을 확인한 후에야 춘삼은 칼을 거두어들였다.

"배짱이 아예 없는 놈은 아니었구나. 지금부터 내가 하는 말을 잘 듣거라. 네놈이 방금 먹은 환약은 아주 강한 맹독이 들어가 있다. 정확히 닷새 후 통금 시간이 지나고 나면 독이 서서히 온 몸에 퍼지게 될 것이다. 그로부터 6시간 안에 해독제를 먹지 않으면 네놈은 죽는다."

춘삼은 무표정한 얼굴로 사색이 된 나장의 얼굴을 바라보았다.

"아이고, 나리. 이건 약속이 다르지 않습니까요? 내탕고에 불을 지르기만 하면 저를 살려주신다고 한 것이 아닙니까? 그런데 어찌 하여 소인에게 독약을 먹게 하실 수 있나요?"

나장은 시뻘건 얼굴을 해 가지고 항변조로 말했다.

"쯧쯧, 살고 싶어 용쓰는 꼬락서니가 참 가관이구나. 자, 보거라. 이게 뭔지 아느냐?"

춘삼은 작은 호리병 하나를 꺼내더니 나장의 앞으로 내밀었다.

"그건 호리병이 아닙니까? 근데 그걸 왜 저에게 보여주시는 겁 니까?"

나장은 의아한 듯 그를 보고 물었다.

"배짱은 있지만 눈치가 없는 놈이로구나. 이 호리병 안에는 해독 제가 들어 있다. 제시간에 이걸 마시면 넌 살 수가 있다. 단, 이 걸 마시려면 반드시 내탕고에 불을 질러야 한다. 만약 조금이라도 허튼수작을 부린다든지, 임무 실패 시에는 해독제는 없을 것이다. 알겠느냐?"

춘삼은 해독제가 든 호리병을 좌우로 흔들어 보이며 큰 소리로 으름장을 놓았다.

"예예, 잘 알겠습니다. 모든 것을 나리의 분부대로 할 것이니 소 인의 목숨만은 꼭 살려 주십시오."

나장은 다짐을 했다.

춘삼은 여전히 속에서 끓어오르는 울분을 억제할 수가 없었다. 마음 같아서는 당장이라도 세령이가 당한 고통과 수모를 몇 배로 되갚고 싶었다. 하지만 목숨을 구걸하는 의금부 나장을 일단 살려

야만 했다. 그를 이용해 왕후를 제거하려는 세손의 계획에 찬물을
끼얹을 수는 없었다. 그러기에 춘삼은 이를 악물고 꾹 참을 수밖에
없었다.

제20장 눈이 부시게

세령은 밝은 햇살 때문에 눈을 끄먹거렸다. 그러다 그녀는 못 볼 것이라도 보았는지 눈을 꼭 감았다. 방금 전 눈앞에 일어난 광경을 보고 그녀는 너무나 놀랐다. 이게 정말 꿈인지 생시인지를 마음속으로 의심하고 있었다. 그러나 누군가의 따뜻한 숨결 소리가 파도처럼 밀려와 귓전에 들리고 있었다.

그녀는 감았던 눈을 살며시 다시 떴다. 의식을 잃었던 그녀는 꼬박 하루를 보낸 뒤에야 눈을 떴다. 여전히 지금 꿈을 꾸고 있는 것이 아닌가 생각했다. 하지만 꿈은 아니었다. 고개를 옆으로 돌린 그녀는 큰 눈을 감았다 떴다 하며 침을 꼴깍 목으로 삼켰다. 도대체 뭐가 어떻게 된 일인지 얼떨떨하기만 해서 가만히 자리에 누워 있었다. 좀 더 정확히 표현하면 가슴이 콩닥콩닥 사정없이 뛰어서 도저히 움직일 수가 없었다. 갑자기 그녀는 햇살에 눈이 부신 듯 손으로 이마를 가리고 눈을 찡그렸다. 잠이 덜 깬 탓이라 생각하고 그녀는 잠을 깨려고 자신의 볼을 찰싹거리며 두드렸다. 그러기를 몇 번 반복한 후 다시 옆으로 눕자 그토록 보고 싶었던 삼손의 얼굴이 눈앞에 선명하게 있었다. 그녀가 전혀 예상치 못한 일이 벌어졌다는 사실을 깨닫기 까지는 그리 오래 걸리지 않았다.

"으음, 낭자, 잠은 잘 잤소? 몸은 좀 괜찮은 것이오?"

삼손은 그녀와 눈이 마주치자 환하게 미소를 지어 보였다.

"도련……님. 아니, 세손 각하……어떻게 여기에……. 혹시, 밤새 이곳에 계셨습니까?"

당황한 세령은 혼자서 일어나려 했지만 쉽지 않았다. 그러다 그녀는 삼손의 부축을 받으며 겨우 자리에서 일어나 앉았다.

"그렇소. 내가 더 빨리 왔어야 했는데…… 정말 미안하오."

그녀의 손을 꼭 잡고 있는 삼손은 목이 메어 왔다.

"세손 각하, 왜 진작 저한테 말씀하시지 않으셨나요? 그동안 신분을 감추느라 얼마나 힘드셨습니까?"

세령은 콧날이 시큰거리며 눈시울이 뜨거워졌다. 그녀는 옷소매에서 그의 머리띠를 꺼낸 후 곧 담담하게 앞을 보고 입을 열었다.

"나 역시도 그 사실을 받아들이기가 쉽지 않았소. 내 신분을 밝힌다고 해서 당장 바뀔 것은 아무 것도 없었지. 음, 그런데 낭자한

테만큼은 모든 것을 말하고 싶었소. 직접 말하고 싶었지만 태룡산으로 급히 떠나는 바람에 여유치가 않았지. 그러던 중 그 머리띠를 길상이에게 부탁하고 길을 나선 것이오. 당신이라면 충분히 알아낼 수 있을 것이라 여겼소."

그는 모든 사실을 허심탄회하게 밝혔다.

"이 머리띠를 보며 도련님이 제가 감히 바라볼 수 없는 분이 아닐까 걱정이 들었어요. 그래서 매일 같이 하늘에 대고 이대로 내버려만 달라고 속으로 빌고 또 빌었죠. 훗! 그런데, 그 바람은 정반대가 되고 말았네요."

그녀의 얼굴에는 의기소침한 빛이 역력했고 목소리에는 걱정기가 다분했다.

그녀를 심적으로 힘들게 하는 것은 조선의 엄격한 신분제도 때문이었다. 그녀가 걱정하는 것은 너무나 당연한 것이었다. 특히나 조선에서는 유교적인 영향으로 남녀 간의 교제는 꿈도 꾸지 못했다. 그런 탓에 다른 신분을 초월한 사랑은 큰 위험이 뒤따를 수 있었다. 그래서 최악의 경우에는 국법에 따라 극형에 처해질 수 있는 큰 죄였던 것이다. 사람의 속마음을 꿰뚫어 보는 능력이 있는 삼손은 그녀가 무엇을 걱정하고 있는지 잘 알고 있었다.

"낭자, 아무 걱정 하지 마시오. 나는 장차 이 나라의 잘못된 국법을 반드시 손 볼 것이오. 특히 신분을 가지고 사람들을 억압하고 차별하는 행위를 근절시키고야 말겠소. 혹시라도, 괜한 생각일랑은 하지 마시오."

삼손은 그녀에게 어떤 상처를 준 게 아닌가 싶어 마음이 편치 않았다.

"세손 각하, 전 한낱 보잘 것 없는 장사꾼의 여식일 뿐입니다. 세손 각하께서는 앞으로 이 나라를 위해, 큰 뜻을 펼쳐야 할 분이시고요. 그러기에 저보다, 더 뛰어난 가문의 여인을 만나셔야 합니다. 세손 각하께서 가셔야 하는 그 길에, 제가 걸림돌이 된다면, 그건 결코 바람직한 일이 아니옵니다. 행여나……소녀를 가엾이 여기셔서 그러는 것이라면, 더더욱 안 되는 일입니다. 잘못된 길로 가기 전에, 반드시 여기서 멈추셔야 합니다. 부디…… 소녀의 간청을 들어주옵소서."

세령은 마음속에 있는 애틋한 감정을 억누르고 그를 위해 딴말을 꺼냈다.

"아니, 절대 그럴 순 없소. 하늘이 무너지고 땅이 뒤집히는 한이 있어도, 내겐 오직 당신뿐이오. 그 어떠한 고난과 역경에도 굴하지 않을 것이오. 심지어 죽음 따위도 우리 사이를 가를 수는 없소. 낭자가 아닌 여인은 나와는 전혀 상관없는 사람들이고, 그저 무의미할 뿐이오. 그러니 두 번 다시 내 앞에서, 그런 얘기는 꺼내지 마시오."

삼손은 그녀가 자신을 위해서 한 말이라는 것을 알지만 그 순간에는 그녀의 말이 너무 야속하게 느껴졌다.

그의 마음을 확인한 세령은 가슴이 뭉클해졌다. 눈시울이 붉어진 삼손을 올려다보는 순간 그녀는 그만 울음을 터뜨리고 말았다. 그동안 얼마나 그를 그리워했고 마음 속 깊이 연모하고 있었는지 말하고 싶었다. 이제 더 이상은 그를 좋아하는 감정을 숨길 수가 없었다. 더욱이 자신이 한 말 때문에 괴로워하고 가슴 아파하는 그를 보면서 마음이 가책되어 도저히 견딜 수가 없었다. 그를 위해 멀리 떠나야겠다는 마음의 결심은 한순간에 무너져 버렸다.

삼손은 숨죽여 서럽게 울고 있는 그녀의 들썩대는 어깨가 너무나 안쓰러웠다.

"낭자를 처음 본 순간부터 지금까지 단 한순간도 난 그대를 잊은 적이 없소. 난 낭자 없이는 이제 아무 것도 할 수가 없고 낭자가 없는 세상은 생각하기조차 싫소. 또다시 그런 말을 하면 아무리 낭자라 해도 용서하지 않을 것이오. 알겠소?"

결국 복받치는 감정을 이기지 못한 삼손은 조금의 망설임도 없이 그녀의 몸을 와락 끌어안았다.

"세손 각하. 그동안 정말 많이 보고 싶었습니다. 지난밤에는 세손 각하를 다시 만나지 못할까봐 너무나 마음이 아프고 슬펐어요. 하지만 이렇게 직접 용안을 뵐 수 있어서 기쁘기가 한량이 없습니다. 세손 각하의 말씀대로 이제 두 번 다시 그런 말은 하지 않을 겁니다. 그러니 소녀 때문에 너무 힘들어하거나 괴로워하지 마십시오. 어떠한 고난과 역경이 온다 할지라도 소녀는 절대 세손 각하를 떠나지 않을 겁니다."

그녀는 삼손의 품에 안겨 그의 거센 숨결 소리를 들었다. 그 순간 그가 자신을 무척이나 아끼고 사랑하고 있다는 확신이 들었다.

"낭자……."

삼손은 그녀의 고백을 받은 것만으로도 너무나 기뻤다. 그는 그녀의 사랑스러운 얼굴을 한번 쳐다보고는 더욱 힘을 주어 그녀를 안았다.

"세손 각하!"

세령은 자꾸만 차오르는 눈물에 눈앞이 흐려졌다. 그와 이렇게 함께 있다는 것이 생각하면 생각할수록 마치 꿈을 꾸는 것만 같았다.

그들은 겸연쩍은 듯이 서로를 마주보며 빙그레 웃었다. 그 순간 밝은 햇살이 방 안에 가득 들이비쳤다. 햇살에 어려 있는 그녀의 아름다운 얼굴은 삼손의 가슴을 두방망이질 치게 만들며 매혹하였다.

그녀의 예쁜 눈과 마주친 순간 그는 더 이상 참을 수 없었다. 그녀는 부끄러운 듯 고개를 돌리더니 다시 그를 힐끗 스쳐보았다. 삼손은 천천히 손을 뻗어 그녀의 얼굴을 다정히 만져 주었다. 그런 다음 장미꽃빛 같은 그녀의 입술에 자신의 입술을 살며시 갖다 포갰다.

그녀의 눈에선 참았던 기쁨의 눈물이 볼을 타고 흘렀다. 삼손은 그녀의 흘러내리는 눈물을 손으로 정성스레 씻어 주었다. 그 둘은 말없이 서로의 얼굴을 한참 바라보았다. 삼손이 먼저 고개를 숙여 그녀의 입술에 가벼운 입맞춤을 했다. 그렇게 서로의 입술과 입술이 천천히 닿았다가 떼기를 서너 차례. 결국 삼손은 눌려 있던 감정을 참지 못했다. 세령의 입술에 자신의 입술을 거세게 밀착시켰다. 그 순간 그 둘은 부끄러움과 죄책감이 사라지는 것을 경험했다. 그토록 서로가 간절히 원하고 바라던 대로 진실 된 마음을 확인할 수 있었다. 마치 시간이 멈춘 듯 서로의 입술을 놓지 않았다.

두 사람은 죽음밖에는 갈라놓을 수 없는 운명으로 얽혀가고 있었
다.

제21장 화양연화

　탄닌은 의식을 잃고 있었다. 심각한 치명상을 입은 그는 출혈이
심했다. 최씨 노인은 탄닌의 왼쪽 허벅지를 드러낸 후 피를 멈추기
위해 천을 환부에 감쌌다. 제대로 된 치료를 위해서는 마을로 옮겨
야만 했다. 최씨 노인은 탄닌을 등에 업고는 자신의 지팡이를 허공
에 높이 치켜들었다. 그 즉시 강렬한 빛이 지팡이에서 쏟아져 나오
며 그들을 휘감았다.

　육영왕후의 생가에 도착한 두 사람을 공주와 행신 상단 단원들
이 맞이했다. 온 몸이 상처투성이인 탄닌을 바라보는 공주의 두 눈

에서 구슬 같은 눈물이 뚝뚝 떨어져 내렸다. 탄닌의 상태가 심상치 않다고 느낀 단원들은 그를 서둘러 사랑채로 옮겼다.

장시간에 걸친 치료는 끝이 났다. 다행히 최씨 노인의 신통한 의술 덕분에 그의 의식은 돌아왔고 상처도 빠르게 낫기 시작했다.

탄닌이 사랑채에 도착했다는 소식을 전해들은 삼손이 급히 달려왔다.

"아니, 대체 어떻게 된 일인가? 이 지경이 될 때까지 거기서 무얼 하고 있었던 건가?"

삼손은 걱정스러운 빛으로, 그에게 자초지종을 조심스레 물었다.

"하하하, 그 요망한 왕후에게서 받아 내야 할 빚이 있었거든요."

탄닌은 고통을 참으며 웃었다.

"혹, 자네 어머니 일 때문에 그런 것인가?"

삼손은 그의 얼굴을 물끄러미 내려다보았다.

"물론 그런 이유도 있죠. 근데 그보다는 아이들을 죽인 값을, 꼭 치르게 하고 싶었어요. 특히 공주님에게 그런 몹쓸 짓을 했다는 게, 참을 수가 있어야죠. 하하하, 그래서 이번에 크게 혼꾸멍을 내주고 왔습니다."

누워서 말하는 게 답답했던지 갑자기 탄닌이 자리에서 벌떡 일어나 앉았다.

최씨 노인은 할 말이 있는 듯 한참 동안 기회를 엿보다 겨우 두 사람의 대화에 끼어 들 수 있었다.

"세손 각하! 아 글쎄, 이 미친놈이 말입니다. 혼자서 왕후의 군사들과 싸워, 궤멸시키는 쾌거를 이루었지 뭡니까. 제가 용 사냥꾼들의 마을에 도착했을 때는, 이미 싸움이 모두 끝이 난 상태였죠."

최씨 노인은 아직도 믿기지 않는 표정이었다.

삼손과 공주도 최씨 노인의 말을 듣고 깜짝 놀라기는 마찬가지였다. 탄닌이 왕후의 군사들을 전멸시켰다는 이야기에 삼손은 한결 힘이 나기 시작했다. 무엇보다 삼손은 닷새 후에 있을 최후의 결전을 앞두고, 결정적인 승기를 잡았다는 생각에 고무되었다.

"하하하, 왕후가 꽁무니를 빼고 도망치는 꼴을 보니, 속이 다 후련하더라고요. 세손 각하도 보셨으면 좋았을 텐데 아쉽네요."

탄닌은 그때 일을 회상하며 배꼽을 잡고 웃었다.

"자네 말대로 함께 보지 못 한 게, 너무나 아쉽군."

삼손이 웃음을 지었다.

"허허허. 그러게 말입니다."

최씨 노인이 그의 말에 맞장구를 쳤다.

"자, 그럼 현재, 도성을 지키는 주력 군사들의 수가, 현저히 줄어들었다는 말이 아닌가. 지금이야말로, 우리가 승리할 수 있는 절호의 기회일세. 정말 수고 많았네. 이번에 왕후를 축출하게 된다면, 이는 모두 자네의 공일세."

삼손은 탄닌의 공을 치하했다.

탄닌의 상처는 놀랄 만큼 빠른 속도로 회복되고 있었다. 그가 그렇게 된 데에는 이유가 있었다. 물론 최씨 노인의 뛰어난 의술도 한몫했지만, 신체 재생능력이 월등히 뛰어난 드래곤의 특성 때문이기도 했다. 용 사냥꾼들이 드래곤의 피를 그토록 원하는 이유 중의 하나가 바로 자연치유능력이 있어서였다.

예로부터 전해져 내려오는 이야기가 있었다. 용이 세상에 모습을 드러내면 나라에 큰일이 일어날 전조라는 것이었다. 삼손은 항간의 풍문을 모두 믿지는 않았다. 하지만, 상상 속에나 존재할 법한 상스러운 영물인, 탄닌을 보며 모든 것이 달라졌다.

그때 사랑채 밖에서 인기척이 났다. 곧이어 낯익은 사내의 목소리가 들려왔다.

"세손 각하! 춘삼이옵니다."

"어, 춘삼이인가? 어서 들어오게."

삼손은 춘삼의 음성이 들려오자 반가운 마음을 감출 수 없었다.

"다녀왔습니다. 어, 공주마마님과 어르신도 계셨네요?"

문이 열리자 춘삼은 방안에 있는 사람들을 보고 살짝 당황했다.

"으흠! 그쪽 눈에는 난 안 보이는 거요?"

탄닌은 기침을 해서 인기척을 하였다.

"나 참, 그러잖아도, 밖에서 말을 들었소. 몸은 좀 괜찮소?"

춘삼은 탄닌을 보자 그제야 긴장이 풀렸다.

"뭐, 보다시피 난 괜찮소."

탄닌은 의기양양한 표정으로 거드름을 떨었다.

"자, 그보다 오늘 일은 어떻게 되었는가?"

삼손은 말을 잠시 끊고 물었다.

"세손 각하께서 명하신대로 나장을 풀어주었습니다. 그자는 틀림없이 정확히 닷새 후가 되면, 궁궐 안에 불을 지를 것입니다."

"오, 그래? 그 약을 먹인 것인가?"

삼손은 춘삼에게서 한시도 눈을 떼지 못했다.

"네, 일러 주신대로 약을 먹였습니다. 하하, 그제서야 꼼짝없이 꼬리를 내리더군요. 놈은 해독제를 마시기 위해서라도 무슨 일이든 하고야 말겁니다."

춘삼은 무어라 말할 수는 없지만 일종의 확신에 가득 차 있었다.

"하하하하하!"

삼손은 갑자기 웃음을 터트렸다.

방안에 있던 사람들이 무슨 일인가 하여 그를 다 같이 바라보았다.

오늘 관아 옥사에서 나장을 탈출시키게 한 장본인은 다름 아닌 삼손이었다. 그는 사전에 육종윤과 현감에게 거열형을 중지시키라 명했다. 그리고 앞으로 어떻게 할 것인지 귀띔해 주었다. 옥사를 감독하는 관군들에게도 미리 경계를 느슨히 할 것을 지시했다. 그가 무사히 탈출할 수 있게 길을 터주도록 지시를 내렸던 것이다.

삼손은 그자를 위협하고 회유시키는 역할을 춘삼에게 맡겼다. 협상에 있어서 뛰어난 귀재이자 여차하면 위해를 가할 수 있었기 때문이었다.

"하하하. 그 병에 든 것은 해독제가 아니네."

삼손은 무엇이 그리 재미있는지 배를 움켜잡고 웃어 댔다.

"아니, 세손 각하. 이것이 해독제가 아니면 무엇이란 말입니까?"

춘삼은 옷 속에서 호리병을 꺼내든 뒤 어리둥절한 듯이 두 눈을 끔뻑거렸다.

"그건 그냥 물일세."

삼손은 나장의 모습을 떠올리자 속이 시원한 듯이 껄껄 웃었다.

"네? 물이라고요? 아니, 그러면…… 그가 삼킨 환약은 무엇입니까?"

춘삼은 당황한 기색을 감추지 못했다. 그리고 나장이 잔뜩 인상을 쓰고 삼킨, 환약의 정체가 궁금해졌다.

"아, 그 환약 말인가? 그건 똥일세. 개똥. 하하하하하."

"네? 개똥이라고요?"

"푸하하하하. 그때는 경황이 없어서 진짜 환약을 만들 여유가 없었네. 그래서 급한 대로 개똥으로 만들어 보았던 걸세. 혹 그자가, 환약을 씹어 먹을 때 오만상을 찌푸리지 않던가? 하하하."

삼손은 배꼽을 잡고 웃고는 사례질을 해 댔다.

"독약을 씹어 먹는 것처럼 몹시 괴로운 표정을 지었습니다. 그런데 그게 개똥이었다니……이거야 원, 소인이 웃어야 할지 울어야 할지 갈피를 못 잡겠습니다."

그의 이야기를 듣고 난 뒤 춘삼이가 덧없이 픽 웃고 말았다.

천진난만하게 웃는 삼손에게서 권위적인 태도는 아무리 찾아봐도 없었다. 오히려 누구보다도 순수하고 깨끗한 마음을 가지고 있다는 것을 모두가 느낄 수 있었다.

"이야, 세손 각하는 저랑 닮은 점이 많으시네요. 개똥은 아무나 생각할 수 없는 방법인데, 아무튼 정말 대단하십니다. 하하하."

탄닌은 뒤늦게야 허리를 잡고 깔깔거렸다.

그들은 방 중앙에 있는 화덕 옆에 빙 둘러앉아 있었다. 가장 연장자인 최씨 노인을 비롯해 공주, 탄닌, 춘삼과 함께 있는 삼손은 무척 행복했다. 서로의 이야기에 울다가 웃다가, 시간 가는 줄 모르고 이야기꽃을 피웠다.

한편 안채 방안에는 따스한 온기로 가득했다. 얇은 살대를 짜 만든 창호문틈으로, 여기저기서 재자대는, 새들의 노랫소리가 들려왔다. 세자빈은 온화한 얼굴로, 뜨거운 물에 우려낸 차를 세령에게 내밀었다.

"예로부터 국화차를 마시면, 무병장수와 액을 예방한다는구나. 게다가 심신을 안정시키는 데 효험이 크다 하니, 이보다 더 귀한 차가, 어디에 있을까 싶구나. 내 너를 위해 특별하게 준비한 것이다. 눈치 보지 말고 편히 마시거라."

"감사하옵니다. 세자빈마마."

세령은 고개를 숙인 후 찻잔을 들었다. 머리를 단정하게 땋고 한복을 입은 자태가 곱고 아름다웠다.

"이제 몸은 좀, 괜찮은 것이냐?"

세자빈은 그녀가 걱정되는 듯 눈길을 떼지 못했다. 중년의 나이인데도 여전히 기품이 있고 고운 자태를 지니고 있었다.

"네, 세자빈마마. 소녀로 인해 심려를 끼쳐 드려, 송구스럽기 그지없습니다."

그녀가 수줍은 듯 얼굴을 붉혔다.

"세손에게서 너에 대한 이야기는 많이 들었다. 그 아이가, 너를 참 많이 좋아하더구나."

세자빈은 차를 한 모금 마시고는 흐뭇한 표정으로 입을 열었다.

"저를 그리 생각해주시다니, 세손 각하의 은혜가 한량없습니다."

세령의 두 뺨에는 연홍빛이 감돌았다.

불과 며칠 전까지만 해도, 그녀는 세자빈과 독대를 하게 될 줄은 꿈에도 생각하지 못했다. 하긴 자신이 마음속으로 사모하던 삼손이, 왕세손이라는 사실을 알게 된 것에 비하면, 이건 아무것도 아니었다. 조금 전, 세자빈이 자기를 찾는다는 이야기를 들었을 때, 솔직히 무슨 말을 듣게 될지, 마음속으로 무척 걱정이 되었다. 천한 신분 때문에, 그를 사랑할 자격이 없다고 면박을 당하거나, 또는 아무도 모르는 멀리 외진 섬으로, 유배를 보내지는 않을까, 별의별 불안한 생각이 다 들었다. 하지만 그런 걱정은 기우였다. 두 사람은 만난 지 얼마 안 되었지만 너무나 잘 통했다. 금세 서로의 속마음을 털어놓는 사이가 되었다.

"대제학 대감에게 너와 부친에 대한 이야기를 들었단다. 왕후의 손에 죽을 뻔한 아이들을 구해 내다니, 정말 장한 일을 했어. 나야말로 두 부녀의 고마운 은혜에 어떻게 보답할지 모르겠구나."

세자빈은 다정다감한 눈길과 부드럽고 따뜻한 미소로 세령을 바라보았다.

"보답이라니요, 당치도 않으신 말씀이옵니다. 아버님과 저는 당연히 해야 할 일을 했을 뿐입니다."

세령은 세자빈에게 칭찬을 듣자, 당황해서 어찌할 바를 몰라 쩔쩔매는 목소리였다.

"아니야. 그건 아무나 할 수 있는 일이 아니란다. 목숨을 걸지 않고는 해낼 수 없는 일이었어. 저하께서도 그걸 막으시려다가……결국 승하하시고 말았지. 아마 살아계셔서 너희 부녀가 해 온 일들을 아시게 된다면, 크게 기뻐하셨을 거야."

세자빈은 그녀의 손을 살며시 잡아 주며 고마움을 표시했다.

"망극하옵니다. 세자빈마마."

세령은 마음속에 자리 잡고 있던 어떤 부담감과 불안감이 저절로 풀리는 것을 느꼈다.

그녀는 세자빈의 자상한 마음에 감복하였다. 돌아가신 어머니의 따스한 온기가, 뼛속으로 절절히 스며드는 것을 느낄 수가 있었다. 그녀는 갑자기 눈물이 핑 돌아서 고개를 살짝 돌리고 말았다. 갑자기 두 손으로 얼굴을 감싸며 흐느끼기 시작했다. 세자빈은 그녀의 모습을 보자 측은한 생각이 들었다. 세자빈은 얼른 고이 접은 손수건으로, 온통 눈물범벅이가 된, 그녀의 얼굴을 닦아주었다.

"세령아, 아무것도 염려하지 말거라. 네가 뭘 걱정하고 있는지 나도 잘 안다. 나 역시도 이름도 없는 가문의 여식으로 세자빈이 되었지. 하지만 육영왕후님께서는 나를 자신의 딸처럼 여기시며, 늘 지켜주셨단다. 무엇보다 저하께서는 어떠한 외압에도 흔들리지 않으시고, 나를 보호해주셨지. 너 역시 그런 부담감이 크겠지만, 잘 이겨낼 것으로 본다. 나도 이 시간부터 너를 딸처럼 여길 것이야. 세손 또한 너를 지켜주고 보호할 것이고. 그러니 두려워하지 말고 심려치 말거라. 우리가 너와 함께 할 거야."

세자빈은 그녀의 어깨를 다정히 감싸 안으며 말했다.

"흑흑, 세자빈……마마, 성은이 망극하옵니다."

그녀는 세자빈의 진심 어린 위로에 무척 감동하여, 목소리를 떨며 눈물을 흘렸다.

"세손이 젖도 떼기 전에 일이었단다. 나는 눈물을 머금고, 그 아이를 낯선 곳으로 떠나보내야만 했어. 우릴 죽이려는 왕후의 눈을 피하기 위해서였지. 당시 세손과 생이별을 하고는 내 삶은 절망 그 자체였단다. '내가 죽어야 하나'라는 생각까지 했었지. 그때 태릉산에 숨어 지내던 나는 새로운 사람들을 하나 둘씩 만나기 시작했어. 너를 정성스레 치료해준 최씨 노인과 세손의 여동생인 공주도 그렇게 만났던 거야. 그들 덕분에 힘든 나날들을 이겨낼 수 있었지. 살다보니 세상에는 참으로 신기한 일들이 많더구나. 너희 부친이 운영하는 상단을 통해, 세손을 만나게 될 줄은 상상도 못했단다. 내가 볼 때 너희 둘은 오래 전부터 인연이었던 거야. 그 어떤 것도 갈라놓을 수 없는 운명으로 말이지."

세자빈은 오랫동안 가슴속에 숨겨 두었던 말을 꺼냈다.

세령은 그녀의 이야기에 귀를 기울여 들었다. 감당할 수 없을 것만 같았던 무거운 마음이 서서히 가벼워지고 있었다. 특히 선입견을 가지고 사람을 대하는 것은 위험한 일이라는 것을 깨달았다. 세자빈을 개인적으로 만나니, 그저 어머니와 같은 포근함이 느껴졌기 때문이다.

짧은 시간이었지만 세령은 세자빈을 보면서 많은 것을 배우게 되었다. 장차 조선의 국모가 될 세자빈은 왕족답지 않게 권위를 내세우지 않았다. 무엇보다 품성이 온화하고 겸손했다. 하루아침에 이런 성품이 나올 수 없다는 것을 잘 알고 있었다. 세령은 그저 놀라울 수밖에 없었다. 그녀가 가까이에서 본 세자빈은 큰 바다 같이 깊디깊은 포용성을 지니고 있어, 경외감마저 느끼게 하였다.

제22장 환궁

 탄닌에게 불의의 일격을 당한 왕후의 군사들은 허둥지둥 도망쳤다. 셀라가 이끄는 용 사냥꾼들은 남은 군사들을 끝까지 추격해서 궤멸시켰다. 수천 명에 달했던 오군영의 군사 중 오직 수백여 명만이 살아남았다. 훈련도감, 어영청, 총융청, 수어청, 금위영등 도성을 지키는 최정예 군사들인 오군영이 일거에 무력화되었다. 한양을 방어하는 군영들이 모두 힘을 잃고 만 것이다.

 그런데 이게 다가 아니었다. 얼마 전 육영왕후의 생가를 급습했던 금군도 모두 전멸 당했다. 왕후가 머무르고 있는 도성 안은 그야말로 무방비상태나 다름없었다.

삼손은 이러한 왕후의 절망적인 상황과는 반대였다. 지방 각도의 군사들을 진두지휘하는 병마절도사, 수군을 총괄하고 있는 수군절도사, 그리고 서북면과 동북면의 지휘관들까지 세손과 뜻을 함께 하기 위해 속속 합류했다.

도성을 지키고 있던 일부 군사들의 사기는 급속도로 꺾어졌다. 세손을 옹위하기 위해 합류한 군사의 수효에 놀랐던 것이다. 왕후의 군사들은 싸울 의지도 없었고, 지휘할 장수도 없는 상태라 기율이 없는 오합지졸에 불과했다. 결국 그들은 지레 겁을 먹고는 흩어져서 달아나기 시작했다.

그뿐만이 아니었다. 전국 각지에 있는 종친과 훈신들도 움직이기 시작했다. 그들의 사병들은 물론 흩어졌던 유민들도 의병에 합류하였다. 그들의 목표는 한결같이 왕후를 권좌에서 축출하는 것이었다.

삽시간에 세자빈과 세손이 살아있다는 소식이 널리 퍼져 나갔다. 조선의 백성들은 누구나 할 것 없이 기쁨의 환호성을 질렀다. 그와 동시에 왕후가 저지른 악행에 분기탱천하였다.

백성들의 의병 참여는 들불처럼 타올라 삽시간에 전국으로 확대되었다. 부자든 가난한 사람이든, 힘 있는 사람이든 힘없는 사람이든 가리지 않고 세손을 돕기 위해 의병이 되었다.

세손이 살아있다는 소식을 접한 조정 신료들은, 큰 충격에 빠지고 말았다. 조선 전역에서 일어나고 있는 상황이 심상치 않음을 그들도 잘 알고 있었다. 지금껏 한 번도 경험하지 못한 백성들의 극렬한 저항이 한양에서도 일어난 직후였다.

조정 신료들은 세손이 한양으로 돌아오게 되면, 모두가 큰 화를 당하지는 않을까 두려워서, 몸을 사리는 눈치였다. 그들은 여러 가지 핑계를 대면서 입궐을 차일피일 미루었다. 그러고는 각자도생으로 뿔뿔이 흩어져 달아나기 바빴다.

약속한 닷새 후가되었다. 나장은 주위의 눈치를 살피며, 허리춤에서 연소물이 들어있는 병을 꺼냈다. 30분 전 그는 내탕고 앞을 지키고 있던 군사들에게, 약이든 술병과 안주를 건네주었다. 그들은 졸음을 이기지 못하고 잠에 곯아떨어졌다. 나장은 기다렸다는 듯이 내탕고에 연소물을 뿌리고 불을 질렀다.

곧장 연기와 함께 불길이 치솟더니, 순식간에 내탕고 전체로 번졌다. 불은 창고 주변에 빼곡히 서 있던 나무들에 옮겨 붙었다. 시뻘건 불길은 어느 틈에 중층누각을 집어 삼킨 뒤 다른 건물로 잇달아 번져 나갔다.

불길은 어둠 속에서 점점 거세게 타올랐다. 숙소에서 잠들어 있던 궁중 나인들과 내시들이 매캐한 연기냄새에 놀라 소리를 질렀다. 그들은 곧장 침의를 입은 채로 각자의 방안에서 맨발로 뛰쳐나왔다. 불이 난 궁궐은 그야말로 아비규환이었다.

하늘 높이 치솟은 불길은 도성 바깥에서도 아주 뚜렷이 보였다. 한양으로 드는 산마루 고개에서 일진의 군사들이 모여 있었다. 그들은 불에 타고 있는 궁궐의 모습을 지켜보고 있었다. 군사들은 기다렸다는 듯이 일제히 함성을 지르며 도성을 향해 돌진하였다.

궁궐을 공격하려던 의병들도 마구 함성을 지르며 거리로 쏟아져 나왔다. 굳게 닫혀있던 한양 도성의 성문들이 하나 둘씩 함락되었다. 전국 각지에서 모여 둔 군사들과 의병들이 거센 파도처럼 세차게 밀고 들어왔다.

경복궁, 창덕궁, 창경궁, 덕수궁, 경희궁을 향해 군사들과 의병들이 진군했다. 개미떼처럼 달려드는 수많은 군사들과 의병들의 발소리가 마치 지진이 일어난 듯 지축을 크게 흔들어 놓았다. 순식간에 일진의 군사들과 의병들이 먼지를 일으키며 맹렬히 달려왔다. 상대방의 강한 전력을 본 왕후의 군사들이 전의를 상실했다. 궁궐을 지키고 있던 얼마 되지 않는 군사들마저 상관의 눈치를 보며 슬금슬금 도망치기 바빴다. 그들은 궁의 원주인인 세자빈과 세손이 살아 있다는 사실에 신하된 도리로 죄책감을 느꼈다. 한편 눈앞에 보이는 대규모의 병력과 맞붙어 보았자 어차피 승산이 없다는 사실을 잘 알고 있었다.

중궁전 옆에 세워진 신전 안에는 무언가 음산하고 괴기한 분위기가 풍겼다. 그곳엔 겁을 잔뜩 집어 먹은 수십여 명의 아이들이 흐느끼며, 어깨를 달싹거리고 있었다. 어두컴컴한 공간 속에 쭈그리고 앉아 있는 아이들의 얼굴은, 하나같이 핏기 하나 없이, 창백하게 질려 공포에 떨고 있는 중이었다.

밖에서 들리는 군사들의 함성과 칼과 창이 맞부딪는 금속성의 소리가 요란했다. 이에 놀란 아이들은 서로서로 부둥켜안고 눈치를 살피고 있었다.

그런 가운데 왕후는 거대한 석상 앞에서 무언가를 애원조로 부르짖고 있었다.

그녀가 만들어 세운 석상의 생김새는 이랬다. 머리는 수소, 몸은 인간 같이 생겼고 손바닥을 바깥으로 내민 형태로 양팔을 벌리고 있었다. 팔은 곧장 아래로 떨어지도록 경사가 급하게 나 있었다. 살아있는 아이를 이 벌겋게 달구어진 손바닥 위에 올려놓는다. 그러면 팔을 따라 아이는 가운데로 데굴데굴 굴러 떨어지게 된다. 그런 다음 석상 중앙의 활활 타오르고 있는 불구덩이 속으로 들어간다. 그렇게 아이는 가장 고통스러운 죽음을 당한 뒤, 한 줌의 재가 되고 마는 것이다.

왕후는 분노에 찬 듯 두 눈을 희번뜩거렸다. 입에 거품까지 물고는 고래고래 소리를 질러대고 있었다. 그런 그녀를 보자 아이들은 등골이 섬뜩했다.

"저……왕후마마! 어서 이곳을 피하셔야 합니다. 지금 군사들이 이곳 코앞까지 닥쳤다 하옵니다."

지밀상궁이 슬금슬금 눈치를 살피다 말했다.

"내가 가긴 어딜 가느냐? 내 이곳을 나두고 도망갈 듯 싶으냐? 흥, 어림없지! 어림없고말고!"

그녀는 믿는 구석이 있는지 뒤를 슬쩍 바라보며 콧방귀를 뀌었다.

"하오나, 지금 도성이 함락되었고, 각 궁에는 세손 각하의 군사들과 의병들이 들이 닥쳤다고 합니다. 계속 이곳에 머무르시다가는 큰 화를 당하시게 될까, 심히 걱정이 되옵니다."

지밀상궁은 왕후의 안위보다는 자신의 목숨까지 잃어버리게 될까 봐, 그게 걱정이 되어서였다.

지밀상궁은 세손이 도성 안으로 들어왔다는 소식을 듣고 마음이 혼란스러웠다. 세손에게 용서를 구하면 혹, 자신이 살 수도 있지 않을까 하는 마음도 있었다. 하지만 생각하면 할수록, 왕후의 악행에 눈을 감고 살아 온 세월이 너무나 길었다. 어차피 자신은 살아남을 가능성이 희박하다고 이미 스스로 판단을 내렸다.

지밀상궁은 무서워서 벌벌 떨고 있는 아이들이 걱정이 되었다. 지밀상궁은 자신이 혹여 죽기 전에라도 그 아이들을 꼭 살려내고 싶었다. 그녀는 어린 생명을 무참하게 죽인 왕후의 동조자라는 오명을 씻을 수 있기만을 바라고 있었다.

"저……왕후마마. 근데 저 아이들은 어떻게 하실 생각이시옵니까?"

지밀상궁이 넌지시 왕후의 속마음을 떠보았다.

"그렇잖아도 지금 그 말을 하려던 참이었네. 저 아이들을 전부 제물로 바칠 것이야. 그러니 어서 준비하게."

왕후가 표독스러운 눈으로 아이들이 있는 곳을 바라보았다.

"아니, 왕후마마. 저 많은 아이들을 모두 죽이기라도…… 하신다는 말씀이옵니까?"

지밀상궁은 너무 놀라 벌어진 입을 다물 수 없었다.

"허허, 지밀상궁은 무얼 하는가? 어서 나인들을 시켜 아이들을 계단으로 올려 보내게. 어서!"

왕후는 지밀상궁을 성난 표정으로 쳐다보았다.

"……."

왕후의 지시에도 불구하고 지밀상궁은 아무런 대꾸도 하지 않았다. 그녀의 행동이 눈에 띄게 주춤거리기 시작했다.

그녀의 모습을 지켜보고 있던 왕후의 두 눈에는 살기가 서려 있었다. 그와 동시에 대여섯 명의 호위무사들이 무슨 낌새를 눈치챘는지 갑자기 칼을 뽑아 들었다.

지밀상궁은 마치 누구를 기다리는 듯이 초조하게 신전으로 들어오는 입구를 바라보았다. 그녀의 뒤에 도열해 있던 궁중나인들은 공포에 질려 몸을 덜덜대며 어찌할 바를 몰라 했다.

아이들도 이게 어찌 된 영문인지를 몰라 초조해하며 서로의 얼굴을 바라보기만 했다. 이 모습을 지켜보던 왕후는 눈을 크게 부라리며 지밀상궁을 째려보았다. 그러고는 곧장 호위무사들을 향해 불호령을 내렸다.

"네 이년!!! 감히 나의 말을 거역하다니! 그러고도 네 년이 살기를 바라는 것이냐? 여봐라, 당장 저년의 목을 치거라!"

호위무사들 가운데 하나가 지밀상궁이 있는 앞으로 천천히 걸어 나오더니, 그녀의 목을 향해 칼끝을 겨누었다. 지밀상궁은 상대의 눈을 응시하고 있다가, 천천히 고개를 한 번 끄덕여 목례를 보냈다. 그러자 칼을 겨누고 있던 호위무사는 한 번 씨익 웃더니 방향을 틀어, 왕후에게 칼끝을 겨냥했다.

"아니, 네 이놈! 지금 무슨 짓을 하는 것이냐? 감히 나에게 칼을 겨누다니……정녕 네 놈이 죽고 싶어 환장했구나."

왕후는 크게 당황하였다.

"으허허허허!"

그때 신전 뒤쪽에서 인기척이 들렸다. 이어서 낄낄거리는 웃음소리가 나더니, 급기야는 터지기 시작한 웃음이 좀처럼 그치지를 않았다.

"아니, 어떤 놈이냐? 비겁하게 뒤에 숨지 말고, 모습을 드러내라!"

소리가 나는 방향으로 고개를 돌린 왕후가 당황해하며 소리쳤다.

"비겁이라고? 으허허허허! 네년이 그런 말을 다 하다니, 지나가는 똥개가 웃을 일이구나. 지금까지 네년이 벌인 짓을 보고도 그런 말이 나오다니, 네년은 정말 구제불능이구나."

조금 뒤 어둠을 뚫고, 얼굴에 탈을 뒤집어 쓴 사내 하나가 모습을 드러냈다.

"아니, 네 놈은……. 탈을 쓰고 다니며 민란을 부추긴 놈이로구나. 제 발로 찾아오다니 어리석기 짝이 없는 놈이구나. 네 놈을 찢어 죽이기 전에 하나 물어보마. 대체 네 놈의 정체가 무엇이냐?"

왕후는 시뻘겋게 얼굴을 붉히며 탈을 쓴 사내를 노려보았다.

"으허허허허. 그래……네년 입장에서는 궁금하기도 하겠지. 어차피 곧 죽을 목숨인데 그깟 것 하나 못 들어주겠느냐? 음, 근데…… 세월이 참 야속하구나. 벌써 내 목소리도 잊은 것이냐?"

말이 끝나자마자 사내는 머리에 쓴 탈을 벗으며 얼굴을 드러냈다.

"오, 이럴 수가! 당신은?"

왕후가 사내의 얼굴을 바라보고는 두 눈을 크게 뜨며 입을 다물지 못했다.

"쳇! 날 보고 놀라기는 하는구나. 뭐, 일말의 양심이라도 남아있던 것이냐?"

탈을 벗은 사내는 다름 아닌 세자의 오랜 벗이자 삼손을 키운 공가였다. 그는 곤혹스러운 낯을 지은 왕후를 뚫어져라 직시하고 있었다.

"스승님……이게 어떻게 된 일입니까? 이미 오래 전에…… 돌아가신 줄 알았습니다. 아니, 그보다도…… 스승님께서 왜, 그 탈을 쓰고 계신 겁니까? 설마, 지금까지 민란을 일으켰던 장본인이…… 바로 스승님이셨던 건가요?"

얼굴이 참담하도록 창백해진 왕후는 눈앞의 사실이 믿기지 않는 듯 눈을 삼박 감았다 떴다.

"흥! 네년에게 스승이라는 말을 들으니, 기분이 영 고약해지는구나. 내 뜻을 거역하고 떠난 삶이 고작 이것이었느냐? 참으로 네년은 보면 볼수록 별종이로구나."

공가는 쌀쌀맞게 조롱하는 얼굴로 그녀를 쳐다보았다.

"내가 어디가 어떻게 별종이란 말입니까? 그리고 말이 나왔으니 말인데, 보시다시피 난 이 나라의 국모이자 왕후입니다. 저속한 언행을 삼가도록 하십시오."

그녀는 바늘로 찔러도 피 한 방울 안 나오게 생겼는데 보기와 다르게 눈 주위가 부들부들 떨리기 시작했다.

"뭐, 국모? 이년이 어디서 개 풀 뜯어먹는 소리를 하고 있어? 국모라는 년이 저 불쌍한 어린 것들을, 티끌만 한 양심의 가책도 느끼지 않은 채, 무참히 죽였던 것이냐?"

"그만 하세요!"

"서윤아……서윤아! 아주 오래 전 내가 너를 이렇게 불렀던 적이 있었지. 그때의 넌 아주 총명하고 예의바른 아이였다. 다른 사람들과도 가깝게 지내면서, 모두와 조화 있는 삶을 살기 위해 노력했었어. 그런데……이렇게 잔인한 괴물로 변하다니, 안타깝구나."

공가는 과거에 대한 회한과 현재의 분노까지 뒤엉킨 눈으로 그녀를 쳐다보았다.

"내 분명히, 입다물라 했소. 당신은 한때 나의 스승이었지만, 지금은 아니오! 네피림 동족을 배반한 자가, 마치 선량한 의인처럼 행동하는 모양이, 참으로 눈꼴사납소. 보아하니 죽기를 각오하고 이곳까지 들어온 것 같은데, 착각하지 마시오. 그 옛날의 내가 아니라는 사실을…… 뭣들 하느냐! 저자들을 죽여라!"

고막이 따가울 정도로 앙칼진 왕후의 고함이 터져 나왔다.

호위무사들은 공가와 왕후에게 칼을 겨눈 사내에게 덤벼들었다. 한편, 지밀상궁은 궁중나인들과 함께 아이들을 신전 밖으로 내보내고 있는 중이었다. 그 모습을 보고 흥분한 왕후는 옷소매에 숨겨둔 단검을 무리를 향해 힘껏 던졌다. 날카로운 금속성의 소리가 공기를 빠르게 가르고는 지밀상궁의 가슴에 박혔다.

"으악!"

지밀상궁은 그대로 땅바닥에 엎어지고 말았다.

이를 지켜 본 아이들과 궁중나인들이 두려움에 휩싸여 비명을 질렀다.

얼굴이 사납게 일그러진 왕후는 성난 황소처럼 아이들이 있는 곳으로 달려왔다. 그때 공가가 재빨리 방향을 전환하며 그녀의 앞을 가로 막았다. 왕후의 호위무사들은 변심한 사내와 두 발짝 나가고 한 발짝 물러서는 일진일퇴의 접전을 벌이고 있는 중이었다.

"기어이 이 제자의 칼에 죽고 싶은 겁니까?"

왕후는 충혈된 눈을 부릅뜨고서 공가의 얼굴을 노려보고 있었다.

"내 한때 제자였던 네년을 저승으로 데려만 갈수 있다면, 그 무엇을 마다하겠느냐? 자, 어서 오너라!"

눈을 부릅뜬 공가가 천천히 양팔을 내려, 허리춤에서 쌍단검을 꺼내들었다.

왕후는 그가 짧은 단검을 꺼내자 의아한 눈길로 바라보았다. 공가의 손에 화염검이 없었기 때문이었다. 그녀는 거추장스러운 장애물이 사라진 기분이 들었다. 그에게 필시 무슨 일이 생겼다는 것을 직감으로 알게 되었다.

"아니, 그리 애지중지하던 화염검은, 어디에 놔두고 오신 겁니까? 감히 제 앞에서 부엌칼을 꺼내시다니, 혹 노망이라도 나신 겁니까?"

그녀는 조롱과 멸시에 찬 어투로 그를 비웃었다.

"헛소리 집어치우고, 어디 한번 시작해 보거라."

공가는 그 순간 잡념을 쓸어버리고 무엇보다 마음을 다잡았다. 그러고는 한걸음씩 옆으로 발을 떼고 있는 그녀의 보법을 유심히 관찰하였다. 오래 전 자신이 그녀에게 가르쳐주었던 보법과는 확연히 달라져 있었다. 그녀가 발을 옮길 때마다 무게의 중심이 어느 한쪽에 쏠리지 않는 것이 인상적이었다. 양발에 체중을 골고루 배분하여 걷고 있는 왕후의 보법은, 근접전에서 상당히 유리한 움직임이었다. 만일 상대의 칼이 위에서 내려올 경우, 재빨리 옆으로 피하는데 있어서 이점이 있는 보법이었던 것이다.

그녀가 들고 있는 검은 손잡이 끝이 반원형이었다. 손잡이 장식이 세로로 가늘고 긴 형태로서, 홍마노 보석을 끼워 넣었다. 검날은 상당히 가늘고 긴 편이었다. 자칫 잘못 휘둘렀다가는 오히려 검객이 그 시퍼런 검날에 다치기 십상이었다. 하지만 곧장 싸움이 시작되자 그녀는 보란 듯이 검을 깃털처럼 자유자재로 휘둘렀다. 싸움은 한 치의 양보도 없는 일진일퇴의 호각지세였다. 공가와 왕후의 칼날이 쩽그렁쩽그렁 부딪치자 불꽃이 퍼렇게 일었다.

한편 호위무사 중 한 명이었던 사내는 왕후의 다른 호위무사들과 한쪽에서 맞붙어 싸우고 있는 중이었다.

검과 마법을 동시에 사용하며, 치열하게 싸우고 있는 공가와 왕후는 서로의 허점을 노리고 있었다. 공가는 아이들과 궁중나인들이 모두 나가자, 수세적인 입장에서 벗어나 공격을 공세적으로 펼쳤다. 신전 안에는 반신반인인 네피림들만이 남아서 생사를 건 혈투를 벌였다.

때마침 신전 밖에서 들려온 군사들의 함성은 천지를 진동하게 했다. 마치 함성소리가 우레처럼 들렸다. 신전 안은 그야말로 아수라장 속처럼 귀가 먹먹했다. 왕후의 호위무사들은 순간 놀라서 몸을 움찔거렸다. 그 기회를 놓치지 않은 사내가 네 명의 호위무사 가운데 방심하고 있던 한 명의 목을 칼로 내리쳤다.

호위무사의 목이 바닥에 뎅겅 떨어진 것은 순식간의 일이었다. 동료의 목이 떨어져 나간 것을 본 나머지 호위무사들이 미친 듯이 칼을 휘두르며 사내에게 달려들었다. 오랫동안 같은 동료이자, 왕후의 충성스러운 부하일 줄만 알았던 사내의 행동에 그들은 심한 배신감을 느꼈다.

"대관절 네 놈이 이러는 이유가 무엇이냐?"

덩치가 곰같이 크고 목소리가 우렁찬 호위무사 하나가 사내를 노려보며 물었다.

"너희가 주군으로 섬기고 있는 왕후의 악행을, 더 이상 두고 볼 수가 없었다. 지밀상궁과 나는 아이들을 이곳에서 무사히 내보내기로 약조를 했다. 나는 그 약속을 지키는 것뿐이야. 그러니 날 원망하지 말거라."

사내는 키가 구척장신인데다 적당하게 각진 얼굴은 어떤 강인함마저 느끼게 했다.

호위무사들의 체구는 석상에 머리가 닿을 만큼 마치 거인과 흡사했다. 그들이 손에 쥔 검은 하나같이 장검으로, 웬만한 장수들의 키보다 컸고, 검날은 창과 같은 엄청난 길이였다.

그들은 다시 서로를 탐색하기 시작했다. 워낙 사내의 싸움실력이 출중하다보니 남은 호위무사들이 쉽사리 다가오지 못했다. 가뜩이나 점점 가까워지는 함성소리에 주눅이 들어있는 상태에서, 발의 걸음도 차차 무거워졌다.

한편, 공가의 칼날이 닿기 전에 가까스로 피한 왕후는 숨이 가빠지기 시작했다. 자신에게 무예를 전수해준 그의 솜씨는 여전히 녹슬지 않았음을 확인할 수 있었다. 더욱이 같은 동족이자 무공이 뛰어난 상대와의 대결이었다. 왕후는 그동안 수없이 많은 사람들과 맞붙어 싸운 것과는 비교할 수 없을 만큼 진이 빠졌다.

석상을 사이에 두고 칼날과 칼날이 부딪치는 소리가 살벌하게 울렸다. 동시에 서로의 마법이 허공에서 충돌하자 공명을 일으키기 시작했다. 그 여파로 신전의 천장과 내외 벽에 금이 죽죽 가기 시작했다. 그곳은 금방이라도 무너질 것만 같았다. 시간이 갈수록 걷잡을 수 없는 혼란과 혼돈 상태로 빠져들고 있었다.

어두컴컴한 신전 입구에서, 누군가 공가의 이름을 애타게 부르는 소리가 난 것은, 바로 그때였다. 공가는 잠시 한발 뒤로 물러서며 소리가 나는 쪽으로 고개를 돌렸다.

"할아버지!"

거종 같은 목소리를 내는 사람은 다름 아닌 삼손이었다.

"아니, 세손 각하……."

공가가 반가움에 말문이 막히고 말았다.

어느새 신전 안으로 삼손과 탄닌 그리고 군사들이 빠르게 진입해 들어왔다. 삼손은 뒤도 돌아보지 않은 채 공가를 향해 비호처럼 뛰어왔다. 얼굴을 확인한 두 사람은 서로를 부둥켜 안고 울음을 터뜨렸다.

"할아버지! 대체 이게 어찌된 일입니까?"

"허허허. 세손 각하를 이리 다시 보니 너무 반갑습니다!"

"아니, 그동안 어떻게 지내셨어요? 제가 할아버지를 얼마나 찾았는지 아세요?"

"보시다시피, 전 잘 지내고 있었어요. 심려를 끼쳐드려 송구하옵니다."

"할아버지, 두 번 다시 말도 없이 사라지시면 절대 용서하지 않을 거예요. 아셨죠?"

"허허허, 알겠습니다."

군사들은 기골이 장대한 네피림들을 보고는 기겁을 하고 놀랐다. 탄닌은 잔뜩 겁을 먹은 군사들을 향해 뒤로 물러서지 말라고 호통을 쳤다. 그러고 나서 탄닌은 호위무사들과 싸우고 있는 사내를 돕기 위해 나섰다. 곧장 기다란 검을 뽑아들고 달려드는 탄닌의 모습은 마치 굶주린 맹수와도 같아보였다.

탄닌의 얼굴을 기억하고 있던 왕후는 갑작스런 그의 등장에 당황해하며 겁을 집어먹기 시작했다.

그도 그럴 것이, 일이 이 지경이 된 데에는 탄닌의 역할이 매우 컸기 때문이었다. 조선의 최정예인 오군영 군사들을, 혼자서 거의 전멸시키다 시피 한, 괴물 같은 사내가 자신의 눈앞에서 검을 휘두르자, 궁지에 몰리는 상황이 되었다.

"아니, 네 놈은……."

호위무사 하나가 탄닌을 알아보고 화들짝 놀랐다.

"오! 이게 누구야? 지난번에 꽁무니를 빼고 달아났던 무사양반 아니신가?"

탄닌이 상대의 얼굴을 유심히 들여다보며 나탈거렸다.

"저 씨부럴 놈이 뭐라 지껄이는 거야? 오냐, 지난번의 수모를 백배 천배로 되갚아주마."

호위무사는 이를 악물고 얼굴에 잔뜩 인상을 쓰며 말했다.

"뭐야, 이 반응은? 난 그냥 반가워서 한 말이었는데."

탄닌은 자신에게 칼끝을 겨누고 접근하는 상대의 행동에 실망한 얼굴이 되었다.

"내가 너를 가루가 되도록 만들 것이니, 단단히 각오해라!"

호위무사가 눈을 뻔뜩거리며 무서운 기세로 달려들었다.

"휴, 아쉽다. 너는 반가워서 특별히 살려주고 싶었는데. 뭐, 어쩔 수 없지."

탄닌은 상대의 검을 쥔 자세와 보법을 유심히 관찰했다. 거리가 좁혀 들자, 그는 제자리에서 공중으로 높이 튀어 올랐다. 호위무사의 칼이 연달아 창처럼 찔러 들어왔다. 탄닌은 자신의 검으로 상대의 칼끝을 때리며 날렵하게 몸을 움직여 피했다. 상대 호위무사가 아무리 애를 써 봤자, 힘으로 보나 능력으로 보나, 탄닌의 발아래에 있었다.

왕후는 석상 뒤에 숨어서 이 광경을 지켜보았다. 그녀는 탄닌이 지금껏 보지 못한 특이한 검법을 사용하고 있다는 것을 깨닫게 되었다. 그의 기본적인 검술의 보법과 팔의 움직임은 호위무사들의 검술에 비해 효율적이었다. 그의 장대같이 기다란 검은 조선 군사들의 칼처럼, 칼끝이 위로 약간 솟아오르지도 않았고 모양도 달랐다. 그는 손목과 어깨 그리고 등까지 이용해 검을 돌리는 동작으로 상대의 시선을 어지럽혔다. 무엇보다 그의 검이 공기를 가를 때마다 용의 포효가 들리는 듯하였다. 도저히 인간으로서는 할 수 없는, 매서운 검술 실력이라는 것을 한눈에 봐도 알 수 있었다.

왕후는 그의 얼굴을 한참 들여다보았다. 숯으로 그린 듯 짙고 뚜렷한 눈썹뿐 아니라, 유난히 큰 귀와 오뚝한 콧날 등 그의 얼굴

모습에서 누군가가 떠올랐다. 그녀는 처음에는 착각이라고 생각했다. 하지만 그의 표정과 호흡, 검을 휘두르는 강렬한 몸짓을 보면 볼수록, 자신의 짐작이 맞을 수도 있다는 생각이 들었다. 그녀는 가슴이 덜컥 내려앉고 정신이 팽 돌았다.

그러자 순간 그녀의 머릿속에 십칠 년 전, 이곳 신전에서의 기억이 역력하게 되살아났다. 그때 당시 여자아이 하나를 살리겠다고 호랑이 굴로 혼자 들어 온 궁녀가 생각났던 것이다. 상당한 무공을 지닌 그 궁녀는 수많은 군사들을 맨몸으로 싸워서 쓰러트렸다. 네 피림들로 결성 된 후위무사들도 그녀 하나를 감당하지 못하고 쩔쩔매었다. 왕후 자신이 나서서 싸움에 합세했지만 달라진 건 전혀 없었다. 결국 왕후는 여자아이를 데리고 무사히 궁궐을 탈출하던 궁녀에게 화살을 쏴 치명상을 입혔다. 말에서 떨어진 궁녀는 절체절명의 위기의 순간, 인간의 몸에서 용으로 변하여, 아이를 안고 하늘로 사라졌다. 이것이 왕후가 기억하고 있는 일의 전부였다.

왕후는 이 시점에서 왜 그 궁녀의 일이 떠올랐는지, 이제야 이유를 알 것 같았다. 그녀와 눈앞에 서 있는 사내가 영락없는 판박이였기 때문이었다. 사내의 정체가 용이라는 사실을 알게 된 왕후는 엷은 웃음이 입가에 번졌다.

그런데 그때였다. 한쪽에서 뭔가 쿵 하고 떨어지는 소리가 연달아 났다. 삼손과 공가는 급히 고개를 돌려보았다. 그것은 다름 아닌 호위무사가 앞으로 푹 고꾸라진 소리였다.

예상했던 대로 탄닌과 호위무사들의 싸움은 싱겁게 끝나 버렸다. 풍물재비들이 놀이하며 놀 듯이, 그는 몇 수 아래의 상대를 실에 매달린 목각 인형처럼 가지고 놀았다. 네 명의 거인들을 눈 깜짝할 사이에 쓰러트리고 말았다.

왕후는 그가 여러 명의 네피림들을 힘들이지 않고, 제압한 것을 보고는 놀라워하는 듯, 두 눈을 동그랗게 떴다. 그나마 믿었던 호위무사들이 죽자, 왕후는 자신이 섬기던 석상을 바라보며 허탈하게 웃었다.

오래간만에 공가와 눈물의 해후를 한 삼손은 석상 뒤에서 주위의 눈치를 살피고 있는 왕후를 발견하였다. 그는 곧장 그녀가 있는 곳을 향해 발걸음을 옮기기 시작했다. 혼자 남겨진 왕후는 이 상황이 믿기지 않아, 어이가 없는지 피식 웃었다.

"이 요망하고 사악한 년 같으니라고! 거기 숨어서, 빠져 나갈 궁리를 하는 것이냐?"

삼손의 분노에 찬 목소리는 신전 안에 저렁거렸다.

"호호호. 엄마 뱃속에서 용케도 살아남았구나. 내 일찍이 너를 죽이지 못한 것이, 천추의 한이로구나."

왕후는 얼굴에 억지웃음을 흘리더니 이내 굳은 표정으로 바뀌었다.

순간 분위기가 살벌해졌다. 그때 여러 사람들의 무리가 신전 안으로 급하게 달려왔다. 그들은 오래 전 세자를 보필하던 동궁전의 내관과 상궁들이었다. 그들 모두는 거구의 네피림들이 쓰러져 있는 것을 보자 크게 당황하는 눈치였다. 하지만 곧 그들은 무리 가운데 누가 세손인지 주위를 살펴보았다. 그러던 중 총명한 눈빛에 훤칠한 키, 호남형의 얼굴인 삼손에게 시선이 멈추었다. 누구랄 것도 없이 모두 그가 세손임을 한 눈에 알아차렸다. 그들은 곧 예의를 갖춘 뒤 삼손에게 일제히 큰 절을 올렸다. 대부분이 목이 메어 말을 이루지 못하다, 나중에는 목을 놓고 울기 시작했다.

"흑흑, 신, 황내관. 세손 각하께 문후 드리옵니다. 그간……강령하셨나이까? 소인을 그저…… 죽여주십시오. 흑흑, 우신들이…… 세손 각하를…… 제대로 지켜드리지 못한, 죄로소이다."

한때 세자를 그림자처럼 따르던 황내관은 그의 아들을 보자 서러움이 복받쳐 올라 입술을 깨물었다.

"어서들 일어나게. 나는 이렇게 무탈하니…… 그만 슬퍼하시게. 어서."

갑자기 벌어진 상황이라 삼손은 무척 당황해했다. 난생처음 본 사람들이 대부분이라, 더욱 그랬다.

삼손은 황내관에 대한 이야기를 이미 세자빈에게 들었다. 그의 사람됨이 어떠한지를 소상히 알고 있었다. 아버지의 명을 받은 그는 언제나 요령을 쓰거나 꾀를 부리지 않았다. 또 그는 아버지를 충성스럽고 정직하게 섬겼다.

한양으로 떠나오기 전, 세령에게서 그에 대한 이야기를, 좀 더 자세히 들을 수 있었다. 황내관은 제조상궁인 최상궁과 함께, 신전 제물로 바쳐질 아이들을 자신들의 목숨을 걸고, 구해낸 장본인이었다. 그 때문에 수많은 아이들이 살 수 있었고 왕후의 신정국가 계획에 차질을 빚게 만든 셈이었다. 황내관과 최상궁은 이 악의 소굴인 신전에서 아이들을 꺼내 온 충신 중의 충신이었다.

"너희들이었구나. 이 궁궐의 쥐새끼들 같으니라고……."

왕후는 제조상궁과 황내관을 보더니 이를 부드득거리며 분을 삭이지 못했다.

"네 이년! 주둥아리 닥치지 못할까? 감히 어느 안전이라고 무엄하게 떠드느냐?"

황내관이 두 눈을 딱 부릅뜨며 왕후에게 직접 호통을 쳤다.

"너희들이 역모를 일으키고도 살기를 바라는 것이더냐?"

왕후는 한 치도 물러서지 않을 기세였다.

"이제 다 끝났다. 그만하고 어서 무릎을 꿇거라. 이번이 너에게 주는 마지막 기회가 될 것이야."

공가는 그녀를 바라보며 씁쓸한 표정을 지었다.

그래도 한때 제자였던 그녀가 이렇게 최후를 맞이하게 되자, 공가의 얼굴은 만감이 교차되고 있는 듯했다. 그는 누구보다 세자와 세자빈과 각별한 사이였다. 또한 그들의 핏줄인 삼손을 친손자처럼 애지중지하며 키웠다. 당연히 복수를 해야 한다는 생각이 밤낮으로 공가의 머리를 떠나지 않았다. 그런데 막상 그녀를 만나고 보니 공가는 되레 측은한 생각이 들었던 것이다. 그의 생각이 많을 수밖에 없었다.

"호호호. 저 노인네가 노망이 든 게 틀림없구나. 지금 누구보고 무릎을 꿇라 하는 것이냐? 이 나라의 국모이자, 왕후인 나를 욕보이려 한 네 놈들을, 모조리 죽여 버릴 것이다."

왕후는 눈앞에 있는 삼손과 무리들을 멸시하는 눈으로 바라보며 콧방귀를 뀌었다.

"내 할머니와 아버지를 죽인 것도 모자라, 이 나라의 미래인 아이들까지 잔인하게 죽인, 네 년을 결코 용서하지 않겠다. 지금이라도 당장 네년의 목을 베고 싶지만, 결코 너를 편히 죽이지는 않을 것이다. 네년의 숨이 끊어지는 마지막 순간까지, 세상에 없는 가장 극심한 고통을 느끼게 해줄 것이다. 네년이 죽고 난 후에는, 온몸의 사지를 갈기갈기 찢어, 짐승의 먹이로 던져줄 것이다."

삼손은 얼굴색 하나 변하지 않은 채 그녀의 잘못을 냉엄히 꾸짖었다.

이쯤 되면 꼼짝없이 꼬리를 내려야 하지만, 궁지에 몰린 왕후의 눈에는 여전히 독기가 가득했다. 한참을 말없이 삼손을 노려보던 그녀가 별안간, 실성한 사람처럼 크게 웃음을 터트렸다.

그녀와 마주하고 서 있는 삼손 그리고 탄닌과 공가는 영문을 몰라 어리둥절하기만 했다.

"성정이 니 애비와 아주 똑 닮았구나. 십칠 년 전 세자와 똑같은 말을 내게 하다니 말이야. 물론, 그 강인함은 그리 오래가지 못했지. 후후."

살벌한 신전 안의 분위기와 달리, 약간 상기된 얼굴을 한 왕후가 선웃음을 쳤다. 그녀는 삼손이 어떤 능력을 갖고 있는지 전혀 모르고 있었기 때문에 계속해서 말장난으로 시간을 질질 끌 생각이었다.

그녀가 이렇게 빳빳이 나오는 데는 제 나름대로 믿는 구석이 있어서였다. 이를 수상히 여긴 삼손은 왕후의 속마음을 읽고는 깜짝 놀라 뒤로 자빠질 뻔했다. 공가에게 전수받은 독심술로 그녀의 기억을 살살이 들여다 본 삼손은 도저히 믿기지가 않았다.

삼손의 곁에 서 있던 탄닌과 공가도 독심술로 왕후의 내면을 꿰뚫어보고 있는 중이었다. 그녀의 얼굴에 드러난 표정, 눈빛, 말투, 동작을 보면서, 어떠한 말과 행동을 할지 미리 예측하기 위함이었다.

탄닌은 태룡산 동굴 속에서 희미하게만 보였던 그녀의 마음을 오늘에서야 정확히 들여다 볼 수 있었다. 이렇게 가까이에서 그녀의 눈을 바라보니 안개가 걷힌 것처럼 선명하게 보이기 시작했다. 그가 본 것은 정말 놀라운 일이 아닐 수 없었다. 이미 죽은 줄만 알았던 세자가 살아있었던 것이다.

천천히 고개를 돌려 삼손의 눈을 바라본 탄닌은 그 역시도 모든 사실을 눈치 챘다는 것을 알 수 있었다.

누구보다 세자와 가까운 사이였던 공가는 가장 큰 충격을 받은 표정이었다. 그동안 왕후의 손에 세자가 죽었다는 사실에 커다란 죄책감 속에 살아왔었기 때문이었다. 지금껏 그녀가 자신의 제자였다는 사실을 그 누구에게도 밝히거나 말한 적이 없었다. 엄밀히 말하자면, 왕후를 제자라기보다는 친딸처럼 사랑했고, 그녀 역시 그를 아버지처럼 따랐다.

공가는 오래 전에 아무런 말도 없이, 자신의 곁을 떠났던 그녀가 그리웠다. 그런 그녀가 십칠 년 전 갑자기 나타난 것이었다. 조선의 새 왕후가 된다는 소식을 들은 공가는 놀라움을 금치 못했었다. 그러다가 자신과 가장 가까운 세자를 그녀가 죽였다는 사실에 또 한 번 큰 충격을 받았다. 그때로부터 공가는 사악하게 변한 왕후의 목숨을 스승이었던 자신이 책임지고, 끝장내버리겠다고 다짐했던 것이다.

그런데 그녀가 세자를 죽이지 않고, 살려두었다는 사실에 순간 당황할 수밖에 없었다. 그는 분명히 삼손도 이 사실을 알게 되었을 것이라 생각했다. 그 누구보다 독심술이 뛰어난 삼손이었기에 너무나 당연한 일이었는지도 모른다. 공가는 그녀가 왜 세자를 살려두었는지 속마음을 읽으려고 했지만 더 이상은 알아낼 수가 없었다. 순간 누군가가 그녀의 생각과 마음에 들어와 공가의 독심술을 방해하기 시작했던 것이다. 공가는 멈추지 않고 그녀의 생각과 마음을 지배하는 존재가 누구인지를 알아보기 위해 더욱 정신을 집중했다. 그때 그녀의 마음과 육체에 어두운 그림자가 무겁게 감돌았다. 어떤 악령의 손아귀가 뻗치는 듯한 느낌을 받았다. 공가는 직감적으로 그녀의 안에 악귀가 들어갔다는 것을 깨달았다.

신전 안에 갑자기 축축하고 음산한 바람이 불더니, 시체 썩는 고약한 냄새가 풍기기 시작했다. 그 안에 있던 군사들은 영문도 모른 채 불안에 떨면서 눈알을 동글동글 굴리기 시작했다.

삼손과 탄닌도 뭔가 일이 잘못되었다는 것을 깨달았다. 탄닌은 동물적인 본능과 초인적인 감각으로 어떤 물리적인 위협을 느끼자 왕후를 향해 검을 겨누었다. 동시에 삼손도 위기감을 느꼈는지 등에 멘 화염검을 뽑아 들었다. 그때 공가가 왕후를 애절하게 불렀다.

"서윤아! 더 이상 악귀에게 속지 말거라! 제발 정신 차려야 한다!"

그때 삼손과 탄닌은 왕후의 이름을 부르는 공가에게 한 번, 그리고 왕후의 두 눈에 흰자위가 완전 뒤집어지며, 무서운 살기가 쏟아지는 모습에 두 번, 경악을 하고 말았다. 그때 그들은 예상 못했던 일과 돌연 마주치게 되었다. 돌연 석상 가운데 구덩이 쪽에서 웬 어린 아이들의 곡성이 서럽게 들려왔다. 그 울음소리는 점점 커지기 시작하더니 요괴스럽게 신전 내부에 울려 퍼졌다. 당황한 것은 멀뚱하게 눈 뜨고 서 있는 군사들뿐만 아니라 내관들과 궁녀들도 마찬가지였다. 어디선가 짐승의 울음소리도, 사람의 울음소리도 아닌, 아주 기분 나쁜 귀신의 울음소리가 계속 들려오자 순간 몸이 오싹해졌다.

마치 사람의 인내심을 시험하듯이 고막을 찢을 듯한 곡성소리가 끊이지 않고 흘러나왔다. 이건 분명 사람이 할 짓이 아니라는 것을 삼손과 탄닌 그리고 공가는 알고 있었다.

하얀 소복과 같은 한복을 입고 있던 왕후의 얼굴이 심하게 일그러지더니, 곧 날카로운 송곳니를 드러내며 괴성을 질렀다. 그러자 지진이 일어난 것처럼 신전이 크게 흔들리기 시작했다. 이미 천장과 벽들에 균열이 난 상태인지라 돌들이 쉽게 떨어져 나가고 있다. 그녀의 입에서 나오는 괴성이 신전 내부에 공명을 일으키며 건물을 붕괴시키는 중이었다.

삼손은 더 이상 왕후를 살려 두어서는 안 된다는 판단을 내렸다. 그는 화염검을 높이 들고 그녀를 향해 달려들었다. 그런데 그때에 공가가 그의 앞을 가로 막았다.

"세손 각하, 안됩니다!"

"아니, 할아버지! 왜 이러시는 거예요?"

삼손은 공가의 행동을 이해할 수 없어서 몹시 당황한 기색을 감추지 못했다.

"세손 각하! 제가 아직 말씀 드리지 못한 얘기가 있습니다. 실은…… 왕후는 저의 제자였습니다. 이미 아시다시피, 지금 저 아이는 악귀에게 지배를 당하고 있는 겁니다. 제가 저 아이를 살릴 수 있도록 허락해 주십시오!"

공가는 애끓는 심정으로 삼손에게 호소했다.

"살리다니요……지금 무슨 말씀을 하시는 거예요? 할아버지…… 저 여자는 지금까지 수많은 백성을 죽였어요! 심지어 어린 아이들을 납치해 무참히 살해한, 희대의 살인마라는 걸 잊으신 겁니까?"

순간 분노에 휩싸인 삼손은 무섭게 절규하였다.

"아니요, 잘 압니다. 저 아이의 죄 값을 없이 해달란 말이 아닙니다. 지금껏 저 아이는 사악한 악귀에 이끌렸어요. 자신이 무슨 일을 했는지도 알지 못한 채, 끔찍한 일을 벌인 겁니다. 조금 전 세손 각하께서도 독심술로 그걸 보시지 않으셨습니까? 제게 조금만 시간을 주시면, 저 속에 들어가 있는 악귀를 내쫓겠습니다. 그 다음에 자신이 어떠한 짓을 저질렀는지…… 참회할 수 있는 시간을…… 아주 조금이라도 달라는 말씀이에요. 그때 가서 저 아이의 죄를 물으셔도 늦지 않으실 겁니다. 그러니 부디, 이 할애비의 간곡한 청을 들어주옵소서."

공가는 제발 왕후의 목숨을 살려달라고 간절하게 소청을 하였다.

삼손은 전혀 예상하지 못했던 공가의 행동에 몹시 화가 났다. 한편으로 그가 자신을 애지중지 길러 준 사람이라는 것을 생각하자,

조금씩 마음이 흔들리기 시작했다. 삼손은 갑자기 머릿속이 혼란스러워지기 시작했다.

누구보다 왕후의 악행에 치를 떨며, 반드시 자신의 손으로 그녀의 목을 치겠다고 벼르던 사람이, 바로 공가였다. 평소 언행을 생각할 때 삼손은 그의 행동을 정말 납득할 수가 없었다. 더욱이 그가 네피림이라는 것과 왕후가 제자였다는 사실을 굳이 왜 숨겼는지 모든 것이 아리송하기만 했다.

하지만 살면서 그는 단 한 번도 허튼소리를 내뱉은 적이 없었기에, 자신의 신분과 그녀와의 관계를 떳떳하게 밝히지 못한 분명, 어떤 이유가 있을 것이라는 생각이 들었다.

공가의 눈꺼풀이 파르르 떨리더니, 이내 두 눈에서 닭똥 같은 눈물이 흘러내렸다. 삼손은 그의 눈에서 자신을 향한 진실 된 마음은 변함이 없다는 것을 읽을 수 있었다. 단지 그녀를 두고두고 애통히 여기는 마음이 강하게 느껴졌을 뿐이다. 그 둘의 관계가 상당히 복잡 미묘하여 결코 단순하지는 않음을 깨닫게 되었다.

삼손은 마지못한 듯 높이 치켜들었던 검을 천천히 내렸다. 단 세 걸음만 더 걸으면 검을 휘둘러 그녀의 목을 벨 수 있는 거리였다. 삼손은 공가의 어깨 너머에 있는 왕후를 한참 동안 눈을 부릅뜨며 쏘아보다가 칼을 거두었다.

그제야 공가는 안도의 한숨을 내쉬며 삼손의 손을 덥석 잡았다.

"허허허, 세손 각하, 이 늙은이의 간청을 들어주시니 성은이 망극하옵니다. 제가 이 아이를 반드시 으……헉!"

공가는 삼손의 손을 어루만지며 고마움을 표시하고 있었다. 그때 갑자기 시퍼런 칼끝이 그의 배를 뚫고 나왔다. 칼에 찔린 자리에 핏물이 배어나기 시작하더니 조금 뒤 배에서 피가 철철 흘러 나왔다. 공가를 찌른 왕후는 그가 고통스러워하자 더욱 힘껏 칼을 그의 등 뒤로 밀어 넣었다. 그러고는 금방 자기가 한 행동을 만족스러워하는 듯 요사스러운 웃음을 터트렸다.

"오호호호호……."

"할아버지……."

너무나 놀란 나머지 갑자기 삼손의 동공이 커졌다. 그는 할아버지가 잘 못 될까봐 덜컥 겁에 질려서 아무 말도 나오지 않았다.

두 눈에 살기가 서려있는 왕후는 공가의 등 뒤에서 칼을 뽑아내었다. 그의 등과 배 그리고 눈과 입에서도 사정없이 피가 솟구쳤다. 고통을 참고 겨우 버티며 서 있는 것 같은 공가는 삼손을 바라보며 온화스레 미소를 지었다. 곧장 앞으로 쓰러지는 그를 삼손이 양팔로 끌어안으며 조심스레 땅바닥에 뉘었다. 머리는 풀어지고 얼굴이 온통 피범벅이가 된 공가의 모습은 너무나 처참하고 끔찍했다. 삼손은 자신의 무릎에 그의 머리를 눕히고는 당황해서 어찌할 바를 몰라 쩔쩔매며 그의 이름을 연신 부르기만 했다.

"저……할아…버…지 안돼요. 할아……버지, 흑흑…제발, 눈 좀 떠……보세요.

삼손이 곧 넋 빠진 표정으로 자신도 모르게 양손을 들어 공가의 얼굴을 감싸 쥐고 울었다.

"세……손…각……하, 이…할……애…비…는, 헉…삼……손, 너를……만나……기뻐…어…….."

공가는 정신이 희미해지는지 자꾸만 눈이 감겼다. 마지막 남은 힘을 다해 버티고 있는 사람처럼 다시 눈을 뜬 그는 삼손의 얼굴을 바라보며 그저 빙긋이 미소만 짓고는 조용히 그리고 천천히 눈을 감았다.

"으아악!!! 할아버지!! 안돼요. 제발…… 할아버지 눈 좀 떠보세요! 흑흑…… 할아버지!"

삼손은 목청껏 공가의 이름을 부르고 또 불렀다. 눈을 감고 있는 그를 아무리 흔들어 보아도 꼼짝도 하지 않았다. 자신을 키워준 공가가 죽은 것을 확인한 삼손은 온통 피투성이가 되어 있는 그의 시신을 부둥켜안고 오열했다.

세손이 소리 내어 대성통곡을 하자 신전 안에 있던 내관과 상궁 그리고 군사들도 예를 갖추며 무릎을 꿇어앉았다. 그토록 꿈에도 보고 싶어 했던 할아버지를 잃은 삼손의 슬픔을 보면서 탄닌도 어쩔 줄을 몰라 하며 안타까워했다.

"오호호호호……호호호호!"

그런데 그때 삼손의 슬픔을 보면서 낄낄대며 웃고 있는 왕후의 모습에 탄닌은 순간 분노가 치밀어 올랐다.

"이 요망한 년 같으니라고! 당장 죽여 버리겠어!"

조금 전 공가의 당부에도 불구하고 탄닌은 그녀를 향해 빠르게 달려들었다.

"오호호호호!"

왕후는 발끝에서부터 흙먼지를 일으키며 순식간에 어디론가 사라지고 말았다.

"어휴, 이런 제기랄!"

눈앞에서 그녀를 놓친 탄닌은 분개한 나머지 고함을 지르며 기다란 칼을 허공에 대고 마구 휘둘렀다.

공가의 시신을 붙들고 통곡하던 삼손은 한참 동안 말을 잊은 것 같았다. 할아버지와의 극적인 해후가 불과 얼마 되지도 않아서, 석별의 눈물을 흘리며, 가슴 아픈 이별을 하게 되리라고는 생각지도 못한 탓이다.

얼마 지나지 않아 신전 천장에서 오래된 기왓장들이 으지직 갈라지는 소리와 함께 흙가루가 떨어졌다. 한쪽 지반이 내려앉으면서 내 외벽에 수많은 균열들이 실핏줄 터지듯 갈래갈래 내돋쳤다. 뒤이어 신전을 떠받치는 여러 나무 기둥들이 우지직 소리를 내며 부러지기 일보 직전이었다. 당장 이곳에서 나가지 않으면, 무너지는 신전 건물 더미에 깔려 압사당할 것이 불을 보듯 뻔했다. 신전 내부가 붕괴되기 시작하자 당황한 내관과 상궁 그리고 군사들도 서둘러 밖으로 빠져 나갔다. 할아버지를 잃은 큰 슬픔에 몸도 제대로 못 가누고 있는 삼손을 보고 있자니, 탄닌은 너무 답답해서 하늘에 대고 삿대질이라도 하고 싶은 심정이었다.

"세손 각하, 제발 정신 차리세요! 할아버지와 함께 이런 곳에 묻히시려는 겁니까? 과연 그것이 할아버지가 세손 각하에게 바라시는 일일까요?"

탄닌은 멍하니 죽은 공가를 쳐다보고 앉아 있는 삼손을 강제로 일으켜 세웠다.

"알았네, 탄닌……할아버지를 잘 부탁하네. 여기서 얼른 모시고……나가주게. 어서."

겨우 정신을 가다듬은 삼손은 탄닌의 어깨에 살며시 손을 얹었다.

"세손 각하는 어쩌시려고요?"

탄닌은 그가 무슨 일을 벌일지 몰라 걱정스러운 눈으로 바라보았다.

"난 알아서 나갈 테니…내 걱정은 하지 말게."

그는 마음속으로 무언가를 망설이다가 결심이 선 듯 신전 가운데에 있는 석상을 향해 걸어갔다.

한번 결정을 내린 그의 마음을 돌리려 설득하는 것은 산을 옮기는 것보다 어려웠다. 그의 강직한 성품을 누구보다도 잘 알고 있는 탄닌은 말없이 공가의 시신을 안고 출구를 향해 발걸음을 옮겼다.

한편 거대한 석상 앞에 다가 선 삼손은 등에 멘 화염검을 꺼내들었다. 그는 매서운 눈으로 석상을 노려보고는 조금의 망설임도 없이 공중으로 높이 뛰어 올랐다. 구멍 난 천장으로 기왓장이 떨어지고 부서지는 건물 잔해들이 여기저기서 쏟아져 내리고 있었다. 머리 위로 위험한 파편들이 떨어졌지만 삼손은 눈 하나 깜짝하지 않고, 손에 쥔 화염검으로 석상의 머리통을 사정없이 깨부수었다. 그의 분노가 얼마나 컸던지 석상을 완전히 부숴 버리는 데에는 그리 긴 시간이 걸리지 않았다. 삼손은 석상을 부수는 것만으로는 분이 풀리지 않았는지 쌓여있는 돌더미를 작신작신 짓뭉개 버렸다.

조금 뒤 갑작스러운 굉음과 함께 신전 건물이 심하게 흔들리면서 무너져 내렸다. 뒤를 이어 온통 자욱한 연기가 눈앞을 가렸다. 신전에서 먼저 빠져나온 사람들은 탄식과 같은 소리를 내뱉으며 처참하게 무너진 신전 건물더미를 바라보았다. 신전은 터만 남은 폐허가 되어 버렸다. 거기에 있는 사람들은 그 광경을 보고 하도 놀라서 말이 나오지 않았다. 세손이 미처 빠져나오지 못하고 건물더미에 깔려 이미 죽은 것이라고 생각했기 때문이다. 그런데 그때였다. 희뿌연 연기 사이로 기골이 장대한 그림자가 아른거렸다. 조금 뒤 연기 속을 뚫고 누군가 걸어 나오고 있었다.

머리에서부터 발끝까지 온통 희뿌옇게 먼지를 쓰고 있는 사람은 다름 아닌 삼손이었다. 산발 된 머리에 얼굴과 눈썹에 회칠을 한 듯이 먼지투성이였지만, 탄닌은 그가 삼손이라는 것을 단박에 알아보았다. 그는 살아 돌아온 삼손을 보고 너무 기쁜 나머지 그에게 뛰어갔다.

"세손 각하! 무탈하시옵니까?"

"참나, 조금 전에도 서로 보았지 않았는가? 근데 그걸 또 물어보면 어떡하나?"

삼손은 울적했던 기분이 한결 나아졌는지 탄닌을 보자 정답게 미소를 지었다.

삼손은 중궁전 뜰 안에 누워있는 공가의 시신 곁으로 다가갔다. 그는 황내관에게 최대한 예를 갖춰 시신을 내의원으로 옮길 것을 명했다. 곧장 공가의 시신은 군사들로 하여금 창덕궁 내의원으로 옮겨갔다. 삼손은 마차에 실려 떠나는 공가의 모습을 망연히, 기가 막히다는 표정으로 한참을 바라보았다.

한편 삼손은 궁궐 어딘가에 아버지가 살아 계시다는 것을 확신하게 되었다. 그가 그렇게 확신 할 수 있었던 데에는 조금 전 왕후의 머릿속에서 아버지의 모습을 생생히 볼 수 있었기 때문이었다. 그는 감쪽같이 사라진 왕후가 어디에서 무슨 일을 꾸밀지 걱정이 되었지만 그보다는 아버지를 찾는 일이 급선무였다. 하지만 아버지를 어디서부터 어떻게 찾아야 할지 막막하기만 했다. 혹시라도 왕후가 한발 앞서 아버지에게 해코지를 하면 어쩌나 하고 마음이 조마조마하였다.

탄닌은 그의 얼굴 표정을 보니 필시 무언가를 염려하고 있다는 것을 금방 알 수 있었다. 자신의 짐작이 맞는다면 그가 아버지를 찾는 일 때문에 그럴 것이라는 예감이 들었다. 사악하고 영특한 왕후가 누구나가 알만한 장소에 세자를 숨겨 놓았을 리는 없었다. 설령 의심이 드는 곳을 찾았다 할지라도 흑마법을 쓸 줄 아는 그녀가 강력한 결계를 쳐놓았을 확률이 컸다. 탄닌의 눈으로도 세자가 어디에 갇혀 있는지 아무것도 보이지가 않았다. 그래서 그는 분명 왕후가 사술을 부린 것이 틀림없다고 생각할 수밖에 없었던 것이다.

"세손 각하. 혹여 세자 저하의 안위 때문에 그러시는 겁니까?"

탄닌은 그의 눈치를 보며 슬쩍 말을 걸었다.

"자네도 이미 모든 걸 알고 있었군. 하긴 나보다 훨씬 더 뛰어난 능력을 갖고 있는 자네가 모를 리가 있겠는가?"

탄닌이 모든 사실을 알고 있다는 것을 확인한 삼손은 그제야 말문을 열었다.

"송구하옵니다. 세자 저하가 계신 곳을 찾아보려고 무던히 애를 썼지만, 제 투시력도 아무 소용이 없네요. 하오나 저의 느낌상, 세자 저하께서는 필시 궁궐 어딘가에 계신 것만큼은 확실해 보입니다."

그는 진심으로 삼손을 안타까워하는 눈치였다.

"나도 그럴 거라 생각하네. 그런데 지금 아버님이 갇혀 계신 장소를 도통 알 수가 없으니, 휴, 정말 답답하네."

삼손은 중궁전 주변을 천천히 둘러보며 깊은 한숨을 내쉬었다.

그들 곁에 시중을 들기 위해 서 있던 제조상궁 최씨가 두 사람의 대화를 우연찮게 듣게 되었다. 죽은 줄만 알았던 세자가 살아있을 수 있다는 이야기를 듣고 그녀는 몽둥이로 뒤통수를 맞은 듯한 큰 충격을 받았다. 그런데 이야기를 들으면 들을수록 그동안 이해할 수 없었던 왕후의 기이한 행적이 떠올랐다.

매일 같이 해가 지는 시간이 되면, 왕후 추씨는 중궁전 나인 두서너 명만 데리고 폐쇄 된 동궁전으로 향했다. 동궁전은 왕후의 허락이 없는 한은 개미 새끼 하나도 얼씬 못하는 곳이다.

어느 날부터인가 동궁전안의 세자와 세자빈의 생활공간이었던 자선당으로 왕후가 드나든다는 소문이 궁궐 나인들 사이에 퍼졌다. 하지만 입을 잘못 놀렸다가는 죽음을 면하기 어렵다는 것을 잘 알기에 서로 발설하지 않는다는 묵계가 이미 성립되어 있었다. 하지만 왕후의 행위가 궁중 나인들 사이에서는 공공연한 비밀이 된지 오래다.

제조상궁 최씨는 그 사실을 아뢰기 위해 고개를 조아리고 삼손

곁으로 가까이 다가섰다. 그녀는 왕후의 폐쇄된 동궁전 출입이 필시 이번 일과 연관이 있을 것이라 생각했다. 삼손은 제조상궁이 뭔가 할 말이 있다는 것을 눈치 채고는 궁금한 얼굴로 그녀를 바라보았다. 그러자 조금 망설이던 그녀가 어렵게 입을 떼었다.

"세손 각하, 한 가지 아뢰올 것이 있사옵니다."

"그래, 무슨 일인가?"

"실은, 오래 전부터 해괴한 소문이 궁중에 떠돌고 있었습니다."

그녀는 삼손에게 소상히 설명하기 시작했다.

"해괴한 소문이라……그게 무엇이었는가?"

삼손은 진지한 얼굴로 귀를 기울였다.

비단 그뿐만이 아니었다, 탄닌도 온 신경을 곤두세우며 그녀의 한 마디 한 마디에 두 귀를 쫑긋 세우며 듣고 있었다.

"왕후 추씨는 어제까지만 해도 음식을 갖고 동궁전을 출입했습니다."

"아니, 그 여자가 음식을 갖고 동궁전으로 갔단 말인가?"

"네, 그러하옵니다. 왕후가 동궁전을 드나든 것은 하루 이틀이 아니라, 무려 십수 년간 이어져 내려왔습니다. 궁궐 안에 자꾸 이상한 소문이 돌다보니 전 그녀에게 뭔가 이상한 구석이 있다고 느꼈습니다. 제가 중궁전 나인들을 조용히 불러 일의 자조지종을 확인해보았습니다. 처음엔 말하기를 꺼려하던 나인들은 저의 집요한 추궁에 왕후의 기이한 소문이 모두 사실이었음을 고백했지요. 하지만 상대가 눈치가 빠른 왕후 추씨인지라 더 이상은 그 이면을 파헤칠 수 없었습니다."

그녀가 그때의 일을 떠올리며 지그시 눈을 감고 심호흡을 한번
했다.

삼손은 그녀의 이야기를 듣고 난 후 직감적으로 아버지가 갇혀
있는 곳이 동궁전임을 깨달았다.

"혹시, 왕후가 날마다 출입했던 곳이, 동궁전안에 어느 장소인지
알고 있는가?"

삼손은 순간 단도직입적으로 물었다.

"동궁전에 출입했던 나인들의 말로는 자선당이었다고 하옵니다."

그녀는 얼떨떨한 듯 약간 얼굴이 상기되고 있었다.

"고맙네. 자네 때문에 문제의 실마리를 찾았어."

"성은이 망극하옵니다."

"여봐라, 지금 당장 동궁전으로 갈 것이니 어서 채비를 서두르거
라."

삼손의 얼굴에 희망의 빛이 떠올랐다.

그의 명령이 떨어지기가 무섭게 군사들이 일제히 움직이기 시작
했다. 삼손과 탄닌은 서로 의미 있는 시선을 교환하며 가만히 고개
를 끄덕였다. 그리고 난 뒤 그들도 발걸음을 동궁전쪽으로 내디뎠
다.

제23장 무뢰한

어느덧 새벽 여명이 밝아오는 묘시에 접어들자 도성 안의 저잣거리는 한산하기 짝이 없었다. 인적이 끊어진 외진 장소에서 한 사내가 얼굴이 하얗게 질린 채 발을 동동 구르고 있었다. 그는 남의 눈을 피하기 위해 조금 전 의금부 나장들이 입던 세 자락의 웃옷을 벗고 봇짐장수의 옷으로 변복 차림을 했다.

그는 주변을 유심히 살피며 언 손을 녹이려고 연방 입김을 호호거리고 있는 중이었다. 누군가를 기다리는지 그는 초조히 서성거리고 있었다.

조선이 개국된 이래의 최대 변란이 일어난 직후 왕후의 군사들은 이미 다 달아났다. 밤새 궁으로 몰려간 백성들로 인해 도성 안 저잣거리에는 개미 새끼 하나 볼 수 없었다. 그가 속해 있던 의금부도 예외는 아니었다. 그나마 남아있던 몇 안 되는 관원들마저 세손의 군대와 의병들이 도성 안으로 입성하자, 모두 뿔뿔이 도망쳐 버렸다. 그동안 조선은 조정 신료들과 소수 이해 집단만이 왕후에게 충성하였다. 그 대가로 백성의 고혈을 빼는 악순환이 반복되고 있었다. 하지만 거짓말처럼 그녀가 권좌에서 쫓겨나자 일순에 상황이 바뀌었다. 그 주변에서 기생하던 썩을 대로 썩은 조정 신료들과 각 지방의 탐관오리들이 종말을 맞이하게 되었다.

그 와중에 새벽닭이 울기 시작했다. 나장은 약속 시간이 되어도 사내가 나타나지 않자 더욱 마음이 불안해졌다. 아무리 거리를 둘러보아도 사람의 그림자라고는 찾아볼 수가 없었다. 그는 극도의 절망감에 사로잡혔다.

'어이구, 이제 나는 죽었구나.'

지금쯤이면 독이 온몸에 퍼지고 있겠다는 생각을 한 순간, 극도의 불안감에 휩싸였다. 얼마나 무서웠든지 얼굴이 하얗게 질리며 온몸에 땀이 비 오듯 흘러내렸다. 거기에다 맥박이 빨라지면서 갑자기 머리가 어찔하고 현기증이 났다. 자기도 모르는 사이에 가빠 오는 호흡을 주체하지 못하는 듯 숨을 헐떡였다.

그는 죽음의 공포에 압도당해 있었다. 숨을 쉬어 보려 애를 썼으나 숨이 쉬어지지가 않았다. 사시나무 떨 듯 몸을 부들부들 떨고 있는 나장이 누군가의 인기척을 듣고 고개를 돌렸을 때는 바로 그때였다. 나장은 눈꺼풀을 움직이며 흐릿해진 시야를 틔우려 애를 썼다. 그가 눈을 크게 뜨더니 자기의 눈을 의심할 수밖에 없었다.

약속 장소에 나타난 사람은 다름 아닌 세령이었다.

나장은 이게 어떻게 된 일인지 영문을 몰라 당황했다. 그는 두 다리에 기운이 빠져서 더는 서 있을 수가 없었다. 순간 맥없이 그 자리에 풀썩 주저앉았다.

그 모습을 말없이 지켜보고 있던 세령은 옷소매에서 작은 호리병 하나를 꺼내들었다. 그러고는 이내 땅바닥에 넋을 잃고 앉아 있는 나장에게 던져주었다.

그는 떨리는 손으로 호리병을 집어 들고는, 고개를 들어 그녀를 올려다보았다. 이날 나타나야할 사내는 오지 않고, 자신과 악연일 수밖에 없는 그녀가 등장하자, 뒷머리가 쭈뼛이 서며 등골이 싸늘해졌다.

"도대체……네가 여기엔 왜…온 것이냐?"

그는 의심이 가득한 눈으로 그녀를 쳐다봤다.

"잔뜩 겁을 먹은 표정을 보니, 네놈도 죽음이 무섭긴 무서운가 보구나."

그녀는 어딘가 위엄이 있는 목소리였다.

"쳇! 죽는 것을 좋아하는 사람이 있나? 날 놀리는 것이라면…네 마음껏 하거라. 근데, 왜 나타나야 할 사람은 보이지 않고, 네가 온 것이냐? 그리고 또…… 이건 무엇이냐?"

그는 호리병을 흔들어 보이며 궁금한 눈으로 그녀를 쳐다보았다.

"네놈의 목숨을 살릴 해독제다. 마시든지 말든지, 그건 네놈이 선택할 몫이다."

세령은 마치 선녀처럼 고운 얼굴과 가냘파 보이는 몸과는 달리 강단이 있게 행동을 했다.

"뭐? 해독제라고? 에이씨, 그걸 지금 얘기하면 어떡해? 사람 죽어가는 게 그렇게 재밌어?"

그는 호리병의 마개를 열고는 그 안의 내용물을 한입에 쭉 들이마셨다.

나장은 해독제를 마셨다는 안도감에 숨을 길게 내뿜었다. 그는 차츰 죽음의 공포에서 벗어나 마음의 안정을 되찾아갔다. 이제 살 수 있다는 희망이 생기자 어디서 그런 힘이 생기는지 그가 자리에서 벌떡 일어났다.

세령은 그런 나장의 모습을 보고 있자니 그저 허탈한 웃음밖에 나오지 않았다. 저런 부류의 종자도 과연 사람일까 싶었다.

세령은 그를 살려 줄 경우, 나중에 반드시 앙갚음을 할 것이라는 것을 잘 알고 있었다. 그녀는 사실 이 자리에 나오기 전까지만 해도, 그의 손에 끌려가 억울하게 죽은 수많은 조선의 아이들을 위해서라도, 반드시 그를 죽이기로 결심했었다.

하지만 세령은 아직 써먹을 데가 있는 그를 일단은 좀 더 살려두기로 했다. 그녀는 대의를 위해서라면 기꺼이 자신의 복수심과 감정을 누그러뜨리고자 하는 각오가 되어 있었다.

"그래, 해독제를 마신 기분이 어떠냐?"

그녀는 쓰디쓴 웃음을 가늘게 띄운 채 그를 쳐다보았다.

"뭐, 기분이 어떠냐고? 흥! 네년도 당해봐서 잘 알 것 아니냐?"

"쯧쯧, 본성은 속일 수가 없구나. 네 놈이 나에게 한 짓은 잊지 않고 있지."

"그래, 다시 생각해보니, 너와 나 둘이서 그때 참 좋았잖아. 너의 보들보들 잘 다듬어진 살결과 옷깃에서 풍기던 향기가, 아직 내 기억 속에 오래도록 남아 있지. 으흐흐흐흐…… 난 이따금씩 네 생각을 하고 있어."

그는 음흉한 미소를 지으며 그녀의 몸을 위에서부터 아래 까지 쭉 훑어보았다.

"이런 짐승만도 못한 놈! 너 같은 놈은 도저히 살려 둘 수가 없구나."

나장이 희롱조로 나오자 세령은 화가 목구멍까지 올라왔다.

세령은 당장이라도 나장의 명줄을 끊어 놓고 싶었다. 그녀는 몸에 숨겨 둔 단검만 여섯 개였다. 행신 상단 단원들 가운데, 단검을 던져 상대방을 정확히 맞추는 비도술이 가장 뛰어난 사람이 바로 그녀였다. 언제라도 나장에게 단검을 던질 준비가 되어 있었다. 그녀는 목구멍까지 차오르는 분노를 꾹 참았다.

"으흐흐흐흐. 아니지, 그건 네가 할 말이 아니다. 여기 저잣거리에 나와 너 말고 또 누가 있겠느냐? 나야말로 네년의 목숨 줄을 쥐고 있는 것이지. 흐흐흐흐, 보아하니 주변에 태반이 빈집들이군 그래. 내 오늘은 너를 그냥 보낼 수가 없을 것 같구나. 흐흐흐. 이렇게 제 발로 찾아왔으니……그냥 보낼 수는 없고, 나와 같이 재미를 좀 보자꾸나. 으흐흐흐흐!"

나장은 서서히 음흉한 본색을 드러내기 시작했다.

어디에선가 새 한 마리가 푸드득 하고 날아오른 것은 바로 그때였다. 동시에 근처 사립문에서 인기척이 났다. 깜짝 놀란 나장도 인기척을 똑똑히 들을 수 있었다. 뒤이어 들리는 발소리는 한 사람뿐이 아니었다. 적어도 네다섯 명은 족히 되었다.

조금 뒤 골목길에 사람의 그림자가 아른거렸다. 곧 당당하고 패기에 찬 건장한 사내들이 모습을 드러냈다. 그들은 다름 아닌 행신상단 단원들이었다. 춘삼, 왕호, 정길, 화룡, 승수, 송철은 웃음기 없는 얼굴로 나장을 노려보았다. 그들은 약속이나 한 듯 똑같이 손에 칼을 들고 있었다.

"야, 이 개새끼야! 재미는 나랑 같이 보자. 아주 죽어서도 잊지 못하게 만들어주마."

다른 사람에 비해 체격이 유달리 거대한 왕호가 나장을 향해 욕지거리를 내뱉으며 소리를 질렀다.

"……."

그들의 등장에 나장의 얼굴은 금시에 백지장처럼 창백해졌다. 그는 아무 말도 하지 못하고 우두커니 가만히 서 있었다.

"허허. 거봐라, 내 말이 맞잖아. 이런 새끼는 백번 죽었다 깨어도 바뀔 성품이 아니거든. 하하하! 자, 내기에서 진 사람은 오늘부터 나를 형님이라고 불러야 돼. 승수하고 화룡이 알겠지?"

정길은 목소리가 상기되어 있었다.

그들은 곧장 잔뜩 겁에 질려 있는 나장을 한쪽 구석에 몰아 놓았다. 지난 번 산에서 나장을 풀어주었던 춘삼이가 그를 보고는 냅다 따귀를 후려쳤다. 춘삼은 아직 분이 풀리지 않는지 연달아 따귀를 갈겼다.

"이 개새끼! 내가 뭐라고 했느냐? 두 번 다시 이 아이를 건드리면 죽인다 했냐, 안 했냐?

춘삼은 나장의 이마를 손가락으로 꾹꾹 찌르며 고래고래 소리를 질렀다.

"죽, 죽을…죄를……지었습니다요. 살, 살려…주십시오."

나장은 비굴할 정도로 애원하였다.

"카악! 퉤! 확 네놈 눈깔을 뽑아버려서, 아작아작 씹어버리고, 니면상을 조져버린다!"

정길은 분이 풀리지 않았는지 눈을 부라렸다.

"하여튼, 도대체가 양심이라고는 전혀 없는 놈이로구나. 조금 전네놈이 한 짓을 저 뒤에서 하나도 빠짐없이 똑똑히 들었다. 그러고도 살기를 바랐더냐!"

분노를 참느라고 승수의 두 눈이 붉게 충혈되어 있었다.

"아이고 나리, 소인 정말 억울합니다요. 전 나리께서 분부한대로 목숨을 걸고 궁궐 안에 불을 질렀습니다. 제가 불을 냈기 때문에 왕후마마……아니, 그 추씨란 여인네가 도망가지 않았습니까요? 그런 큰 공을 세운 저에게 상을 주시지는 못할망정, 이렇게 죽이겠다고 하시니 소인 정말 억울합니다요."

나장은 하얗게 질린 얼굴로 자신이 죽는 것이 부당하다고 항변조로 말했다.

"허허허, 이 고얀 놈 봐라. 제법 그럴싸하게 변명을 늘어놓는구나. 가만히 네놈의 얘기를 들어보면 일리가 없는 것은 아니지만,

난 동의하긴 어렵다. 특히나 돈 몇 푼에 어린 아이들을 팔아넘겨 죽게 만든 네놈은 죽어 마땅하다! 또한 네놈은 우리의 형제인 세령이를 죽이려고 했고 또 욕보이려고 했어. 지금 당장 네놈의 목을 쳐도 이상할 것이 없다. 허나, 네놈을 우리 손으로 죽이는 것은 국법을 무시하는 처사가 될 수 있어. 그래서 우린 네놈의 운명을 나라님에게 맡길 것이다. 정녕 네가 억울한 일이 있다면 국문장에서 떳떳이 밝히면 될 것이야!"

송철은 나장의 죄를 조목조목 지적하면서 근엄하게 꾸짖었다.

"나리, 안됩니다! 아니, 대관절 국문장이라니요? 저보고 그냥 확 죽으라는 말씀 아니십니까? 아이고 나리, 제가 아이들을 궁으로 데려간 것은 맞습니다요. 근데 그게 어디 제 잘못뿐입니까? 윗대가리들이 시키는데 소인 같은 나장이 무슨 힘이 있겠습니까? 살기 위해서는 그저 따를 수밖에 없었습니다. 이건 정말 사실입니다요!"

나장은 기를 쓰고 항변을 했다.

"이 쳐죽여도 시원치 않을 놈! 그렇게 목숨 중요한 걸 아는 놈이 그런 악행을 저질렀어. 지 하나 살겠다고 그 죄 없는 아이들을 죽게 만들어? 이 썩을 놈의 종자 같으니라고. 에잇, 퉤."

정길은 순간 나장의 얼굴에 침을 뱉었다.

단원들은 나장을 죽이지 않기로 미리 약속을 한 상태였다. 그를 이용해서 신전에 인신공양을 받치도록 한 조정신료들을 발본색원하기 위함이었다. 이와 같은 계획을 세운 사람은 다름 아닌 세령이었다. 당장 죽이고 싶은 기분대로 나장의 목을 치는 것보다, 이편을 택하는 것이 삼손에게 미약하나마 힘을 보태고 싶었기 때문이었다.

그들은 그쯤 하면 됐다고 판단했는지 서로 눈빛을 교환 하였다. 각자 맡은 역할에 따라 이번에는 덩치가 큰 왕호가 나장의 멱살을 잡고는 얼굴을 무섭게 구기며 엄포를 놓았다.

"이 쥐새끼 같은 놈! 지금부터 조금이라도 소리를 지르거나 반항하면, 내 손에 죽을 줄 알아라."

"으윽……알겠습니다요."

나장은 왕호의 험상궂은 모습에 짓눌려 지레 겁을 먹었다.

"그리고 하나 더, 어서 저 아씨에게 사죄드리거라."

"으……윽, 알겠습니다."

멱살을 세게 잡힌 나장은 숨을 쉴 수 없었다.

"어라, 이 새끼 좀 보게. 빨리 사과 안 해?"

왕호는 멱살을 움켜쥔 채로 나장을 번쩍 들어 올렸다. 그러고는 곧장 땅바닥으로 그를 패대기쳤다. 곧바로 쿵 소리와 함께 그가 땅바닥에 나뒹굴었다. 얼마나 고통스러운지 악문 그의 입에서는 신음 소리가 절로 흘러나왔다.

세령의 발밑에서 나장은 마치 지렁이마냥 꿈틀거렸다. 바닥에 부딪친 큰 충격 탓에 아직 몸을 제대로 가누지 못했다. 조금 뒤 그는 극심한 통증에 눈물을 흘리며 울기 시작했다. 땅바닥에 얼굴을 박은 체 한참 동안 일어설 기미를 보이지 않다가 겨우 낮은 포복으로 땅을 기었다. 그녀의 발밑으로 가까이 다가간 그는 힘겹게 고개를 들었다. 흙과 눈물로 만신창이가 된 얼굴로 그녀의 얼굴을 올려다보았다.

나장의 얼굴은 정말 눈 뜨고 봐 줄 수가 없을 지경이었다. 그는 바닥에 배를 깔고 엎드린 채 천천히 입을 열었다.

"흑흑, 아씨……소인이 죽을…죄를 지었습니다. 으윽, 제발…… 목숨만이라도 살려주십시오."

세령은 철천지원수인 그자의 얼굴을 내려다보면서 아무 말도 하지 않았다. 마음 같아서는 품속에 숨겨둔 단검으로 그의 심장을 몇 번이고 찌르고 싶었다. 하지만 꾹 참았다. 나장을 이용해 간신배와 같은 조정 신료들을 모조리 쓸어 버려야 했기 때문이었다.

"씻을 수 없는 악행을 저질렀으니, 국문장에서 죗값을 모두 치르거라. 그것만이 네놈이 아이들에게 진정 사죄하는 길이다."

정색한 얼굴로 나장을 내려다보는 그녀의 눈빛이 복잡했다.

세령의 말이 끝나자, 그는 왕호의 손에 멱살을 붙잡힌 채 질질 끌려가다시피 갔다. 그자가 시야에서 완전히 사라지자 그녀는 갑자기 긴장이 풀리며 온몸에서 힘이 쭈욱 '빠지는 것 같았다. 단원들도 모두 떠난 휑한 저잣거리에 춘삼과 단둘이 남은 그녀는 그제야 안도의 숨을 길게 내뿜었다.

"세령아, 괜찮은 것이냐?"

춘삼이가 걱정스러운 눈빛으로 그녀를 쳐다보았다.

"난 이제 괜찮아. 그보다 대장……아니, 춘삼 오라버니가 너무 애 많이 썼소. 오라버니가 아니었다면 저자를 움직일 수 없었을 거야. 그건 그렇고, 도대체 세손 각하는 그런 방도를 어떻게 생각해 내신걸까?"

세령은 삼손을 생각하자 어느새 얼굴에 미소가 가득 피어나기 시작하였다.

"세손 각하가 그리 좋은 것이냐?"

그는 그녀의 변하는 표정을 순간적으로 보고서는 그녀의 마음이 세손을 향해 있음을 어느 정도 짐작할 수 있었다.

"오라버니가 그걸…… 어떻게 알았어?"

그녀는 감추고 싶은 속마음을 들킨 사람처럼 화들짝 놀랐다.

"네 얼굴에 다 쓰여 있는데, 그걸 어떻게 모르겠냐?"

춘삼은 애써 웃으며 농담조로 분위기를 띄웠다.

그는 그녀를 볼 때마다 후회와 애환이 범벅이 되어 전신을 옥죄어 왔다.

춘삼은 오래전부터 세령을 좋아했다. 지금껏 속앓이를 하는 것 같이 외사랑을 하고 있었다. 그녀에 대한 마음은 단 한 번도 흔들린 적이 없었다.

그는 어려서부터 생긴 것과 달리, 행동은 선머슴 같았던 그녀가 너무나 좋았다. 자신을 친오빠처럼 스스럼없이 대하는 그녀의 따듯한 마음씨에 완전히 매료되었다. 행신 상단에서 함께 생활하는 동안 어느새 그의 마음속에는 그녀에 대한 사랑이 자리 잡기 시작했다.

그는 진실을 고백하고 싶었지만 아무 말도 하지 못하고 가슴만 조이고 있었다. 그녀와 같은 공간에서 살면서 기회는 얼마든지 있었는데, 막상 고백할 용기가 나지 않았다. 그는 태룡산에서 돌아오면 그녀에게 자신의 진심을 고백하겠다고 다짐을 했었다. 무엇보다 왕후를 암살하는 일에 자신이 큰 공을 세워, 그녀에게 사내로서 인정받고 싶었다. 사실 춘삼은 큰 공을 세워 보겠다는 욕심보다는, 온전히 그녀의 마음을 얻기 위함이었다.

그러나 모든 일이 뜻대로 되면 얼마나 좋겠는가. 현실은 그의 바람과 달리 정반대가 되고야 말았다. 단원들과 함께 인삼을 갖고 궁궐로 잠입하겠다는 계획은 모두 수포로 끝나고 말았다. 어찌 보면 더 잘 된 일인지도 모른다고 생각했다. 궁궐에 잠입해 왕후를 죽이려다 오히려 자신과 단원들 모두가 몰살당할 수 있었기 때문이었다. 만약 궁궐에서 죽음을 당하고 난 뒤 더 이상 그녀를 볼 수 없다면, 그것보다 슬픈 일은 없을 것이라 위안을 삼았다.

제일 중요한 것은 그녀의 마음을 얻는 것이라 생각한 그는 용기를 내기로 작정하였다. 그래서 그녀를 찾아가 마음속에 꽁꽁 숨겨둔 말을 밖으로 꺼내기로 하였다. 내가 널 진심으로 좋아하고 있다고. 곧장 그녀가 쓰러져 몸져 누워있는 육영왕후의 안가로 발걸음을 옮겼다.

긴장된 마음을 감추지 못하고, 마치 자신이 자신에게 용기를 주는 듯한 말을 했다. 세령의 방 앞에 도착한 그는 충격적인 광경을 목도했다. 그녀는 이미 다른 사람을 깊이 좋아하고 있었던 것이다. 상대는 이 나라의 세손이었다. 그녀에 대해 아무것도 모른 체, 무작정 방문 앞에 서성거리고 있던 자신이, 순간 몹시 부끄러웠다. 그리고 이내 절벽 같은 깊은 절망감에 사로잡히고 말았다. 그는 삶이 자기 뜻대로 되지 않자, 하늘이 원망스럽기만 했다. 방안에서 세손과 그녀가 단둘이, 알콩달콩한 사랑을 꽃피우는 모습에 배신감마저 느꼈다.

두 사람의 관계를 알게 되어, 큰 충격을 받은 그는 정신이 가물거려 왔다. 그녀와 백년해로 할 수만 있다면, 지금 당장 죽어도 아쉬움이 없을 것이라 생각했었다. 하지만 그의 계획은 물거품이 되고 말았다. 춘삼의 기분은 마치 지옥문으로 들어가는 것만 같았다. 그는 그저 망연스러운 자기 상실감에 사로잡혀, 몇 날 며칠 밤을 잠도 이루지 못하였다. 그가 할 수 있는 거라고는 부디 이 모든 게 꿈이기만을 바랄 뿐이었다.

"오라버니! 무슨 생각을 그렇게 골똘히 하고 있어?

세령은 춘삼의 어깨를 흔들며 걱정스러운 눈으로 바라보았다.

"어, 아무것도 아니야."

춘삼이는 그녀의 소리에 화들짝 놀랐다.

"무슨 안 좋은 일이라도 있는 건 아니지? 오라버니 안색이 안좋아 보여."

그녀는 이상하다는 듯이 고개를 갸우뚱 기울였다.

"그런 것 없어. 조금 전 나장새끼 때문에, 신경을 썼더니 그런가보네. 난 괜찮으니까, 걱정하지 마세요. 세령아씨."

춘삼은 속마음을 들킨 것 마냥 급히 화제를 바꾸었다.

"혹시 무슨 일이 있으면 나한테 말해야 돼. 알았지? 오라버니는 나한테는 없어서는 안 될 사람이란 거 아직도 몰라? 어려서부터 동네 왈패들이 나를 못살게 굴면, 어느새 오라버니가 나타나 놈들을 혼내줬잖아. 그 후로 한 번도 험한 꼴을 당하지 않은 건, 모두 오라버니 때문이었어. 그래서 그때 난 결심했어. 대장만이 유일한 내 친오라버니라고 말이야."

세령은 마음이 뿌듯하고 자부심 같은 것이 느껴졌는지 얼굴이 금세 밝아졌다.

그녀의 그런 모습을 지켜보던 춘삼은 순간 얼었던 마음이 서서히 녹는 것 같았다. 그도 그 시절의 추억이 떠오르면서 과거로 되돌아간 듯한 착각에 빠져들었다. 순수하고 해맑게 웃는 그녀를 보고 있자 그는 언제 그랬냐는 듯 절로 웃음이 터져 나왔다. 그녀가 기뻐하는 모습을 보는 것만으로도 춘삼은 행복했다.

어느새 마음 한구석에 있는 서운함이 거짓말처럼 말끔히 사라졌다. 춘삼은 그녀를 한 여인으로서가 아니라, 가족이나 다름없는 여동생으로 받아들였다. 그 순간 그는 그럴 수 있다는 것이 그나마 다행이라 여겼다. 비록 자신이 원하던 세령과의 부부의 연을 맺지는 못하지만, 그녀의 곁에 있을 수 있다면 그 외의 일들은 상관없었다.

어느새 아침 해가 높이 솟아오르면서, 찬란한 빛이 저잣거리에 들이비치고 있었다. 동시에 눈부신 햇살이 두 사람의 얼굴에 담뿍 꽂혀 내리고 있었다. 순간 눈이 부셔 옆으로 고개를 돌린 춘삼은 맑은 광채가 도는 눈매로 해맑게 웃고 있는 그녀가 보였다. 그런 그녀의 웃는 모습이 너무나도 아름다웠다. 춘삼은 지금 그녀의 미소를 보는 것만으로도 너무나 황홀했다.

그녀가 환하게 웃고 있는 모습만으로도, 그는 충분히 위로받는 기분이 들었다. 한편 춘삼은 자신의 목숨이 다하는 날까지 그녀의 곁을 지켜 주리라 하늘에 맹세하고 또 맹세했다.

제24장 함정

    궁궐 동편에 위치한 폐쇄된 동궁전 앞은 긴장감이 감돌았다. 까악까악 우짖는 수백 마리의 까마귀 떼가 동궁전의 하늘을 새카맣게 뒤덮고는 맴돌이하고 있었다. 그래서 그런지 하늘은 순식간에 어두워졌다. 숭덕문 앞에 선 삼손과 탄닌은 어둠의 기운이 매우 짙게 감도는 것을 느꼈다.

    선발대로 뽑힌 군사들이 숭덕문 앞으로 나갔다. 군사들은 자물쇠를 철거덕거리며 문을 열려고 애썼지만, 닫힌 문은 꼼짝도 하지 않았다. 삼손은 동궁전에 강한 결계가 펼쳐져 있음을 단박에 알아보았다.

"자, 다들 뒤로 물러 서거라!"

삼손은 등에 멘 화염검을 꺼내들고는 군사들을 향해 명령을 내렸다.

굳게 닫혀 있는 문을 향해 삼손이 화염검을 겨누었다. 동시에 강한 진동이 그의 몸을 좌우로 흔들었다. 그의 뒤쪽에 서 있는 군사들도 숨을 죽인 채 그 광경을 바라보았다.

심상치 않은 기운을 느낀 것은 비단 삼손만이 아니었다. 탄닌도 두 눈을 똑바로 뜨고 예리한 안광으로 숭덕문 안쪽을 주시하였다. 그런데 그때였다. 꽝 하는 굉음이 나더니 희뿌연 먼지가 날리고 멀쩡하던 숭덕문과 담벼락이 차례로 무너지기 시작했다.

동궁전 안쪽에서 순간 사람이 날아갈 정도로 강한 바람이 불어왔다. 바람도 바람이었지만 제법 으스스한 기운이 동시에 쏟아져 나오고 있었다. 강풍에 담벼락이 넘어오는 바람에 삼손을 호위하던 군사들이 벽돌에 맞아 쓰러졌다. 마치 화약이 폭발한 것처럼 먼지가 연기처럼 솟아올랐다. 여기저기서 고통에 못 이겨 지르는 군사들의 비명 소리가 들렸다. 순식간에 동궁전 앞은 아비규환 그 자체였다.

삼손과 탄닌은 지금껏 단 한 번도 경험하지 못했던 강력한 결계였다. 왕후의 능력이 이 정도일 줄은 전혀 예상치 못한 결과였다.

부상당한 군사들을 뒤로한 채 두 사람은 무너져 내린 숭덕문 안으로 들어갔다. 동궁전 안쪽에 있는 자선당으로 발걸음을 옮기려던 그때 검은 까마귀들이 한꺼번에 날아올랐다. 보통 사람들 같은 경우는 커다란 까마귀들을 보며 식겁 할만도 한데, 그 둘의 표정엔 아무런 변화가 없었다.

　세자의 집무 공간이었던 비현각 앞을 지나가던 중 두 사람은 강력한 살기가 느껴졌다. 아니나 다를까, 조금 뒤 두 사람은 인간 장벽과 다름없는 거구의 사내와 마주치게 되었다.

　그 무표정한 얼굴과 두 눈에는 살기가 서려 있었다. 아무리 봐도 날카로운 눈빛이 예사 사람이 아니었다.

　"비켜라, 안 그러면 죽는다."

　한시라도 빨리 아버지를 구하고 싶었던 삼손은 갑작스런 그의 등장에 짜증이 났다.

　"내가 이 모양이 된 건 모두 네놈 때문이야. 그러니 너 같은 놈은 살려 둘 수가 없다."

　그의 분노에 찬 목소리는 온 궁 안에 저렁거렸다.

　"후후. 방귀 뀐 놈이 더 성낸다고 하더니만, 네놈이 바로 그 꼴이네."

　탄닌은 앞으로 걸어 나오며 어이없다는 듯 피식 웃었다.

　그는 측은한 눈길로 아무 말 없이 상대를 바라보고 있었다. 그런 그의 모습을 본 사내가 머리끝까지 화가 치밀어 오르는지 갑자기 버럭 소리를 쳤다.

　"이런 무엄하기 짝이 없는 놈 같으니라고. 감히 그런 눈으로 나를 쳐다보다니 도저히 용서할 수가 없구나."

　"휴, 세손 각하, 여긴 저한테 맡기시고 어서 세자저하를 찾으러 가십시오. 소인도 곧 뒤 따라 가겠습니다."

탄닌이 삼손과 눈을 마주치자 고개를 한번 끄덕였다.

그제야 겨우 한시름을 놓은 삼손은 급히 발걸음을 자선당 쪽으로 옮겼다. 거구의 사내가 창을 휘두르며 삼손의 앞을 가로 막으려고 했지만 탄닌이 그의 공격을 쳐냈다.

"이야, 네가 바로 사술의 힘으로 태어난, 관악 대군이라는 놈이로구나."

탄닌이 자신의 검을 상대에게 겨누며 씁쓰레 웃었다.

"이런 쳐 죽일 놈 같으니라고! 감히 이 나라의 세자에게 함부로 말하다니…… 좋다, 네놈부터 죽여주마! 에잇!!"

관악 대군은 자신에게 함부로 대하는 탄닌을 보고 크게 당황했다. 화가 머리끝까지 치민 그는 곧장 창을 찌르며 달려들었다.

이미 그의 움직임과 보법을 파악한 탄닌은 상대의 창 공격을 요리조리 피하였다. 탄닌은 일부러 자신의 검을 사용하지 않고 피하기만 했다. 그는 상대가 지칠 때까지 계속하였다. 거구의 상대가 힘에서는 압도적으로 강할지는 모르지만, 시간이 지날수록 그는 점점 지쳐 가고 있었다.

그는 상대의 싸움 실력에 순간 당황했다. 마치 자신을 어린아이 다루듯 대하는 그를 보면서 혼자서는 다루기가 버거운 상대라는 것을 깨달았다.

'제길, 도대체 저 녀석의 정체는 뭐야?'

그가 무모하게 싸움 속으로 뛰어든 것을 후회했을 때는 이미 늦었다.

"어휴, 도저히 지루해서 더 이상은 안 되겠다. 난 혹시 네가 거인이라서 힘이 엄청 셀 줄 알았거든. 근데 별루네."

"뭐, 뭐라고?"

"야, 임마! 창을 휘두르는 속도도 그게 뭐냐? 너무 느려 터져서, 그 실력으로는 파리 한 마리도 잡지 못하겠다."

"뭐…….. 지금 말 다했어?"

"기왕 말이 나온 김에 다 털어놓을게. 처음엔 네가 조금은 불쌍하다고 생각했어. 악녀 추씨가 사술의 힘으로 널 만들었지만…… 넌 여태껏 그 여자가 진짜 네 엄마인 줄 알았을 거 아니냐고. 너도 그 사실을 알고 얼마나 황당했겠니? 어때 내말이 맞지?"

탄닌이 팔짱을 끼고 그를 불쌍하다는 눈으로 바라보았다.

"네 녀석의 정체가 뭐냐? 지금까지 나와 겨루어서 살아난 사람은 없었다. 그 아무리 조선 최고의 고수라 할지라도 십여 합을 넘기지 못하고 목숨을 잃었지. 그런데 넌…내가 상대한 사람들과는 확연히 달라. 너는 대체 누구냐?"

관악 대군은 얼굴이 벌게져서는 연방 숨을 헉헉거렸다.

"응, 나에 대해서 너무 알려고 하지 마. 나는 너 같은 놈들을 원래 있던 자리로 돌려보내는 일을 하고 있어. 쯧쯧, 그러니 날 너무 원망하지 마. 잘 가거라."

그 말이 끝나기가 무섭게 검을 높이 든 탄닌은 풀을 베듯이 관악 대군의 목을 쳤다.

결국 탄닌의 검에 그자의 목이 뎅겅 잘려 나갔다. 머리가 떨어져 나간 몸통에서 피가 솟구치는 대신 시커먼 연기가 마구 피어오르더니 순식간에 시야에서 없어졌다. 탄닌이 잘린 머리를 찾아보았지만 그 역시 흔적도 없이 사라졌다.

사술의 힘으로 만들어진 관악 대군은 한 조각의 잔해도 없이 그렇게 연기처럼 사라졌다.

탄닌이 관악대군을 쓰러트린 그 시각, 삼손이 자선당의 출입구인 삼비문을 깨부수고 들어가자 예상한대로 권좌에서 쫓겨난 왕후 추씨가 서 있었다. 그곳은 이른 아침 시간임에도 여전히 하늘을 뒤덮고 있는 까마귀들 때문에 칠흑 같은 어두움이 가득했다. 그녀가 까마귀들을 사술의 힘으로 조종하여 움직이고 있는 것이 분명했다. 그녀는 삼손을 보자 요사스러운 웃음을 터트렸다.

"호호호호호. 용케도 잘 찾아왔구나. 내가 쳐놓은 결계를 무력화시키다니 역시 너도 보통은 아니었어. 그 노망난 노인이 제대로 가르쳤구나. 하지만 더 이상은 네 뜻대로 되진 않을 것이다. 신전의 주인이신 그분이 이 자리에 오셨거든."

그녀는 간담이 서늘해질 정도로 어딘가 예사롭지 않은 원한과 살기가 서려 있는 눈빛이었다.

바로 그때 삼손의 손에 있는 화염검이 심하게 진동을 일으키고 있었다. 이번에 화염검의 움직임은 전과 달리 더욱 세차게 요동을 쳤다. 삼손은 화염검이 금방이라도 자신의 손을 떠날 것 같은 느낌이 들었다. 그만큼 화염검의 진동이 너무나 강했다. 어떤 이유에서인지 화염검은 삼손의 손에서 급하게 빠져 나갔다. 그 광경을 지켜보던 왕후 추씨도 화염검이 자신에게 날아오는 줄 알고 급히 몸을 옴칠하였다.

스스로 날아가는 화염검은 자선당으로 들어가는 남외행각의 출입문인 굳게 닫혀 있는 중광문을 박살냈다. 전방으로 계속 날아가던 화염검은 멀리 이극문이 서있는 것을 뚫고 지났다. 화염검은 바람을 가르는 무서운 소리를 내며 곧바로 마지막 출입구인 진화문마저 순식간에 부숴 버렸다. 하지만 그게 끝이 아니었다. 화염검은 자선당 안에 숨어 있는 검은 그림자를 향해 달려들었다. 조금 뒤 정체 모를 그림자의 괴상한 비명소리가 크게 들려왔다.

삼손은 도대체 무슨 일이 일어난 건지 궁금했다. 그는 재빨리 화염검이 있는 자선당으로 뛰어갔다. 화염검이 공격하고 있는 그림자의 정체를 확인한 삼손은 눈을 크게 뜨고 상대편을 쏘아보았다.

검은 그림자의 정체는 다름 아닌 태룡산 밑에 있는 마을에서 싸운 적이 있는 요괴족이었다. 삼손이 좀 더 자세히 들여다보니 송철과 아이들을 공격하던 그 요괴였다. 그때 당시 최씨 노인이 알려준 요괴의 이름은 몰렉이었다. 왕후가 섬긴다는 신이 바로 요괴족인 몰렉이었던 것이다.

순간 삼손은 너무나 어이가 없어 녀석의 얼굴을 바라보고만 있었다. 그토록 조선의 백성들과 아이들을 괴롭히고 죽인 이유가 한낱 저 요괴 때문이었다는 생각이 들자 그는 분노가 끓어올랐다.

사악한 요괴에게 속아 넘어가 육체는 물론 영혼까지 팔아넘긴 왕후 추씨가 하도 한심스러워 말이 안 나왔다. 화염검의 공격을 받고 있는 몰렉도 삼손을 알아보고는 화들짝 놀라 뒷걸음질을 쳤다.

한편 관악대군의 목을 베어 버리고 달려 온 탄닌이 왕후 추씨를 발견하고는 땅을 박차고 하늘로 뛰어 올랐다. 그는 기다란 검으로 원을 그리며 칼끝으로 그녀의 이마 정중앙을 노렸다.

그녀는 자신을 향해 날아오는 탄닌의 검을 보고 급히 몸을 비틀어 피하려 했지만 실패했다. 드래곤인 그의 검이 평범하지 않다는 것을 미처 생각하지 못했던 것이다. 탄닌의 검은 직선으로 곧장 오는 듯하다가, 굽이치는 물결처럼 그녀를 휘감았다.

그녀가 빠져나가려고 힘을 주면 줄수록 그의 검은 그녀를 더욱 세게 옭아 버렸다. 그녀가 조금씩 몸을 움직일 때마다 탄닌의 예리한 검날이 살갗을 파고들었다. 그녀는 즉시 다른 장소로 순간이동을 하기 위해 기를 쓰고 시도해보았지만 아무런 반응이 없었다.

"쯧쯧, 아서라, 그러다 다친다. 모두 부질없는 짓이야."

탄닌은 사뭇 진지한 표정으로 훈계하듯이 꾸짖었다.

"네 이놈! 당장 이걸 풀지 못할까? 으윽……네가 드래곤이라는 사실을 잠시 내가 잊었구나. 내 능력을 쓰지 못하게 하다니, 정말 대단한 실력이로구나. 너도 명색이 사내인데…… 치사하게 이럴 것이 아니라…… 이걸 풀고 정정당당하게 싸워보는 것은 어떻겠느냐?"

그녀는 검속에 갇혀 옴짝달싹 못 하게 되자, 처음에는 좀 명령하는 어조이다가 나중에는 애원조로 변했다.

"흥! 이봐, 애써 나를 현혹하려 들지 마라. 그동안 너의 세치 혀로 수많은 사람들을 속일 수는 있었겠지만 난 사람이 아니야. 지금 네가 무슨 꿍꿍이를 하는지 다 들여다보고 있어."

탄닌은 그녀를 멸시하는 눈으로 바라보며 콧방귀를 뀌었다.

한편 자선당 앞뜰에서는 삼손과 몰렉과의 일진일퇴의 치열한 공방전이 벌어졌다. 삼손은 아직 불길이 일어나지 않고 있는 화염검을 손에 쥐고 몰렉을 향해 사정없이 공격을 가했다.

구척장신이었던 관악대군보다 훨씬 몸집이 큰 몰렉은 삼지창으로 삼손의 공격을 힘겹게 막아내고 있었다. 바로 그때 진화문 쪽에서 여러 사람들의 인기척이 났다. 곧바로 춘삼과 왕호가 모습을 드러냈다. 뒤이어 의기충천한 소리를 지르며 화룡과 승수 그리고 송철과 정길이 한꺼번에 자선당 안으로 들이닥쳤다. 몰렉은 너무 당황한 나머지 온몸을 옴찔대면서 뒤로 물러서려는 몸짓을 지었다.

"야, 이 짐승만도 못한 요괴 놈아! 내 칼을 받아라!"

일행들 가운데 송철은 눈앞에 서 있는 몰렉을 보고 목청을 높여 고함을 쳤다.

그는 곧장 미친 듯이 뛰어서 허공으로 솟구쳐 올랐다. 그는 호흡을 정지하고 검을 위에서부터 아래로 크게 휘둘렀다. 몰렉이 강하게 내리치는 송철의 검날을 삼지창으로 겨우 막아내었다. 그때 몰렉이 중심을 잃고 휘청거리는 모습을 보이자 구척장신에 위풍이 당당한 왕호가 기다렸다는 듯이 창을 던졌다.

슈욱! 바람을 가르는 둔탁한 소리가 들리더니 왕호의 창이 무방비상태에 있던 몰렉의 배를 뚫고 지나갔다. 순간 짐승의 것과 다름없는 단말마의 비명을 지른 몰렉이 중심을 잃고 땅에 무릎을 꿇었다.

몰렉은 한쪽 무릎을 땅에 대고 삼지창으로 겨우 몸을 지탱하면서 일어서려고 하였다. 그 순간을 놓치지 않고 검을 높이 치켜 든 춘삼이가 몰렉의 목을 내리쳤다. 하지만 춘삼의 검은 몰렉의 목에 박혀서 빠지질 않았다. 춘삼은 약간 당황할 수밖에 없었다. 이를 본 조선 제일 검의 후예인 승수가 침착하게 이번에는 몰렉의 목 반대 방향으로 검을 세차게 내리 그었다.

그러자 웬만한 장정 허리둘레만한 몰렉의 목이 뎅강 소리를 내며 땅바닥에 나가 떨어졌다. 모든 것이 끝났다고 생각한 순간 믿지 못할 광경이 눈앞에서 펼쳐졌다. 몰렉의 시체가 연기처럼 사라지더니 어느새 온전한 모습으로 다시 나타난 것이다.

죽은 줄만 알았던 몰렉이 멀쩡한 모습으로 그들 앞에 서 있었다. 순간 삼손과 행신 상단 단원들의 얼굴에 당황한 기색이 역력했다.

그때 어디선가 꽹과리 소리와 징 소리가 연신 들려오기 시작했다. 단원들은 주변을 살펴보며 소리가 어디에서 나는지 확인 하려고 했다. 단원들 가운데 유독 송철만이 그 소리가 무엇인지 짐작이 갔다.

"다들 정신 바짝 차려! 저건 요괴들이 내는 소리야!"

송철은 다급하게 검을 앞으로 세웠다.

"도대체 이게 어떻게 된 일이야? 아침부터 요괴들이라니."

정길은 긴장한 나머지 침을 꼴깍 목으로 삼켰다.

삼손의 검이 또다시 강하게 진동을 일으키었다. 그는 검을 두 손으로 꽉 쥐고 몰렉을 향해 칼끝을 겨누었다.

다른 단원들도 긴장하기는 매한가지였다. 조금 뒤 궁궐 전체에 연무가 짙게 끼기 시작했다. 까마귀들이 뒤덮고 있는 하늘이 밤처럼 더욱 어두워졌다. 그들이 한눈에 보기에도 일반적인 자연현상이 아니었다. 삽시간에 지척도 불분할 정도로 연무가 짙게 끼었다. 곧이어 꽹과리 소리와 징 소리 뿐만이 아니라, 태평소와 나각을 부는 요란한 소리가 가까이 들려왔다.

조금 뒤 연무 속에서 어렴풋이 요괴들의 윤곽이 보였다. 그 수가 헤아릴 수 없을 정도였다.

요괴들은 한결같이 낄낄대고 비웃고 있었다.

탄닌이 있는 곳에도 어김없이 요괴들이 나타났다. 그 광경을 본 왕후 추씨가 그제야 마음이 놓였는지 한 번 씨익 웃었다.

"아이 씨, 이것들은 또 뭐야?"

탄닌은 요괴들을 보자 귀찮은 듯 퉁명스럽게 말을 내뱉었다.

"저 여자를 풀어주어라. 어서!"

무리 가운데 덩치가 가장 큰 요괴 하나가 씨뻘건 눈을 치켜뜨며 탄닌을 노려보았다.

"에잇, 빌어먹을! 살다 살다 별소리를 다 듣겠네. 아니, 도깨비보다 못생긴 놈이 어디서 명령질이야?"

만사가 다 귀찮아진 탄닌은 긴 머리를 쓸어 넘기며 긴 한숨을 내쉬었다.

"쳐라!"

우두머리로 보이는 요괴는 손짓으로 다른 요괴들에게 상대를 공격하라고 신호하였다.

명령이 떨어지자 한 무리의 요괴들이 손에 병기들을 빼어 들고 고함을 지르며 탄닌을 향해 달려들었다. 탄닌은 검을 사용하기 위해 어쩔 수 없이 결박당한 왕후 추씨를 풀어주었다. 그녀는 싸움이 벌어진 틈을 타 도망치려고 몸을 일으켰다. 순식간에 바람을 일으키며 그녀는 어디론가 자취를 감추어 버렸다.

요괴들이 주위를 에워싸자 탄닌은 본능적으로 제자리에서 높이 뛰었다. 그는 공중에서 몸을 회전시키며 손에 들려 있는 검으로 강력한 검기를 발산하였다. 부채꼴 모양을 한 여러 갈래의 예리한 검기가 요괴들의 머리와 몸을 관통하며 지나갔다. 그 순간 요괴들은 소리 한번 지르지 못하고 당했다.

왕후 추씨가 사라진 것을 눈치 챈 탄닌은 분노가 치밀어 올라 크게 소리를 질렀다. 그것은 마치 거침없이 내리쏟는 폭포수의 포효하는 소리처럼 동궁전 전체를 울리었다.

어디선가 강렬한 빛이 동궁전 안으로 쏟아져 들어 온 것은 바로 그때였다. 눈을 뜨지 못할 정도의 밝은 빛이 탄닌의 머리 위로 쏟아져 내렸다. 갑작스러운 빛에 어리둥절해진 탄닌은 얼핏 눈을 뜬 순간 소스라치게 놀랐다. 빛을 일으킨 장본인은 다름 아닌 최씨 노인과 용 사냥꾼들이었던 것이다. 고대 마법의 지팡이를 높이 치켜 든 최씨 노인과 용 사냥꾼의 족장인 셀라가 용맹스러운 모습으로 어둠을 몰아내고 있었다.

하늘을 새까맣게 덮고 있던 까마귀들이 지팡이에서 나오는 찬란한 빛에 놀라 일제히 날아갔다. 일순간에 하늘에는 먹구름이 걷힌 듯 햇살이 다시 비추이기 시작했고, 동궁전 전체가 서서히 밝아지기 시작했다.

연무가 자욱하게 깔린 자선당 안에는 삼손을 비롯한 행신 상단 단원들과 요괴들이 여전히 치열하게 싸우고 있었다. 그런 와중에 도착한 최씨 노인과 용 사냥꾼들은 삼손과 단원들에게는 천군만마와도 같은 큰 힘이 되어 주었다.

상황을 살핀 최씨 노인이 빛이 나오는 지팡이를 들어 땅을 한번 힘껏 내리쳤다. 그러자 곧바로 강한 바람이 불기 시작했다. 자선당 안에 자욱했던 연무가 바람에 실려 순식간에 사라져버렸다. 보호막과 같았던 연무가 없어지자, 요괴들이 당황하기 시작했다. 밝은 햇빛에 노출 된 요괴들의 살갗이 빠르게 타들어가고 있었다.

우왕좌왕 어찌할 바를 모르고 있는 요괴들을 용 사냥꾼들이 가만 보고 있을 리 없었다. 배고픈 맹수가 먹잇감을 찾아 사냥에 나선 것 마냥 용 사냥꾼들은 요괴들을 가차없이 처단하였다.

한편 불이 붙은 화염검을 휘두르며 몰렉을 궁지에 몰아놓은 삼손이 근엄한 표정으로 꾸짖었다.

"이 땅의 수많은 어린 생명을 앗아간 네놈을, 결단코 용서하지 않을 것이다. 어차피 영원한 형벌을 받은 네놈들이 가야할 종착지로, 조금 빨리 갈 뿐이겠지. 이 화염검이 네놈의 몸뚱어리를 무저갱으로 편히 보내 줄 것이다."

"이런 건방진 새끼! 감히 무저갱을 입에 올리다니……좋다, 네놈과 함께 가주마. 이얏!"

몰렉이 뾰족한 송곳니를 드러내며 으르렁거렸다. 그가 삼지창을 휘두르며 곧장 삼손에게 달려들었다.

빠르게 날아오는 삼지창을 가까스로 피한 삼손은 뒤돌려 차기로 몰렉의 턱을 후려쳤다. 위력적인 그의 발차기에 몰렉은 맥없이 나가 떨어졌다. 그 틈을 노린 삼손이 검을 좌우로 돌리며 몰렉에게 달려들었다. 삼손의 검이 몰렉의 어깨서부터 가슴과 배를 긋고 내려왔다. 당황한 몰렉이 눈을 크게 부릅뜨며 고개를 숙여 자신의 가습을 쳐다봤다. 몸통은 이미 심하게 벌어져 갈라진 상태였다. 악귀들이 가장 두려워하는 무기인, 화염검의 진가가 드러나는 순간이었다. 삼손이 몰렉에게 최후의 일격을 가하기 직전, 화염검은 더욱 거센 불길처럼 뜨겁게 타올랐다.

눈앞의 사실이 믿기지 않는 듯, 비틀거리며 일어서려던 몰렉이 화염검의 기세에 눌려 다시 한 번 휘청거렸다.

"이 사악한 악귀야! 무저갱 속으로 들어가거라!"

공중으로 뛰어 오른 삼손은 화염검을 수직으로 내리 그었다. 몰렉의 정수리 한가운데부터 사타구니까지 선명한 선이 생겨나더니, 순식간에 머리와 몸통이 양쪽으로 갈라졌다. 그런데 그때였다. 맑은 하늘에서 갑자기 뇌성과도 같은 큰 소리가 나면서 동시에 불이 내려오더니, 몰렉과 다른 요괴들을 모조리 불살랐다. 시뻘건 불덩어리가 비처럼 쏟아지는 광경은 실로 놀라운 일이었다. 동궁전 곳곳에는 잿더미처럼 변한 요괴들의 시체에서 잔불 때문인지, 끊임없이 연기를 내뿜고 있었다.

얼마 지나지 않아 자선당 마당과 뜰 안에는 요괴들의 흔적이 깨끗이 사라져 버렸다. 그 안에 있던 모든 이들의 얼굴에는 놀라움과 두려움이 교차되어 나타나 있었다. 동궁전 밖에서 대기하고 있던 군사들도 갑작스레 텅 빈 공중에서 불이 내려온 건, 하늘이 크게 노한 증거라고 이구동성으로 말했다.

세자와 세자빈이 머무는 동궁의 처소였던 자선당에 오르려던 삼손은 여전히 강한 결계 때문에 좀체 접근을 못하고 서 있었다. 자선당을 향해 화염검을 휘둘러보아도 아무 소용이 없었다.

그것을 이상히 여긴 최씨 노인이 셀라와 함께 앞으로 다가갔다. 그들은 용 사냥꾼들이 사용하는 고대 마법의 힘으로 결계를 풀려고 시도해보았지만 모두 헛일이었다. 그로부터 한참 동안 자선당에 쳐있는 결계의 움직임을 골똘히 쳐다보고 있던 최씨 노인이 좋은 생각이 난 듯 무릎을 탁 쳤다.

"세손 각하, 지금 이곳 자선당의 결계는 왕후 추씨가 사술의 힘으로 걸어 놓은 것입니다."

"그거야 이미 우리 모두가 알고 있는 사실 아닙니까?"

뜬금없는 그의 말에 삼손은 할 말을 찾지 못했다.

"사술로 만들어진 결계는 그 어떤 외부의 힘으로도 뚫을 수가 없죠."

최씨 노인이 이렇게 이야기 하는 것은 뭔가 비밀스레 할 말이 있다는 뜻이었다.

"어르신. 지금 대체 무슨 소리를 하고 싶으신 겁니까?"

그의 얼굴 표정을 들여다 본 삼손이 지레짐작으로 눈치챘다.

"그러니까 제 말뜻은 사술을 사용한 왕후 추씨만이 결계를 풀 수 있다는 말입니다."

혼자만의 골똘한 상념에 잠긴 듯 최씨 노인이 점잖게 코밑수염을 어루만졌다.

"추씨라면…… 지금쯤 탄닌이 붙잡아 두었을 것입니다. 그러니어서 그 여자를 끌고 와서 결계를 풀게 하죠. 지금 당장 탄닌에게 가서……."

바로 그때 자선당 안으로 혼자서 들어오는 탄닌의 모습을 보면서 삼손은 할 말을 잃고 말았다.

"아니, 그 여자는 어쩌고 자네 혼자 왔는가?

"어휴, 열 받아서 미치겠네!"

"대체 무슨 일인가?"

"에이씨. 그 요괴새끼들 때문에 놓치고 말았어요."

"뭐, 그 여자가 도망쳤다는 말인가?"

또다시 그녀가 도망쳤다는 사실을 탄닌에게서 듣게 된 삼손은 망연자실하지 않을 수 없었다. 한시라도 빨리 아버지를 만나 보고 싶은 생각에 마음이 죄여서 그런지, 그는 초조해지고 있었다. 그런 삼손의 얼굴 표정을 보니 최씨 노인은 마음속에 담아 두었던 말을 해야 할 듯싶었다.

"결계를 무력화 시킬 방법이 아주 없는 것은 아닙니다. 그런데 그게……."

최씨 노인이 잠깐 생각하는 듯하더니, 속에 있던 얘기를 꺼내 놓기 시작했다.

"어르신! 그 방법이란 게 대체 무엇입니까? 편히 말씀해 주십시오."

이렇게 기다리는 것만으로도 삼손은 마치 속이 타 들어가는 것만 같았다.

조급해진 삼손과 달리 최씨 노인의 얼굴에는 뚜렷한 걱정의 빛이 서려 있었다. 잠시 눈을 감고 있던 그는 굳은 결심을 한 듯 단연한 표정으로 말을 시작했다.

"왕후 추씨는 자신의 피를 이용해 사술을 쓰고 있습니다. 그래서 그녀와 똑같은 피를 갖고 있는 사람이라면…… 이 결계를 능히 풀 수 있을 겁니다."

"그 여자와 같은 피를 가지고 있는 사람이라면……아니, 어르신…… 지금 설마, 공주를 말씀하시는 건가요?"

그의 말을 듣고 깜짝 놀란 삼손이 그게 사실이냐는 듯 두 눈을 크게 뜨며 물었다.

"그렇습니다. 공주님은 갓난아기 때 그 여인의 피를 마셨어요. 네피림의 피를 중화시키려고 용의 피를 마시긴 했지만…… 여전히 네피림의 피는 공주님의 몸속에 흐르고 있죠. 자선당의 결계를 풀기 위해선 공주님이 필요합니다."

최씨 노인은 애지중지 키운 귀한 공주에게 사술을 없애는 일에 내세우는 게 안타깝기도 하고 한편 미안하기도 하였다.

그의 이야기를 들은 삼손은 크게 당황하였다. 사술의 힘을 인위적으로 풀다가 목숨을 잃을 수도 있기 때문에 함부로 접근해서는 안 된다는 것을 잘 알고 있었다. 더욱이 자신과 의남매를 맺은 그녀를 위험한 일에 내몬다는 생각에 삼손은 마음이 선뜻 내키지 않았다.

"세손 각하도 아시다시피, 그 여인이 쳐놓은 결계는 사악한 힘으로 만든 것입니다. 공주님에게 어떤 불행한 일이 초래될지, 예측하기 힘든 게 사실이죠. 가령, 악의 기운이 결계를 푸는 공주님의 몸속으로 들어가, 흑화를 일으킬 수도 있어요. 음, 저도 이런 말씀을 드리기가 너무나 송구하옵니다. 앞으로 어떻게 하실 지는 세손 각하께서 결정하셔야 할 몫입니다."

조심스럽게 말문을 연 최씨 노인의 얼굴이 눈에 띄게 어두워졌다.

　아버지를 구하고 싶었던 삼손은 공주를 위험에 빠트리게 만들 수도 있다는 최씨 노인의 의견에 심한 갈등을 겪었다. 그는 지금 당장 어떻게 해야 할지 판단이 서지 않았다. 삼손은 고뇌에 찬 얼굴로 어느새 자신의 곁에 와 서 있는 탄닌을 바라보았다.

　'결국, 내가 보았던 일들이 현실이 되고야 말았어. 근데 왜 하필 공주여만 하는데. 신에게 제발 이번 한 번만 도와 달라고 사정사정 눈물을 흘리며 애원했는데…… 정말이지 하늘이 원망스럽기만 하다.'

　탄닌은 치미는 분노를 꼭꼭 누르며 울분을 삭이려고 애썼다.

제25장 생과 사의 갈림길

정월이가 복순이의 손을 꼭 잡고 창경궁의 돌다리인 옥천교 위를 지나고 있었다. 바로 그 뒤로 춘희와 동철 그리고 길상과 다연이가 함께 웃음꽃을 피우며 걷고 있었다.

세자빈과 공주는 세쌍둥이 삼형제인 만식과 원식 그리고 두식이와 함께 뒤쳐져 따라오고 있는 중이었다. 궁궐을 둘러싼 푸른 숲과 시야가 확 트인 정원을 보자 아이들은 신이 나서 나뭇잎을 파삭거리며 밟아 댔다.

기뻐서 어쩔 줄을 몰라 뛰고 노는 아이들을 지켜보는 세자빈과 공주의 입가에서 흐뭇한 미소가 피어올랐다.

"이곳은 하나도 변한 게 없구나. 오래간만에 왔는데도 전혀 낯설지가 않으니……으음, 기분이 참 묘하구나."

세자빈은 살포시 눈을 감고 지난 일을 회상하다 목이 메어 오는 것을 억지로 가라앉히려 했다.

"어마마마! 궁으로 돌아오신 것을 감축드리옵니다."

공주는 길을 걷다 말고 갑자기 머리를 숙여 공손하게 세자빈에게 인사를 했다.

"그래, 고맙구나. 무엇보다 세손과 공주. 너희 둘과 함께 올 수 있어서 내가 더욱 기쁘구나."

공주의 말에 세자빈은 울적했던 기분이 한결 나아졌다. 그녀는 그런 말과 행동을 하는 공주가 너무도 사랑스러웠다.

그때 맨 앞에서 걷던 복순이가 뭔가 할 말이 있는지 공주가 있는 곳으로 뛰어왔다.

"휴우! 공주 언니…아니, 공주 마마! 이제 여기 궁궐에서 사시는 겁니까?"

연신 싱글벙글 웃고 있던 복순이가 가쁜 숨을 내쉬더니 다짜고짜 이렇게 물었다.

"좀 천천히 말해. 그러다 숨 넘어 갈라."

복순이의 생뚱맞은 질문에 공주가 입을 가리고 '호호호' 크게 웃었다.

"소녀, 이렇게 아름다운 곳은 처음 봅니다. 최씨 할아버지께서 들려주신 하늘나라가 꼭 여긴 것 같사옵니다."

가쁜 숨을 겨우 진정 시킨 복순이가 그제야 속마음을 털어 놓았다.

"호호호, 그리 이곳이 좋은 게냐?"

세자빈이 천진난만한 복순이의 모습을 보며 활짝 웃음을 터트렸다.

"네, 그렇사옵니다. 세자빈 마마님."

복순이가 공손히 대답했다.

"그러지 않아도 너희들이 지낼 곳을 알아보고 있는 중이었는데, 당분간은 이곳에서 함께 지내자꾸나. 기왕 말이 나온 김에, 공주의 생각은 어떠하느냐?"

세자빈이 따스한 눈길로 공주를 바라보았다.

"소녀는 어마마마의 하해와 같은 은혜에 감복할 따름입니다. 저 아이들에게까지 성려를 쓰시오니 성은이 망극하옵니다."

공주는 그녀의 세심한 배려에 감격하여 눈언저리가 뜨거워졌다.

"그럼, 저희도 여기서 사는 거예요? 이야아, 신난다!"

궁궐에서 지내도 된다는 세자빈의 승낙에 복순이는 뛸 듯이 기뻐했다. 아이는 곧장 새근발딱대며 앞으로 달려갔다. 조금 뒤 복순이가 언니와 오빠들에게 이 소식을 전하자 아이들은 기쁨을 감추지 못하고 환호성을 질렀다.

그 모습을 지켜보던 세자빈과 공주도 흐뭇한 표정을 지었다.

그런데 그때였다. 무슨 급한 일이 있는지 동궁전에 있는 황내관이 숨을 헐떡거리며 달려왔다.

"아니, 자네가 여긴 어인 일로 왔는가?"

세자빈이 자못 궁금한 표정으로 그를 쳐다보았다.

"세손 각하께서 급히 공주 마마님을 동궁전으로 뫼셔 오라 하셨습니다."

황내관은 세자빈을 향해 깍듯이 허리를 숙이었다.

"아니, 공주를 그곳으로 부르다니……폐쇄된 동궁전에 무슨 큰일이라도 생긴 것인가?"

사람의 왕래가 끊어진 지 오래 된 동궁전으로 공주를 데리고 오라는 말이 세자빈은 선뜻 이해가 가지 않았다. 그녀가 의아한 눈빛으로 황내관에게 거듭 되물은 것도 그래서였다.

"아뢰옵기 황공하옵니다마는……세자 저하께서… 아직…… 살아 계신 듯하옵니다."

말하는 그도 사실이 믿기지 않는 듯 목소리는 약간 떨리고 있었다.

오래 전부터 황내관은 세자의 심복이나 다름없는 인물이었기에 허튼소리를 하는 법이 없었다. 그런 그의 말을 듣고 난 뒤 세자빈은 머리를 몽둥이로 한 대 얻어맞은 듯 통증을 느낄 정도로 충격을 받았다.

"뭐? 저하께서……살아계시다니……그게…사실인가?"

마음이 조금 가라앉은 뒤에 그녀는 조용히 말문을 열었다.

"저도 자세한 내막은 알 수 없으나, 세손 각하께서 분명 그리 말씀하셨습니다."

황내관은 흥분하지 않고 침착하게 한 마디 한 마디에 진심을 담아 말했다.

"그럼, 저하를 찾았는가? 저하는 지금 어디에 계신가?"

그녀는 한시바삐 세자를 만나고 싶다는 생각에 자꾸 마음이 조급해 왔다.

그토록 오랜 세월 동안 죽은 줄만 알았던 세자가 살아있다는 소식은 실로 큰 충격이었다. 세자빈은 너무 기쁜 나머지 가슴이 뻐근하기까지 했다. 세자와의 이별을 아쉬워하며 한결같이 그리워하던 그녀는 눈시울이 뜨거워졌다.

"그게 실은……저하께서는 현재, 자선당 어딘가에 갇혀 계신 걸로 아옵니다."

한참을 머뭇거리던 황내관이 그녀의 눈치를 살피며 조심스레 말했다.

"아니, 그건 또 무슨 소리인가? 그럼 아직 저하를 찾은 게 아니란 말인가?"

그녀는 그 상황이 당혹스러운 건 사실이었지만 그 누구를 원망하지는 않았다.

"네, 그게 실은, 추씨 여인이 자선당에 사술로 결계를 쳐놔서…… 군사들이 접근조차 못하고 있사옵니다."

그녀에게 소상히 보고하고 있는 황내관도 이 일을 어떻게 해야 할지 난감한 표정이 되었다.

세자빈은 그의 말을 듣고 난 뒤, 왕후 추씨라면 그런 일을 능히 하고도 남을 위인이라 생각했다. 한편 그녀는 남편인 세자가 이렇게 죽지 않고 살아 있다는 것만으로도 하늘에 고마울 따름이었다. 그런데 그녀는 문득 세손이 공주를 데리고 오라는 말이 자꾸만 신경이 쓰였다.

"잘 알겠네. 그건 그렇고, 세손께서 공주는 왜 데려오라고 하신 건가?"

"저, 그게 실은……공주 마마님만이… 자선당의 결계를 풀 수 있다 해서……그런 줄로 알고 있사옵니다."

황내관은 세자빈뿐만 아니라 공주의 눈치까지 보며 설명하느라 애를 먹고 있었다.

자신이 그런 일을 할 수 있다는 황내관의 말에 공주는 가슴이 철렁 내려앉는 기분이었다. 마치 그것이 뭔가 단단히 잘못된 일이 기나 한 듯이 공주는 얼른 대답을 하지 못하면서 안절부절못하는 태도를 보였다.

"아니, 대체 공주가 그 일을 어떻게 할 수 있다는 말인가? 말이 되는 소리를 해야지! 아무래도 안 되겠네. 내가 직접 동궁전으로 가봐야 할 듯싶네. 이보시게, 어서 앞장서시게."

누구보다 공주를 아끼는 세자빈은 그의 이야기를 듣고 나니 불길한 생각이 떠나지 않았다. 그래서 직접 자선당으로 가서 세손에 게 자초지종을 직접 들어 볼 셈이었다.

바로 그때 누군가 먼지를 일으키며 이쪽으로 달려오고 있었다. 저만치 앞서 가고 있는 아이들이 손을 흔들며 누군가에게 반가움 을 표시했다. 공주는 햇살에 눈이 부신 듯 손으로 이마를 가리고 눈을 찡그렸다. 그녀가 다시 눈을 뜨며 자세히 보니 뛰어 오고 있 는 사람은 다름 아닌 탄닌이었다.

"탄닌!"

늠름하게 다가온 그를 보자 공주는 눈물이 핑그르르 돌았다.

"공주님!"

그의 안중에는 불안해하고 있는 그녀만이 보였다.

공주와 탄닌은 눈빛만 봐도 서로의 마음을 읽을 수 있을 정도로 가까운 사이였다. 둘도 없는 단짝 친구이자 오누이 같은 그들은 주위의 눈치를 보지 않고 서로 손을 맞잡았다.

"탄닌, 마침 잘 왔구나. 그러잖아도 내가 지금 동궁전으로 발길을 옮기려던 참이었다. 조금 전 황내관에게 모든 이야기를 들었어. 공주만이 자선당의 결계를 풀 수 있다는 게 사실이냐?"

태룡산에서 함께 지낸 탄닌이라 세자빈은 스스럼없이 물었다.

"네, 그러하옵니다. 마마."

그는 빙 돌려 말하지 않고 솔직히 말했다.

"탄닌, 혹시, 예전부터 네가 나에 대한 미래를 봤다는 게, 이거였던 거야?"

모든 게 사실임을 알게 된 공주가 곧 넋 빠진 표정으로 그를 쳐다보았다.

"……"

그녀의 물음에 탄닌은 아무 말도 없이 고개만 끄덕였다.

"정말 나밖에는 할 수 없는 일인거지?"

그를 쳐다보는 그녀의 눈에는 눈물이 가랑가랑하였다.

"저도 아니라고 하고 싶지만……그 여자의 피를 몸속에 갖고 있는 공주님만이 사술을 깨트릴 수 있어요."

탄닌은 그녀의 눈에서 연신 흘러내리는 눈물을 닦아주고 싶은 손이 올라가는 걸 겨우 참아내고 있었다.

"세상에 어찌 이런 일이……."

그들 옆에 서 있던 세자빈도 울음을 참느라고 눈이 붉게 충혈되어 있었다.

한참동안 시간이 시시각각 흘러가고 있는 중이었다. 사술의 힘이라는 게 얼마나 잔인하고 무서운 건지 할아버지에게 들어 너무나 잘 알고 있었기에 공주는 쉽게 결정을 못 내리고 있었다. 그때 공주의 시야에 아무 영문도 모른 채 마냥 즐거워 뛰어 놀고 있는 아이들이 보였다. 부모와 형제를 잃고 슬픔과 고통 속에 살아가던 아이들이 행복하게 웃는 모습을 보자 용기가 나기 시작했다.

공주는 자신을 딸처럼 키워 준 월령 아줌마를 다시 한번 쳐다보았다. 이 나라의 국모가 벌써 되었어야 할 그녀가 태릉산에 꼭꼭 숨어 살면서, 그 모진 고통의 세월을 견뎌낸 모습이 떠올랐다. 할아버지와 탄닌과의 오랜 추억도 빼놓을 수가 없었다. 하루가 멀다 하고 티격태격 싸우다가도 어느새 함께 어울려, 한 가족처럼 지낸 그 시간들이 너무나 소중했다. 누군가의 헌신과 희생이 없었다면, 지금 누리고 있는 이와 같은 행복은 얻지 못했을 것이라고 생각했다. 그녀는 비겁하게 사느니, 차라리 당당하게 맞서는 것이 떳떳할 것 같았다. 이유야 어찌되었건 간에, 그토록 가슴에 사무쳐 있던 월령아줌마의 응어리를 풀 수만 있다면 무슨 일이든 하고 싶었다.

"제가 동궁전으로 가겠습니다."

그녀는 혼자 결심을 한 듯 선뜻이 수락의 말을 꺼냈다.

"그건 절대 안 된다. 내 눈에 흙이 들어가기 전엔, 그 일을 하게 허락할 수 없다."

힘들게 내린 공주의 결정을 세자빈은 단호하게 잘랐다.

"어마마마······제가 가야만 하는 일입니다. 부디 허락해주세요."

확고한 신념을 갖고 있는 그녀는 세자빈에게 간청을 하였다.

"사술이라면, 나도 서책을 통해 익히 들어 알고 있다. 특히나, 그 악녀의 결계는 너도 알다시피, 그 어떤 것보다도 강력한 주술이 들어가 있을 거야. 만에 하나 네가 결계를 풀다가 무슨 일이라도 생긴다면, 난 그것을 감당할 수 없을 것 같구나. 그러니 애야, 이 일은 해선 안 돼. 내말 무슨 뜻인지 알겠지?"

세자빈은 마치 아이의 볼을 어루만지듯이 공주의 얼굴을 부드럽게 감싸며 타일렀다. 그녀는 혹시라도 공주가 잘못되기라도 할까 봐 겁이 났다.

"어마마마! 소녀는 동궁전으로 꼭 가야만 합니다. 그동안 오라버니가 아버지를 얼마나 그리워하며 살았는지 어마마마께서도 잘 알고 계시지 않습니까? 어마마마도 태룡산에서 하루도 빠짐없이 아바마마를 위해 기도하시지 않으셨습니까? 무엇보다 이 나라를 위해 아니, 백성들을 위해서라도 아바마마를 구해드려야 합니다. 오라버니 혼자의 힘만으로는 조정을 다시 일으키는 게 쉽지 않다는 걸, 어마마마께서도 잘 알고 계시지 않습니까? 저에 대한 사사로운 감정은 뒤로 하시고, 저기 있는 아이들을 위해서라도 저를 보내주십시오. 어마마마, 제발 부탁드리옵니다."

처음 태도와는 달리 그녀의 목소리는 높고 결기도 있어 보였다.

세자빈은 공주의 결심이 확고하다는 것을 알았다. 그녀는 난처하다는 표정을 짓다가 이윽고 조심스레 말을 꺼내기 시작했다.

"휴, 네 뜻이 정 그러면 그렇게 하거라. 대신, 나도 너와 함께 자선당으로 갈 것이다."

"고맙사옵니다. 어마마마…… 참으로 고맙사옵니다."

세자빈이 허락하자 그녀는 그제야 안도의 한숨을 내쉬며 연신 고맙다고 인사했다.

탄닌은 그들의 이야기를 듣는 순간 가슴이 답답했다. 오래 전 동굴 안에서 공주의 미래를 본 그는 아직 그녀에게 못다 한 이야기를 꾹 참으려니 견딜 수가 없었다. 이내 탄닌의 콧날이 시큰거리며 눈시울이 뜨거워졌다. 그는 아무 원망도 않고 아무런 욕심도 부리지 않겠으니 이대로 내버려만 달라고 속으로 빌고 또 빌었다.

정오가 지나자 갑자기 해가 구름 속으로 들어가 버렸다. 그러자 하늘이 비가 올 것처럼 어두워졌다. 하지만 비는 전혀 내리지 않았다. 무언가 이상한 낌새를 눈치챈 탄닌은 하늘을 살피고 새들의 움직임을 유심히 관찰하였다. 아무리 봐도 흔한 자연적인 현상이 아니었다. 갑작스러운 날씨 변화 때문에 아이들을 최상궁에게 부탁하고, 그들 모두는 곧바로 동궁전을 향해 발걸음을 옮겼다.

잠시 뒤 동궁전 앞에 도착한 그들은 예상치 못한 상황에 직면하게 되었다. 삼손과 최씨 노인이 자선당 안으로 들어가지도 못한 채 안절부절 못하며 서 있었다.

"세손! 괜찮으신 겁니까?"

세자빈이 걱정스러운 눈길로 삼손을 바라보며 말했다.

"어마마마! 여기에 어인 일로 오셨습니까? 이곳은 위험하오니 일단 몸을 피하시옵소서.”

삼손은 심각한 표정으로 그녀를 바라보았다.

“세손 각하, 이게 어떻게 된 일입니까?”

자선당에서 나온 삼손을 보고 탄닌이 화들짝 놀라며 물었다.

“조금 전 그 여자가 자선당에 다시 나타났네.”

“아니, 그럼 그년을 붙잡지 않고, 지금 여기서 뭐하고 계신 거예요?”

“난들 가만히 있었겠나? 추씨 그 여자를 잡기 위해 어르신과 협공을 했어. 근데, 거의 쇠약해진 줄로만 알았던 추씨는 예상과 달리 엄청난 힘을 발휘했네. 때마침 도착한 셀라 족장과 용 사냥꾼들이 그녀를 추포하려고 하다가, 양측 사이에 큰 싸움이 벌어졌지. 싸움이 여의치 않자 셀라 족장은 나와 어르신을 자선당 밖으로 내보낸 뒤, 자신과 부하들은 미처 빠져나오지 못했네.”

삼손은 조금 전 일어났던 일이 믿기지 않는 듯 큰 충격을 받은 표정이었다.

“저런, 죽일 년이……제가 당장 자선당으로 들어가, 요절을 내버리겠습니다.”

삼손의 말에 탄닌은 눈의 핏발이 더욱 붉어졌으며, 자기도 모르게 두 주먹을 불끈 쥐었다.

그때 공주가 탄닌의 어깨에 가볍게 손을 얹었고, 들릴 듯 말 듯 작은 소리로 무슨 말인가를 하였다. 그러자 그가 깜짝 놀란 듯이 어깨를 움츠렸다. 곧바로 그는 고개를 돌리더니 그녀의 얼굴을 바라보았다. 소리 내어 울지 못하는 여린 그의 두 눈에는 눈물이 가득 고여 있었다.

"탄닌······내 말대로 해줄 거지."

공주는 그를 보고 빙그레 웃었다.

"공주······님."

그녀에게 무슨 소리를 들었는지 그는 폭발할 것 같은 감정을 참느라고 온몸을 떨고 있었다.

공주가 이번에는 삼손에게 다가가 허리를 숙여 인사를 한 뒤 몹시 어려운 얘기를 꺼내듯 입을 떼었다.

"오라버니, 소녀 간청이 있사옵니다."

"혹여, 황내관에게 들은 이야기 때문이라면 모두 잊어라. 추씨가 자선당 안에 있는 한 무턱대고 들어가는 건 무의미한 일일 뿐이다."

그녀의 속마음을 꿰뚫어 보기라도 한 듯 삼손이 그녀의 요구에 미리 선을 그었다.

"그럼, 아버님을 구하시겠다는 계획을, 포기하실 생각이십니까?"

그녀는 주위의 눈치를 보지 않고 직설적으로 말했다. 삼손이 쉽게 허락하지 않을 것을 알고 있었기 때문이었다.

"아버님을 구하기 위해 소중한 누군가의 목숨을 잃게 할 수는 없다. 그 강한 용 사냥꾼들 조차도 한 여인에게 당하고 말았어. 지금 널 안으로 들여보내는 건, 사지로 몰아넣는 것과 다를 바가 없다. 그러니 날 설득할 생각이라면, 하지 말거라."

삼손은 이미 할 말을 다 했다는 그런 얼굴이었다.

"종사의 앞날을 위하여서라도, 반드시 누군가는 저 안으로 들어

가야만 합니다. 어머니도 허락해주셨으니…… 오라버니도 저를 보내주세요."

공주는 자신의 결심을 굽힐 생각이 전혀 없어 보였다.

삼손은 그녀에게 자선당으로 들어가서는 안 된다고 했지만, 솔직히 어떻게 해야 할지를 몰라 그는 멍하니 서 있었다. 그때 마침 공교롭게도 자선당을 떠받치고 있는 버팀목 같은 큰 기둥하나가 두 쪽으로 갈라지기 시작했다. 곧 건물이 무너질 듯 여기저기서 지붕을 받치고 있는 나무 기둥들이 우두둑거리는 요란한 소리가 들려왔다.

자선당 어딘가에 살아있는 세자를 곧 만날 수 있다는 기대가 허망하게 무너지는 순간이었다. 그 순간 세자빈의 전에 없이 심각해진 얼굴을 보자 삼손은 가슴이 덜컥했다. 뭔가는 해야 하는데, 자선당이 곧 무너져 내리는 것을 보면서도, 아무 일도 할 수 없는 자신에 대하여 깊은 무력감을 느끼고 있었다.

하늘은 점점 어둡게 내려앉았고, 느닷없이 바람이 방향도 없이 세차게 휘몰리고 있었다. 삼손은 이 모든 게 어둠의 힘을 사용하는 주술의 영향이라는 것을 단박에 알아보았다. 그때였다. 순간적으로 유별나게 목청이 큰 탄닌의 소리가 일시에 정적을 깨 버렸다.

"제가, 공주님을 모시고 들어가겠습니다!"

"오라버니, 부디 허락해 주십시오!"

분위기가 전환되는 기회를 놓치지 않고 이번에는 공주가 나섰다.

"너희들……진짜…꼭 이렇게만 해야 하는 것이냐?"

그들의 얼굴 표정을 차례대로 본 삼손은 목소리와 손도 심하게 떨리고 있었다.

"세손 각하! 제발 걱정은 붙들어 매세요. 설마 제가 누군지 잊으신 건 아니겠죠?"

탄닌은 공주가 자선당으로 들어가려는 일 때문에 무거워진 분위기를 바꾸어 보려는 듯 능청을 부렸다.

삼손은 한참 고개를 숙이고 무언가를 깊이 생각하다가 결심한 듯이 공주와 탄닌을 쳐다보았다.

"너희 뜻이 정 그러면 그렇게 하거라. 대신 너희들이 간다면 나도 가겠다."

삼손에게서 죽음을 두려워하지 않는 결연한 태도를 엿볼 수 있었다. 그가 그렇게 말하자 곁에 서 있던 세자빈이 슬픈 감정을 참지 못하고 눈물을 흘렸다. 최씨 노인도 덩달아 하늘을 우러러보며 깊은 숨을 내쉬었다.

그때 마침 행신 상단 단원들이 자선당과 비현각 사이에 있는 뜰 안으로 들어오고 있었다. 그들 뒤로 달빛처럼 환한 얼굴을 한 세령의 모습이 보였다. 그녀의 고운 자태가 연못에 얼른거리고 있었다.

그녀는 공손히 허리를 숙여 슬피 울고 있는 세자빈에게 인사를 한 뒤, 곧장 삼손에게 조용히 다가갔다. 그녀를 보자 삼손은 가슴이 출렁했다. 자선당으로 들어가 혹시 일이 잘못되지나 않을까 하는 걱정이 들었기 때문이었다. 그는 그녀를 사랑하는 마음이 너무나 컸기에 다시 그녀를 보지 못하게 될까 봐 더럭 겁이 났다. 하지만 그런 그의 마음을 눈치 챘는지 세령은 잔잔한 미소를 지어 보였다. 그러고 나서 조용조용 그러나 확신에 찬 어조로 말했다.

"세손 각하, 아버님을 구하시고 꼭 살아 돌아오십시오. 소녀……
세손 각하를 기다리고 있겠습니다."

"알겠소, 내 그대의 명을 어찌 어길 수 있겠소. 내 반드시 돌아
오리라 약속 하오."

그녀의 말 한마디에 무언가 알 수 없는 힘이 삼손의 마음을 휘
어잡았다. 삼손은 지금 당장이라도 그녀를 와락 끌어안고 싶었으나
이를 악물고 꾹 참았다. 그녀와의 약속을 지키겠다는 스스로의 다
짐 때문이었다.

두 사람은 말없이 마주보며 서로의 두 손을 꼭 쥐었다. 영원히
함께할 것을 맹세하듯, 서로의 얼굴을 눈에 그리고 마음에 차례로
담았다.

한편 최씨 노인은 조용히 공주에게 다가가, 그녀의 두 눈에 손을
살짝 댔다가 뗐다. 그러자 곧바로 그녀의 눈이 육안에서 벗어나 영
안으로 볼 수 있게 되었다.

"공주님, 지금부터 이 할애비의 말을 잘 들으셔야 해요. 이 시간
이후부터는 왕후 추씨가 쳐놓은 모든 결계가 보이실 겁니다. 자선
당에 펼쳐진 결계는 평범한 마법이 아닌 온갖 사악한 힘으로 만들
어졌어요. 왕후 추씨의 피를 마신 공주님만이 그 결계를 뚫고 들어
갈 수가 있습니다. 그 안에서 어떠한 일을 겪던지 간에 정신을 집
중하시고, 절대로 마음을 빼앗기지 마세요. 우리 지혜로우신 공주
님이라면 충분히 해낼 수 있을 겁니다."

최씨 노인은 각별한 애정이 고인 눈과 온유한 낯빛으로 공주를
보며 말했다.

"할아버지……제가 꼭 드리고 싶은 말씀이 있어요."

공주의 눈에 눈물이 그렁그렁 돌았다.

"다녀오신……다음에… 말씀해주세요. 그때 가서 해도 늦지 않습니다."

최씨 노인은 뒤돌아보는 그녀의 눈을 쳐다보지 않으려고 애써 외면하였다.

"할아버지, 그동안 키워 주셔서 정말 감사합니다. 이 은혜는 죽어도 잊지 않을게요."

그녀의 얼굴에서는 참았던 두 줄기 눈물이 뺨을 타고 흘러내렸다.

"어허허, 원 별말씀을 다 하시는군요. 그 이야기의 뒷부분은 나중에 듣겠습니다."

최씨 노인은 뒤돌아보는 공주의 눈을 쳐다보지 않으려고 애써 외면하였다.

"어마마마, 소녀 다녀오겠습니다. 어마마마의 따뜻한 사랑을 잊지 않겠습니다."

흐느껴 울고 있는 세자빈을 본 공주는 그만 눈물을 왈칵 쏟고 말았다. 그녀는 찬찬한 걸음으로 다가가 세자빈의 품에 안겼다.

"공주야! 오빠와 함께 꼭 돌아와야 한다. 이 어미가 여기서 기다리고 있을 것이다. 알겠지?"

세자빈은 눈물을 멈추지 않고 흘리고 있는 공주를 꼬옥 안아 주었다.

그 모습을 지켜보던 주변 사람들도, 처음의 가련한 흐느낌이 울음으로 번져, 모두가 소리 내어 통곡했다. 세자를 구하기 위해 삼손과 공주가 자선당 안에 들어가기로 결심하자, 이내 동궁전에는 온통 눈물바다가 되었다. 바로 그때, 자선당 쪽에서 와당탕하는 요란한 소리가 났다.

동궁전 뜰에 모인 사람들은 자선당을 받치고 있는 기둥들이 곧 무너질 것 같은 위기의식을 느꼈다.

하늘에는 시꺼먼 먹구름 덩어리가 해를 가렸고, 백려가 흘러 금방이라도 궁궐 전체를 집어삼킬 듯한 기세였다. 삼손과 공주 그리고 탄닌 세 사람은 더 이상 지체할 수가 없었기 때문에 자선당쪽으로 서둘러 발걸음을 옮겼다.

세 사람의 뒷모습을 말없이 지켜보던 세자빈과 그곳에 모여 있는 사람들이 격동에 못 이겨 눈물을 감추지 못하였다. 조금 뒤 자선당의 바깥 행랑과 연결 된 이극문으로 세 사람의 모습이 완전히 사라지자 사람들은 그저 망연히 그쪽만을 지켜보았다.

제26장   너는 내 운명

송철은 어제의 기억을 곰곰이 더듬어 보았다. 탄닌이 해준 이야기가 생각났기 때문이었다. 자신이 공주와 혼인하여 장차 이 나라의 부마가 될 것이라는 것과 세손을 도와 조선의 부국강병을 이룰 것이라는 등 솔직히 그의 말은 도저히 이해할 수 없는 내용뿐이었다.

그는 탄닌이 으레 듣기 좋으라고 덕담을 해 준 것이라 여겼지만 이상하리만치 그의 확신에 찬 목소리가 자신의 귓가에 여전히 울려오고 있었다. 송철은 아직도 뭐가 뭔지 정신이 어리둥절하기만 했다. 그런데 그의 말을 듣고 난 후 기분이 좋아진 건 사실이었다.

아름다운 얼굴을 지닌 눈부신 미인에 조선의 공주인 그녀의 남편이 된다는데, 자기가 싫어해야 할 이유라곤 전혀 없었다.

그는 태룡산에 오르기 전 그녀를 처음 보았을 때, 하늘에서 선녀가 내려온 듯한 착각마저 일었다. 무엇보다 아이들을 끔찍이 사랑하는 그녀는 눈부시게 아름다웠다.

복순, 춘희, 동철, 만식, 원식, 두식이는 그녀와 오래전부터 알고 지냈던 사이라 마치 한 가족 같았다. 그렇게 그녀가 아이들을 챙겨주고 오손도손 친밀히 우애를 나누는 모습이 그는 무척 보기에 좋았다. 그 순간 그는 그녀의 자애로운 분위기에 매료되었던 것이다.

평소에 송철은 의학에도 관심이 많았다. 조선의 의술이 몹시 낙후하여 사소한 병으로도 백성들이 치료를 받지 못하고 죽는 일이 많았다. 평균 수명이 스물다섯을 갓 넘기지 못하는 것이 다반사였으니 현실은 절망스럽고 미래는 암울하게 느껴졌다. 조정의 폭정 아래서 살기도 힘들었는데, 설상가상으로 가난한 백성들은 돈이 없어 의원을 만나기가 하늘의 별따기처럼 어려웠다. 그는 권세 있는 명문 세가의 양반들만 의원에게 치료를 받을 수 있는 현실에 불만이 많았다. 그는 만일 자신에게 힘이 부여된다면, 그러한 잘못된 관행은 반드시 뜯어 바꿔야한다는 생각을 갖고 있었다.

순전히 우연의 일치일까? 태룡산 신의로 불리는 최씨 노인의 손에서 자란 그녀는 의술에도 일가견이 있었다. 지난 번 육영왕후의 생가에서 공주와 잠시 대화를 나누었던 송철은 그녀의 해박한 지식에 경탄하였다. 아니 좀 더 정확히 표현하면 그녀의 고매한 인품에 감복하였다.

"병자의 고통보다는, 병자의 행색을 보고 돈이 있는지 없는지, 더 관심이 많은 자들은, 결코 참된 의원이라 할 수 없습니다. 그 반대로, 아파 고통 받는 병자들을 보고, 함께 아파하는 마음을 가지고, 정성을 다해 치료해주는 자가 참된 의원입니다."

그녀의 이 같은 말에 송철은 저절로 감탄을 자아냈다. 그는 한동안 그녀에게서 눈을 뗄 수가 없었다. 그녀의 지혜로움과 아름다운 모습들이 그만 저도 모르게 송철의 마음속에 조금씩 들어앉았다.

그녀는 그와 나이도 같고 생각하는 것이며 성격도 비슷하여, 금방 친밀하고 가까운 사이가 되었다. 송철은 겉으로 표현은 못했지만, 그녀를 마음속으로 연모하였다. 하지만 막상 현실을 바라보자 자기 정도로는 감히 접근치 못할 사람이거니 하고, 스스로를 비하하는 생각이 문득 들기도 하였다. 그도 그럴 것이 이제 그녀는 평범한 최씨 노인의 손녀가 아닌 조선의 공주가 되었기 때문이었다. 몰락한 양반가의 신분으로 한 나라의 공주를 좋아한다는 것이 가당치 않은 일이기에 포기하려고 했다.

그런데 때마침, 그녀를 연모하는 감정을 힘들게 억누르고 있는 그에게, 탄닌이 찾아왔던 것이다. 어제의 그 일이 마치 꿈속처럼 아득하게 느껴졌다. 이미 몇 번이고 볼을 꼬집어보았지만 아픈 것을 보니, 이게 분명 꿈은 아니었던 것이다.

하지만 그의 마음을 뒤 흔들어 놓은 그녀는 지금 눈앞에서 사라져버렸다. 어쩌면 생명을 잃을 수도 있는 위험한 사지로 그녀 스스로가 뛰어 들어갔다. 송철은 그녀를 좋아한다는 표현도 그녀에게 무사히 돌아오라는 따뜻한 위로의 말도 전하지 못했다.

송철은 그녀가 떠난 뒷모습을 하염없이 바라보았다. 그가 할 수 있는 것이라고는 아무것도 없었다. 이제 여느 사람들 같이 신에게 그녀가 무사히 돌아 올 수 있기만을 간절히 비는 것뿐이었다. 하지만 그동안 그는 어떠한 상황에도 신을 의지하지 않았다. 또한 여타 종교적 행위에도 참여하지 않았다. 세상이 무언가 잘못된 방향으로 흘러갈 때, 정의가 죽고 악이 득세할 때 그것들을 방임한 신은 없는 것이나 마찬가지라 여겼기 때문이었다.

그렇지만 태룡산으로 가기 위해 도중에 그가 겪었던 여러 일들이 그의 생각과 마음을 움직이기 시작했다. 다섯 명의 아이들을 만난 것부터 시작해 사람을 잡아먹는 요괴들과 싸운 일, 호랑이에게 쫓기던 절체절명의 위기등 인간의 상식으로는 도저히 이해할 수 없는 일들이었다. 무방비나 다름없는 상태에서 치러낸 일들이기에 살아있다는 것 자체가 기적이었다. 그 일을 겪고 난 후에야 비로소 송철은 신의 존재가 조금씩 믿어지기 시작했다. 아니, 그보다 신은 살아 있다고 보는 것이 자연스러웠다.

그때 갑자기 지난 번 숲속에서 복순이가 들려 준 이야기가 문득 떠올랐다. 인간을 흙으로 만들고 천지를 창조한 신이라면, 반드시 그녀를 도와줄 것 같았다. 지금이야말로 신을 의지해야 할 때라는 생각이 그의 마음속에 강하게 들었다. 송철이 그런 느낌이 든 것은 그때가 처음이었다. 그는 즉시 마음속으로 공주가 무사히 돌아올 수 있게 해달라고 신께 빌고 또 빌었다.

그러자 그의 마음속에 남아있던 신에 대한 불신도 그녀의 안위에 대한 불안감마저 거짓말처럼 사라졌다.

제**27**장   빛으로 가는 길

　외행각의 문을 통해 안으로 들어 간 세 사람은 곧바로 강한 결계의 힘을 느꼈다. 지금껏 한 번도 경험하지 못했던 기운이 분명했다. 동궁전의 중심 건물이나 다름없는 자선당이 이렇게 황폐하게 변하리라고는 그들 누구도 상상하지 못했던 일이었다. 그 순간 한쪽 지반이 땅속에 함몰되고 있는 자선당의 기와들이 연신 땅바닥으로 떨어지고 있었다.

　어느새 그들이 들어왔던 출구마저 결계에 의해 사라져버렸다. 마치 바깥과 단절된 또 다른 세상 속으로 들어 온 것만 같은 분위기였다. 여기저기서 요괴들의 비웃는 소리도 들리고 짐승들이 포효하는 듯한 괴성들도 끊임없이 들려왔다. 순간 강력한 결계가 마당 한복판에 서 있던 세 사람의 전신을 더욱 옥죄어 왔다.

"다들 정신 바짝 차려!"

삼손이 주위를 살피며 목청을 높였다.

"와, 이년이 도대체 무슨 짓을 한 거야?"

탄닌은 눈앞에 보이는 결계의 상태가 상상을 초월할 정도로 막강하자 어이가 없었다.

"으윽! 오라버니! 제가 이제…… 어떻게 하면 되는 거죠?"

공주는 최씨 노인이 말해 준 것처럼 정신을 집중하지 않으면 금방이라도 혼절할 것만 같았다.

삼손과 탄닌은 예상했던 것보다 결계가 훨씬 강해졌음을 피부로 느끼고 있는 중이었다.

"으…….나와 탄닌이 중행각의 문으로 들어가는 길을 터줄 테니…… 잘 따라 오너라!"

삼손이 화염검으로 가까스로 결계의 힘을 막아내며 그녀를 바라보았다.

그와 동시에 탄닌이 청룡언월도와 같은 긴 칼을 꺼낸 후, 뭐라고 중얼중얼 혼잣말을 하기 시작했다.

그녀가 탄닌이 말하고 있는 소리에 귀를 기울이며 진지하게 듣고 있었다. 공주는 오래지 않아 그 소리가 드래곤의 언어라는 것을 이내 알 수 있었다. 어려서부터 탄닌이 내던 소리였기에 그녀의 귀에 익숙하게 들렸다.

공주의 기억 속에는 탄닌이 그 소리를 낼 때마다, 놀라운 일이 일어났었다. 가령 가뭄이 해갈될 기미가 보이지 않을 때 비가 온다든지, 바람 한 점 없는 무더운 날씨에 선선한 바람이 불어오기 시작했다. 불가사의한 초자연적인 현상에 대해서는 태룡산 마을 사람들 그 누구도 어떠한 설명도 불가능하였다. 공주는 탄닌이 갖고 있는 능력을 잘 알기에, 이번에도 어떤 놀라운 일이 벌어질 것이라 추측할 수 있었다.

아니나 다를까, 이 예상은 기막히게 적중했다. 무시무시하게 들려오는 귀곡성과 같은 울음과 비웃는 소리가 곧 사라졌다. 그러고는 앞을 가로막고 있던 중행각의 문짝이 모두 떨어져 나갔다.

그들은 약속이나 한 듯이 곧장 안으로 뛰어 들어갔다. 그러자 상당히 높은 화강석계단 위에 팔작지붕으로 꾸며진 자선당의 모습이 나타났다. 한때 세자부부가 거처하면서 생활한 공간이라고 하기에는 이제 폐가나 다름없게 되었다. 그곳은 앞면 일곱 칸에 건물로 가운데 세 칸은 넓은 대청마루, 양쪽에 두 칸씩 온돌방을 두고 있었는데, 이미 한쪽으로 기울어지고 있었다.

그런데 그때였다. 그들이 온 것을 기다렸다는 듯이 요사스럽게 생긴 왕후 추씨가 눈언저리에 살살 웃음을 피우며 떠들기 시작했다.

"호호호호호! 어리석은 놈들 같으니라고! 제 스스로 죽을 자리를, 잘도 찾아왔구나!"

세 사람이 어디에서 나는 소리인지 고개를 돌려 찾아보니 자선당 지붕 위였다. 그녀는 기와를 밟으며 지붕을 어슬렁거리고 있었다. 인위적인 어둠이 짙게 깔린 자선당에 축축한 빗발과 함께 세찬 바람이 휘돌았다. 더욱이 그녀가 떠드는 소리 때문에 시각은 한낮임에도 음산한 분위기였다.

"이 요망한 년 같으니라고! 이제 암흑의 시대는 끝이 났다. 저하가 어디에 계신지 이실직고를 한다면, 네 년을 고통 없이 죽여준다 약속 하마!"

삼손이 지붕 꼭대기를 올려다보며 고함을 질렀다.

"호호호! 그걸, 약속이라 하느냐? 이제 네놈이 진짜 세손이라도된 걸로 착각을 하나본데…흥, 어림없지! 자기 애비를 살리지도 못한 놈이, 과연 이 나라의 국본이 될 수 있을까? 아마, 눈물을 질질 짜며…… 매일 밤 살려달라고 애원하던 니 할아비 짝이 되고 말것이다. 호호호호호."

그녀가 경멸하는 눈빛으로 삼손을 내려다보았다.

"네 이년! 십칠 년 간 아버지를 고통스럽게 가둬 둔 네년을 그냥 두지 않겠다! 조선을 망쳐놓고 무고한 아이들과 백성들을 죽인죄! 내 할머님이신 육영왕후와 나를 길러주신 할아버지를 죽인 네년의 몸을 갈기갈기 찢어 죽이고야 말겠다!"

분노에 찬 삼손은 검을 머리 위로 들어 올리며 물줄기가 하늘로 치솟듯이 땅을 박차고 공중으로 뛰어 올랐다.

그는 몸 쪽에서부터 바깥쪽으로 원을 그리듯 움직이며 칼날에서 풍기는 검기를 발산했다. 곧장 예리한 검기가 회오리처럼 그녀를향해 날아가 벼락처럼 내리 꽂았다. 그녀는 피할 겨를도 없이 왼쪽어깨를 강타 당했다.

비명을 지르며 그녀는 중심을 잃고, 기왓장과 함께 지붕 위에서 굴러 떨어졌다. 그 틈을 타서 탄닌이 공주의 손을 잡고 자선당의 대청마루 앞까지 데려갔다.

"여기부터는 공주님이 혼자 가셔야 합니다. 공주님은 분명 잘 해내실거에요!"

강한 결계의 힘이 두 사람을 자선당 밖으로 밀어내고 있었지만, 탄닌이 힘껏 버티며 공주를 대청마루 위로 올려 보냈다.

"고마워, 탄닌……다녀올게."

결계 속으로 들어간 공주는 다른 세상에 들어온 것처럼 기분이 이상했다. 바깥에 서 있는 탄닌의 모습이 점점 희미해지자, 그녀는 손을 뻗어 그를 만지려고 했다. 하지만 곧 탄닌의 얼굴과 모습이 사라졌다.

결계 속은 마치 무거운 짐을 지고 높은 오르막을 올라가는 듯한 중력을 받았다. 공주는 우물마루를 밟고 왼쪽 온돌방이 있는 곳으로 향했다. 자선당 내부는 온통 다 암흑이었다. 최씨 노인이 그녀의 눈을 밝혀준 것 때문이지 불빛이 없어도 공주는 자선당 안을 훤히 볼 수 있었다. 순간 세심하게 신경써준 할아버지가 너무나 고마웠다. 금세 지나 갈 곳 같았던 공간을 한참동안 걷고 있는 기분이었다. 그녀는 이것 또한 왕후 추씨의 결계 때문에 영향을 받고 있는 것이라 생각이 들었다.

드디어 온돌방에 들어가자 그녀는 으스스한 기운 같은 것을 느끼기 시작했다. 마치 등덜미에 찬물을 끼얹은 듯이 소름이 끼쳤다. 온돌방 내부의 공간을 나누기 위해 지게문에 장지 짝을 덧들인 문이 떨어져 나가 있었다. 이곳에서 무엇을 찾으려고 했는지 방안을 온통 뒤집어 엉망진창을 만들어 놓았다.

공주가 다시 복도로 나가 다른 방으로 향하려고 한 그때 눈이 여러 개 달린 그림자가 앞을 가로 막고 서 있었다. 갑자기 사면팔방에 짙은 연기가 자욱해지더니 괴물 같은 사내가 흉측스러운 얼굴로 그녀를 노려보았다.

"흐흐흐. 못 보던 얼굴인데…… 누구지? 음, 여기까진 어떻게 들어왔느냐?"

그가 여러 개의 눈을 뛰룩 굴리며 공주를 바라보았다.

"나는 이 나라의 공주이고, 세자 저하를 찾으러 왔어. 그 분이 어디에 계신지 나한테 알려 줘. 부탁이야."

그녀의 목소리는 한껏 부드러웠지만 상대를 제압하는 힘이 실려 있었다.

공주를 쳐다보고 있는 사내는 무언가 이상하다는 듯이 고개를 연방 갸웃댔다. 그의 여러 개의 눈들이 그녀를 이리저리 살피더니, 도무지 이해가 가지 않는지 원래 있던 위치로 들어갔다. 끝난 줄만 알았던 그 사내의 행동은 계속되었다. 이번에는 축축한 코를 벌룽벌룽하며 그녀의 냄새를 맡기 시작했다. 한참 만에 코를 뗀 사내는 답답했던지 숨을 길게 내쉬었다.

"정말이지, 넌 이상해. 너의 몸속에는 여러 개의 피가 흐르고 있거든! 인간의 피, 네피림의 피, 드래곤의 피가 들어가 있어. 으음, 네가 공주라고 했나? 난 사실 이곳에 들어 온 자는 한 명도 살려 보내지 않았지. 그게 내 임무니까……오래 전 세자를 구하러 들어 온 익위사 놈들을 한 명도 빠짐없이 잡아먹었지. 가끔 호기심으로 찾아 들어 온 몇몇 환관 녀석들과 궁녀들도 마찬가지였어. 그런데 모처럼 반가운 손님이 찾아오다니……난 역시 운이 좋은 것 같군 그래. 흐흐흐."

그녀에 대해선 그도 도대체 알 수 없다는 표정이었다. 하지만 곧 속마음을 내보이며 뾰족한 송곳니를 드러내며 낄낄거렸다.

공주는 눈앞에 있는 사내가 그동안 동궁전 주변에서 실종 된 궁녀들과 내관들을 죽인 범인이라는 것을 깨달았다. 곧바로 그자가 침을 흘리며 그녀를 향해 다가오기 시작했다. 그런데 그때였다. 그녀는 할아버지가 해 준 말이 문득 떠올랐다. 정신을 차리고 마음을 빼앗기지 말 것과 왕후 추씨의 피를 마신 자신만이 이 모든 결계를 뚫을 수 있다는 내용들이었다.

겁에 질려 두근거리는 마음을 겨우 진정시킨 그녀는 어마무시하게 생긴 사내를 향해 명령하듯 소리를 질렀다.

"썩 멈추지 못할까!"

"뭐? 지금……뭐하자는 것이냐?"

걸음을 멈춘 사내가 움찔 놀라더니 차츰 몸이 굳어져 갔다.

"이 결계는 추씨 여인의 피로 만들어졌다는 것을 모르느냐? 한낱 사악한 주술의 힘으로 만들어진 네놈이……감히 추씨의 피를 가진 나를 헤치려 드는 것이냐? 꼴도 보기 싫으니, 당장 내 눈앞에서 사라지거라!"

공주의 쩌렁쩌렁 울리는 목소리에 사내의 몸이 그 자리에 꼼짝없이 얼어붙고 말았다.

그녀의 호통에 그자의 몸이 돌을 조각하여 만든 석상처럼 빠르게 변해갔다. 그러자 그는 겁을 집어먹은 듯 얼굴이 기죽어 버렸다. 그러고는 금방 자기가 한 행동을 잊어 먹은 듯 사내는 비굴할 정도로 저자세를 취하며 그녀에게 애원하였다.

"세자 저하를 찾게 도와드릴 테니, 제발 절 죽이지 마십시오!"

"널 죽이지 않으면…… 정녕 내 뜻대로 할 것이냐?"

공주는 물끄러미 사내의 눈치를 살피며 그의 입에서 무슨 말이든지 나오기를 기다렸다.

"그야 여부가 있겠습니까? 주인님."

사내는 그녀를 주인님이라 호칭하였다.

"좋다. 내 너를 내 손으로 죽이지는 않겠다."

그녀가 그렇게 말을 하자 사내는 언제 그랬냐는 듯 금방 원래의 모습으로 돌아왔다.

"주인님, 저를 용서해 주시니 감사합니다. 무슨 일이든 시켜만 주십시오. 말씀대로 따르겠습니다!"

사내는 깍듯이 허리까지 굽혀 가며 용서를 구한 뒤 뒤로 물러섰다.

"내가 너한테 첫 명령을 내리마. 지금 당장 세자 저하가 있는 곳으로 나를 안내하거라."

그녀가 위엄에 찬 목소리로 명령을 내렸다.

"네, 주인님!"

그는 고개를 한번 숙인 뒤 뒤돌아서 길을 안내했다.

공주는 사내의 뒤를 따라 한때 침실 겸 서재로 사용하던 큰 방을 지나 기다란 복도에 들어섰다. 그 뒤편으로는 물건 등을 보관하

는 용도로 사용한 창고가 있었다. 조금 뒤 사내가 막다른 벽 앞에
섰다. 그곳 흰 벽에는 그림으로 그린 문이 마치 낙서처럼 삐뚤게
그려져 있었다.

"주인님, 바로 이곳이옵니다."

사내는 그림이 그려진 벽을 손으로 가리켰다.

"뭐? 여기라고?"

공주는 기막힌 상황을 보고 무척 당황스러워했다.

"그렇습니다. 저 문을 통해 들어가시면, 곧바로 지하로 내려가는
층계가 나옵니다. 층계를 밟고 아래로 내려가시면, 거대한 공간 속
에 미로 같은 통로가 보이고, 그 길을 따라 가시면 감옥이 나타날
겁니다. 바로 그곳에 주인님이 찾으시는 분이 계십니다."

사내는 여러 개의 큰 눈을 뒤룩 굴리며 벽을 바라보며 설명했다.

공주는 벽에 그려진 문을 어떻게 열 수 있는지 몰랐기에 한숨이
절로 나왔다. 갑자기 문을 열 수 없겠다는 절망감이 들자, 그녀는
별안간 걷잡을 수 없는 초조감에 휩싸였다.

"그런데 말이야, 저 문은 어떻게 열 수가 있지? 넌 할 수 없는
거야?"

그녀는 답답한 나머지 사내에게 물어보았다.

"네, 주인님. 전 문을 열 수가 없습니다. 오직 결계를 만든 자만
이 문을 열고 닫을 수가 있습니다. 제 생각에는 주인님께서도 가능
하시리라 봅니다. 음……가령, 이를테면… 문아 열려라하고…… 저
그림에다가 명을 한번 내려 보시면 어떨까요?"

사내가 힐끗 눈을 굴려서 그녀를 바라보았다.

사내의 말을 들은 후 그녀의 뇌리에 한 가닥 희망이 전광석화처럼 스치고 지나갔다. 그녀는 왕후 추씨가 문을 열고 들어갔다 나온 곳이라면 자신도 똑같이 할 수 있겠다는 생각이 들었다.

그녀는 즉시 벽에 그려진 그림 앞으로 바짝 다가갔다. 그런 다음 벽에 그려진 문을 쳐다보면서 조용히 입을 열었다.

"결계의 주인이 명하노니 문은 열릴지어다."

그녀의 간절한 바람에도 불구하고 벽 위에 그려진 문은 여전히 아무런 반응이 없었다.

"외람된 말씀이오나……한때 저의 주인이셨던 분은 목소리뿐만 아니라 손도 사용하셨습니다. 주인님도 한번 시도해보시죠."

그가 마치 자기 일처럼 눈치껏 훈수해 주었다.

"손을 사용했단 말이지? 으흠! 결계의 주인이 명하노니 문은 열릴지어다."

그녀는 목을 가다듬으려고 헛기침을 한번 하고는 두 손을 앞으로 내밀며 명령했다.

그러자 순간 뱀의 형상을 한 연기가 그녀의 눈앞에 나타났다. 그녀는 갑자기 튀어 나오는 뱀에 부닥트릴 뻔하자 깜짝 놀랐다. 넋이 달아날 만큼 힘이 쭉 빠져 그냥 그 자리에 주저앉고 싶은 심정이었다.

공중에서 똬리를 틀듯하던 뱀은 혀를 한번 날름 하더니, 벽에 그려진 문 속으로 쏙 들어갔다. 그러자 어느새 문이 짤깍하며 열렸다.

벽속에 문이 열리자, 곧장 그녀는 사내와 함께 층계를 따라 지하로 내려갔다. 사내의 말대로 자선당의 땅 밑에는 커다란 공간이 숨겨져 있었다. 촘촘하게 연결 된 미로는 길을 잘 아는 사내가 앞장서서 길을 안내했다. 미로 속은 서릿발같이 오싹한 한기와 함께 전율감이 들었다. 공주는 뭔가 몰려들 것 같은 불길한 예감이 갑자기 머리에 지나갔다. 사내는 여러 개의 눈으로 주변을 살피며 누군가를 경계하는 눈빛을 띠었다.

그런데 그때였다. 끔찍할 정도로 피에 굶주린 흡혈귀들이 사방에서 모습을 드러내며 몰려왔다. 공주는 무서운 광경에 당황했지만 침착하게 조금 전의 일을 떠올렸다. 괴물 같은 사내를 수종으로 부릴 수 있는 능력이 자신에게 있다는 것을 깨닫기까지 그리 긴 시간이 걸리지 않았다.

"뭘 하느냐? 당장 저 놈들을 내 눈앞에서 치워버려!"

그녀는 단호한 목소리로 지시를 내렸다.

"네, 분부대로 하겠습니다. 주인님!"

사내는 말이 끝나기도 무섭게 흡혈귀들을 향해 달려들었다.

그의 몸이 어찌나 빠르고 날렵한지 상대의 눈에 보이지 않을 정도였다. 사내는 양손에 든 쌍칼로 흡혈귀들의 급소인 목을 공격했다. 여러 개의 눈으로 공격할 목표물들을 미리 정한 뒤 눈 깜작할 사이에 목을 베는 식이었다.

그의 이런 적대적인 행동을 보고 크게 당황한 것은 지하 공간을 지키고 있던 흡혈귀들이었다. 사실 그들은 쌍칼을 사납게 휘두르고 있는 사내의 부하들이었기 때문이었다. 처음부터 흡혈귀들은 사내와 싸울 상대가 아니었다.

공주는 사내가 흡혈귀들의 목을 추풍낙엽처럼 떨어뜨리는 장면을 똑똑하게 봤다. 그렇게 그들의 싸움은 순식간에 모두 끝이 났다.

사내의 길 안내를 받은 공주는 호두열매의 속처럼 구불구불한 미로를 한 참 걸어서 갔다. 그녀는 어서 빨리 세자를 찾아야 한다는 심리적인 압박감에 시달리고 있었다. 그런데 희한하게도 그녀는 차츰 조바심 대신 지루해짐을 느끼기 시작했다. 이것 또한 결계의 영향을 받은 탓이라 여기고 바싹 정신을 차렸다. 그러자 곧 그 미로의 끝이 보이기 시작했다. 저 멀리서 쇠창살로 된 감옥이 보였다. 조금 뒤 그곳에 도착한 그녀는 먼저 눈을 크게 뜨고 감옥 주변을 살펴보았다. 공주가 그런 행동을 한 것은 좀 전처럼 무시무시한 흡혈귀들이 나타날까 봐 걱정이 되어서였다.

감옥 앞에는 횃불이 대낮처럼 타오르고 있었다. 어디선가 불어오는 바람 때문인지 횃불이 마치 깃발처럼 펄럭이며 소리를 내었다.

공주는 세자의 얼굴을 볼 생각을 하자 갑자기 긴장이 되고 호흡이 가빠졌다. 몸은 왜 이리 떨리는지 모를 일이었다.

공주는 긴장을 풀기 위해 두 주먹을 움켜쥐고, 동시에 두 다리에 힘을 주며, 조심스럽게 다가갔다. 쇠창살로 된 커다란 감옥 문에는 육중한 자물쇠가 단단하게 물려 있었다. 횃불이 널름 흔들릴 때마다 감옥 안에 있는 사람 그림자도 불빛에 너울거렸다.

긴장을 한 탓인지 그녀의 이마에 땀이 구슬구슬 맺히기 시작했다. 가까이 다가서자 쇠창살 너머로 그녀는 누군가가 앉아 있는 것을 보았다.

마음의 준비가 필요해서인지 잠깐 눈을 감았다 뜬 공주는 마른 침으로 목을 다듬고 나서야 겨우 입을 열었다.

"저……세자…저하…이시옵니까?"

횃불이 바람에 자꾸만 흔들리자 그에 따라서 감옥 안을 비추는 불빛도 흐려졌다 밝아졌다 춤을 추고 있었다. 등을 보이고 앉아있던 사내가 공주를 돌아다본 것은 바로 그때였다.

"누구……냐?"

사내는 무엇에 놀란 것 같이 어슴푸레 눈을 떴다. 오랫동안 지하 감옥에서 생활을 해서 그런지 그의 몰골은 말이 아니었다.

"전, 월령 세자빈 마마님과 세손 각하께서 보낸 공주라고 하옵니다. 그쪽은 세자 저하가……맞습니까?"

그 사내와 눈이 마주친 그녀는 놀란 가슴을 진정시키느라고 힘겹게 숨을 고르고 있었다.

"내가……이 나라 조선의 세자인……이현우다."

사내는 보기가 민망할 정도로 초췌해 있었으나 순간적으로 그의 눈빛이 번쩍 빛났다.

"오, 세상에 이럴 수가……세자 저하! 정말 살아계셨군요!! 소녀…저하께 문안드리옵니다."

그녀는 세자 저하가 살아있다는 사실에 너무 놀라고 감격해서 넙적 엎드려 절을 올렸다.

"정말…이냐? 세자빈이 살아있다는 게?"

세자의 목소리는 애절했다.

"그렇습니다. 저하. 세자빈 마마님께서는 무탈하십니다."

그녀는 공손하게 허리를 숙이며 사뭇 정중하게 말했다.

"그래……그래야지. 세자…빈이 살아 있었어. 흑흑… 세자……빈이."

세자빈이 무사하다는 소리에 그는 아이처럼 소리 내어 울기 시작했다.

"저하……."

세자가 슬프게 울자 그녀도 바닥에 엎드려 한참 동안을 흐느껴 울었다.

시간이 얼마만큼 흐른 뒤에 그는 천천히 입을 떼었다.

"조금 전 세손이 너를 보냈다고 했느냐?"

"그러하옵니다. 저하. 세손 각하께서는 지금 자선당 위에 계시옵니다."

그녀는 연신 옷깃으로 눈물을 훔치고 있었다.

"그럼 그때 뱃속의 아이가 태어나 몰라보게 장성했겠구나. 오, 이렇게 기쁠 수가 있나!"

세자빈과 세손이 살아있다는 말을 들어서인지 신기하게도 그의 얼굴에 핏기가 돌기 시작했다.

그때 자선당이 무너질 듯 요란한 소리가 들려왔다.

"감축드리옵니다. 그런데 저하! 우선 이곳에서 나가셔야 하옵니다. 자선당이 곧 무너질 듯하옵니다."

상황이 다급해지자 그녀는 하던 말을 서둘러 갈무리했다.

"그런데……내 몸 상태가 여의치가 못하구나. 보아하니 너도 혼자 들어 온 것 같은데…너만이라도 어서 여기서 나가거라. 이러고 있다간, 너와 나 둘 다 화를 입을 것이다. 그러니 어서 가거라."

세자는 그녀만이라도 살려 보내야 한다는 간절함에 어서 가라는 손짓을 했다.

"안됩니다. 소녀는 세자 저하를 이곳에서 반드시 모시고 나갈 것입니다. 여봐라! 어서 이 문을 뜯어 내거라!"

그녀가 고개를 돌려 어둠 속에 멀찍이 서 있던 사내를 향해 소리를 질렀다.

그녀의 명령이 떨어지자 그 즉시 육중한 체구의 사내가 여러 개의 눈을 굴리며 위협적으로 쩌벅쩌벅 다가왔다. 순식간에 그는 자물쇠로 굳게 잠겨 있는 문을 와락 흔들어 뜯어냈다.

너무 놀란 세자는 도대체 뭐가 어떻게 된 일인지 몰라, 멍하니 그 괴물 같은 사내를 바라보았다. 그때 자선당의 무게를 견디지 못하고 지하공간이 무너지기 시작했다. 천장에서는 흙더미가 부스스 무너져 내렸다.

"어서 세자저하를 밖으로 모시거라. 어서!"

그녀는 시간이 촉박하여 더 이상 지체할 수가 없었다.

"네, 주인님. 명을 받들겠습니다."

사내는 그녀의 지시에 따라 신속하게 움직였다.

눈앞에 사내를 알아 본 세자는 고개를 움츠리었다. 십칠 년간 지하 감옥에 갇혀 지내면서 그가 저지른 악행에 대해서 너무나도 잘 알고 있었기 때문이었다. 그때의 기억이 어제의 일인 것처럼 선연하게 떠올랐다. 그자는 살아있는 사람의 인육을 즐겨먹었다. 그런 사내와 얼굴을 마주하자 세자는 지난 날 사람들이 고통을 견디다 못해 질러 대는 고함과 비명 소리가 아련하게 들려오는 듯 했다. 그때의 받은 충격을 생각하면 지금도 부르르 치가 떨렸다. 감옥 안으로 들어 온 사내가 자신에게 바싹 다가서자 그 순간 세자의 눈꺼풀이 경련을 일으키고 있었다.

생각할 겨를도 없이 사내는 세자를 번쩍 안아 들고 밖으로 서둘러 밖으로 나갔다. 그가 공주가 시키는 대로 고분고분 말을 잘 듣는 것을 보고 세자는 의아하게 생각했다.

바로 그때 세자가 있던 쇠창살 감옥 안이 쿵하고 천장이 와르르 무너져 내려버렸다. 공주와 세자가 놀라 뒤를 돌아보니 먼지가 뿌옇게 일어나는 게 보였다.

그곳에 붕괴가 임박했는지 여기저기서 흙더미와 돌들이 쏟아져 내리고 있었다. 사방이 순식간에 먼지와 연기에 휩싸였다. 더욱이 지하 공간에 가득찬 매캐한 연기 때문에 숨이 꽉 막혔다. 공주는 과연 무사히 도망을 칠 수 있을 것인가, 생각하니 덜컥 겁이 나기도 했다. 그녀는 느슨해진 옷고름을 질끈 동여매며 사내의 뒤를 쫓아 뛰기 시작했다.

제**28**장 황홀한 비극

왕후 추씨는 예전의 모습하고는 사뭇 달라져 있었다. 긴 시간 동안 삼손과 탄닌 양쪽으로부터 협공을 받고 있지만 지친 기색 없이 그들의 검을 제대로 받아쳤다. 어느새 그들은 서로 수백 합을 주고받고 있었다.

그녀가 어디서 그런 힘이 나오는지 모르겠지만 차츰 조바심이 일어나기 시작한 건 삼손과 탄닌이었다. 처음부터 압도적인 힘으로 그녀를 제압하려고 했지만 막상 싸워보니 생각처럼 쉽지 않았다.

여태껏 그녀가 자신의 실력을 일부러 숨긴 것이라고 볼 수밖에 없었다. 탄닌은 그녀가 왜 꼭 그렇게까지 해야만 했는지 이유를 알고 싶었다. 분명 자신의 눈으로 들여다 본 그녀는 두려움과 불안에 사로잡혀 있었다. 하지만 지금 그녀의 속마음을 들여다보려고 여러 번 시도 해보았지만 번번이 실패하고 말았다.

삼손도 예외는 아니었다. 전혀 다른 사람이 되어 버린 그녀의 생각과 마음을 읽기 위해 살펴보았지만 모두 허사였다. 그녀에게 도대체 무슨 꿍꿍이가 있기에 그동안 약해 빠진 모습을 보였는지 궁금하기도 하고 걱정이 되었다.

그녀의 검은 뱀처럼 쉽게 구부러졌고 검날을 늘이다 줄이기를 자유자재로 구사할 수 있었다. 어찌 보면 탄닌이 사용하는 검의 기능과 엇비슷하게 보였다.

"너희 두 놈이 숨을 헐떡이는 것을 보니 벌써 지친 것 같구나."

그녀는 멸시에 찬 말투로 그들을 비웃었다.

"네 이년! 다시는 요망한 입을 놀리지 못하게, 네년의 혓바닥을 뽑아줄 테다!"

탄닌의 얼굴이 울그락불그락 달아올랐다.

"인간도 아닌 드래곤 주제에, 뚫어진 입이라고, 말 하나는 잘 하는구나!"

그녀는 탄닌을 향해 조롱하며 소리 내어 웃었다.

그녀의 말을 듣는 순간 탄닌은 머리를 쇠몽둥이로 맞은 것처럼 정신이 아찔해졌다.

"네가…… 그걸 어떻게 안 것이냐?"

그는 그녀가 자신의 정체를 알고 있었다는 것에 깜짝 놀랐다.

"네 어미를 빼다 박은 듯 닮았더구나. 둘이 하는 짓이 너무나 똑같아서 쉽게 알 수 있었지."

그녀는 의미심장하게 미소를 흘리며 그를 바라보았다.

서로에게 검을 겨눈 세 사람은 자선당 앞마당에서 커다란 원을 그리며 빙빙 돌고 있었다. 상대의 허점을 파악하려는 탐색전을 벌이는 중이었다. 그녀가 싸움 중간에 탄닌의 정체를 밝힌 것은 심리적 위축을 노린 고도의 계략이었다.

그것을 간파한 삼손은 질풍노도 같이 검을 휘두르며 그녀에게 달려들었다. 높이 든 검을 오른 쪽 어깨 위에서 왼쪽 복부 아래로 내리 그었다. 하지만 그녀는 이미 연기처럼 허공 속으로 사라졌다.

어느새 그녀는 삼손 뒤쪽에서 나타나 뱀의 혀처럼 날름거리는 검날로 그의 등을 향해 사정없이 내리그었다. 삼손은 미처 피할 겨를도 없이 그녀의 칼을 맞고 그대로 쓰러졌다.

"세손 각하!"

탄닌은 잠시 한눈을 파는 사이에 불의의 일격을 당한 삼손을 보고 소리를 질렀다.

곧장 쓰러진 삼손에게 달려 간 탄닌은 우선 그의 상태부터 살펴보았다. 다행인지 불행인지 그가 등에 짊어 메고 있던 검집이 그녀의 칼을 막은 것이었다. 삼손은 상대의 내공이 실린 검기의 위력 때문에 충격을 받고 심하게 넘어진 것이다. 한참 만에 삼손은 겨우 정신을 차리고 일어났다.

탄닌은 눈앞에서 삼손이 불의의 타격을 받은 것을 보고 그제서야 정신을 차린 모양이었다. 그는 곧장 눈을 부릅뜨며 주위를 살펴보았다. 조금 전 감쪽같이 사라진 그녀를 찾기 위해서였다.

삼손도 고개를 두리번거리며 그녀가 어디에 있는지 찾고 있었다.

그때 그의 손에 들려 있는 화염검이 심하게 흔들리고 있었다. 이번에도 검이 그의 손에서 스스로 빠져나갈 듯한 느낌이 들었다. 아니나 다를까, 순식간에 검은 그의 손을 빠져나갔다. 허공으로 쏜살같이 날아간 검은 커다랗게 화염을 일으키며 건청궁과 자선당 사이에 있는 숲속 안으로 들어갔다. 조금 뒤 검과 검이 부딪히는 소리가 요란하게 울렸다.

얼마 지나지 않아 칼날이 번쩍 거리며 검광이 폭발을 일으켰고 거대한 불길이 치솟았다. 뒤이어 화염검에게 쫓기듯 도망치는 왕후 추씨가 모습을 드러냈다. 그녀의 얼굴은 뜨거운 불길 때문인지 검게 그을려 있었다. 그녀는 끈질기게 쫓아오는 화염검을 이리저리 날아다니며 피하려 했지만 이마저 여의치가 않았다. 몇 번이나 순간이동으로 다른 장소에 몸을 숨겼지만 화염검은 어떻게 알았는지 바로 쫓아왔다.

자선당 상공 위에서 갑자기 멈춰 선 그녀는 빠르게 뒤쫓아 오는 화염검을 막으려고 자기의 검으로 힘껏 내리쳤다. 동시에 하늘에 뇌전이 일어나듯 파란 섬광이 번쩍이더니 금속성의 날카로운 소리와 함께 그녀의 검이 두 동강으로 뎅겅 부러졌다.

바로 그때 삼손과 탄닌은 기회를 놓치지 않고 땅을 박차고 공중으로 뛰어 올랐다. 그들은 그녀의 허점이 드러난 이상 그냥 내버려둘 수는 없었다. 삼손이 화염검을 향해 손을 뻗자 눈 깜짝 할 사이에 그의 손안으로 들어왔다. 탄닌은 기다란 검으로 부러진 칼을 붙들고 공중에 망연히 서 있는 그녀의 복부를 향해 찔렀다. 하지만 그의 공격을 눈치 챈 그녀가 몸을 급히 옆으로 회전하며 가까스로 화를 면했다.

그러나 삼손은 그녀의 움직임을 조금도 놓치지 않고 있었다. 불길이 거센 화염검을 쥐고 있던 삼손은 그녀가 숨 돌릴 틈도 없이 검을 휘갈겼다. 오른쪽 어깨서부터 왼쪽 복부까지 그리고 왼쪽 어깨서부터 오른쪽 복부까지 마치 기울어트린 열십자로 그녀의 몸을 갈랐다. 삼손에게 일격을 당한 그녀는 단말마의 비명과 함께 공포에 질려, 얼굴에 사색이 완연했다. 곧바로 그녀는 온몸에 심한 경련을 일으키며 땅으로 추락했다.

조금 뒤 쿵하는 소리와 함께 자선당 앞마당에 흙먼지가 뿌옇게 일어났다. 바로 뒤쫓아 내려온 삼손과 탄닌은 그녀가 아직 죽지 않고, 숨이 붙어 있는 것을 확인하였다. 두 사람이 가까이 다가가자 그녀의 눈은 붉게 충혈이 되어 있었다.

"이제… 속이 다 후련…… 하겠구나."

그녀가 힘들게 몸을 움직이더니 갑자기 울컥 피를 토해 내었다.

"죽음의 고통을 느껴보는 기분이 어떠냐?"

삼손은 솟구치는 피를 껄떡껄떡 입으로 삼키며 죽어 가는 그녀를 내려다보았다.

"나……는 죽…지……않을…것이다. 흐흐흐."

그녀는 무슨 이유에서인지 삼손과 탄닌을 번갈아 쳐다보며 비웃었다.

"너 또 무슨 짓을 하려고 하는 거야? 이제 다 끝났어! 그러니까 제발 여기서 멈추라고!"

탄닌이 그녀의 의중을 간파했는지 분노에 찬 목소리로 고함을 질렀다.

"그래……네 말대로…할 테니……지금 당장…너의 피를……나에게 다오. 흐흐흐."

그녀가 조소하듯 그를 노려보았다.

여전히 그녀는 드래곤의 피를 마시면 영원불멸의 삶을 살 수 있다는 말을 믿는 모양이었다.

"이런 어리석은 년 같으니라고! 네가 생각한대로 드래곤의 피가 영원불멸의 삶을 가져다준다면 ……드래곤인 우리 엄마도 지금까지 죽지 않고 살아있어야 했어. 내 말이 무슨 말인지 알고 있냐고?"

탄닌은 거짓에 속아 타인의 삶을 철저히 짓밟아 버린 그녀를 보며 분노가 치밀어 올랐다.

"넌 주상전하를 식물인간으로 만든 것도 모자라, 멀쩡한 세자 저하와 세자빈 마마를 내쫓아, 종묘사직이 송두리째 무너져 내리게 했다. 너의 그 간악한 세 치 혀로 조정 신료들을 개만도 못한 인간들로 바꾸어놓고 결국 나라를 망치고 말았다. 거기에다가 힘없는 백성들을 우매화하여 탐관오리들로 하여금 착취케 해 그들을 가난과 굶주림의 사지로 내몰았다. 또한 아무 죄도 없는 어린 아이들을 네가 섬기는 우상의 제물로 산 채로 바치는 악행을 저질렀다. 그뿐만이 아니라, 너를 길러주고 보살펴 준 스승님을 살해 한 것은 물론 이 나라의 국모이셨던 육영왕후님을 독살하여 시해한 죄는 죽음으로도 용서받지 못할 것이다."

삼손은 그녀의 죄목을 조목조목 짚어 가면서 지적했다.

"네놈들만…… 아니었어도… 이 조선은…… 내가… 바라던… 나라로…… 만들 수… 있었을 것이다. 그게…분하고……원통하구나."

그녀는 몸을 한번 뒤척일 때마다 깊은 상처가 건드려진 심한 통증으로 인해 고통스러운 신음 소리를 냈다.

바로 그때 쾅 하는 굉음과 함께 자선당의 지붕과 기둥이 뒤집어지면서 와르르 무너져 내렸다. 마당 안에는 순식간에 앞을 보기 어려울 정도로 희뿌연 연기와 먼지가 가득 찼다. 깜짝 놀란 삼손과 탄닌이 거의 동시에 고개를 돌린 것은 바로 그때였다.

"아바마마……공주야!"

얼굴이 하얗게 질려 서 있는 삼손이 애타는 목소리로 아버지와 공주의 이름을 불러 보았다.

자선당이 기둥 하나 남김없이 완전히 무너진 것을 확인한 순간 삼손은 이제 모든 게 끝이라고 생각하였다.

누구보다 큰 충격을 받은 탄닌은 마치 얼이 빠진 것처럼 처참하게 폭삭 무너져 내린 자선당의 터를 하염없이 바라보았다. 그런 그의 마음은 그저 허망하고 망연스러울 뿐이었다.

그런데 그때였다. 뿌연 연기 사이로 누군가의 모습이 알른거렸다. 그걸 놓칠 리 없는 탄닌이었다.

"세손 각하! 저기 좀 보세요!!"

무엇을 발견한 듯이 흥분한 그는 손을 들어서 어떤 방향을 가리켰다.

그의 말과 동시에 연기를 뚫고 나온 공주의 모습이 보였다.

"공……공주야!"

그녀를 보자 삼손은 너무 기뻐 목이 메었다.

"공주님!"

탄닌이 그녀가 무사한 것을 보자 기쁨과 반가움에 어쩔 줄 몰라
했다.

삼손은 아버지의 모습이 보이지 않자 약간 실망한 기분이 들었
다. 하지만 실망감도 잠시, 공주의 뒤쪽에서 거대한 체구의 사내가
누군가를 안고 나오는 모습이 보였다. 삼손이 자세히 보니 사내는
사람이 아닌 괴물이었다.

삼손은 그 사내의 품안에 안겨서 나오는 사람을 자세히 보니 직
감적으로 그가 아버지라는 것을 한눈에 알아보았다. 얼핏 보기에도
그는 몸이 많이 상해 있었고, 얼굴에 병색이 짙게 퍼져 있는 상태
였다.

삼손과 탄닌은 누가 먼저랄 것도 없이 공주에게 뛰어갔다. 그들
은 서로의 손을 붙잡고 기쁨의 눈물을 흘리기 시작했다. 조금 뒤
사내가 품에 안고 있던 세자를 삼손의 품으로 넘겨주었다. 오랫동
안 어두운 곳에 있다 밝은 곳으로 나온 그의 눈에는 천으로 덮여
있었다. 공주가 자기의 옷소매를 찢어 그의 눈을 가려 준 것이었
다. 그의 몸은 너무나 가냘파 보였다. 아니나 다를까 세자는 어린
아이보다 훨씬 가벼웠다. 그동안 제대로 못 먹었는지 검고 삐쩍 마
른 얼굴이 안타까워 삼손은 그만 눈물이 왈칵 쏟아졌다.

"누구냐? 누구인데……이리 슬피 우는 것이냐?"

눈을 가리고 있는 세자가 얼굴에 눈물이 떨어지자 고개를 움직

이며 물었다.

"아바……마마. 소자…아버님의……아들… 삼손이옵니다."

그는 목이 메어서 더 이상 말을 못하고 끝내 울음을 터뜨렸다.

"아니, 그게……사실이냐? 네가 내 아들……이란 말이냐?"

그가 손을 뻗어 삼손의 얼굴을 어루만지며 되물었다.

"흑흑, 그러하옵니다. 아바마마."

삼손은 온몸을 들썩일 정도로 심하게 울었다.

"오, 세상에 이럴 수가…어디보자 내 아들……."

자기를 안고 있는 사람이 아들이라는 사실에 그제야 세자도 눈물을 쏟기 시작했다.

그 시각 자선당에 커다란 변고가 생긴 것을 짐작한 한 무리의 군사들이 무장한 채 중행각의 문턱을 넘어 들어섰다. 뒤이어 세자빈과 최씨 노인의 모습이 보였다. 그리고 수없이 많은 내관과 상궁 그리고 궁녀들이 뒤따랐다. 그들 모두는 형체를 찾아볼 수 없을 만큼 한낱 건물 잔해 더미에 불과하게 되어 버린 자선당을 바라보며 할 말을 잃었다.

그때 세자빈은 땅바닥에 주저앉아 누군가와 서로 부둥켜안고 오열하고 있는 삼손을 발견했다. 그들을 보는 순간 그녀는 가슴이 철렁 내려앉았다.

그녀는 잠시 멍하니 서서 그들을 바라보더니 천천히 발걸음을 떼기 시작했다. 그녀가 가까이 다가가 확인해 보니, 차마 눈 뜨고는 볼 수 없을 만큼 몸이 말라있는 사내의 모습이 눈에 들어 왔다.

그가 마치 어린 아이처럼 삼손의 품에 안겨 목놓아 울고 있었다. 순간 몽둥이로 한 대 얻어맞은 듯 충격을 받은 그녀의 손이 떨리더니 뜨거운 눈물이 와락 쏟아졌다.

"저……하…이시옵니까?

그녀는 이내 그가 누구인지를 알아보았다.

세자빈의 목소리를 들은 세자는 삼손의 부축을 받고 겨우 자리에서 일어났다. 그는 소리가 나는 쪽으로 고개를 돌렸다. 그의 눈은 천으로 가리어 있었지만 목소리만 듣고도 그게 누구인지 구별할 수 있었다.

"월령……그대인 것이오?"

세자가 떨리는 목소리로 되물었다.

"흑흑……. 그러하옵니다. 저하. 제가…바로……월령입니다."

죽은 줄만 알았던 그를 본 순간 그녀의 얼굴은 눈물과 콧물로 온통 뒤범벅이었다.

눈을 가린 세자가 양팔을 벌려 기다리자 그녀는 한 발 한 발 내딛으며 그의 품에 안겼다.

"월령……그대가 맞구려. 그대가……."

그녀와 십수 년 만에 해후한 세자는 목이 메어 더 이상 말이 나오지 않았다. 대신 그녀를 와락 감싸 안았다.

그들은 살아서 만난 기쁨과 오랜 세월 보고 싶었던 그리움의 감정이 범벅이 되어 전신을 옥죄어 왔다. 그들 세 사람은 서로를 부둥켜 안고 그동안 흘린 눈물보다 더 많은 기쁨의 눈물을 쏟아 냈다.

그들 곁에서 그 광경을 지켜보던 궁궐의 많은 사람들이 눈물을 흘렸다. 그런데 그때였다. 세 사람의 모습을 보며 깔깔거리며 자지러지게 웃는 소리가 들려왔다.

사람들이 놀라 소리가 들리는 곳으로 고개를 돌려보니 땅바닥에 쓰러져 있는 왕후 추씨였다.

"네 이년! 여기가 어느 안전이라고, 함부로 요망하게 웃는 것이냐?"

그녀의 방자한 행동을 보다 못한 동궁전 황내관이 호통을 쳤다.

그 순간 탄닌은 왕후 추씨가 살아 있다는 사실을 뒤늦게 깨닫고, 내심 아차 하는 낭패의 표정을 지었다. 공주 옆에 서 있던 그가 얼른 쓰러져 있는 그녀 곁으로 달려가려 했지만 때는 이미 늦어 있었다.

혼신의 힘을 다하여 왕후 추씨는 땅바닥에 쏟은 자신의 피로 무언가 글자를 써가며 여러 가지 주술을 행하였다. 그러자 멀쩡하던 하늘에 갑자기 먹구름이 몰려왔다. 음산한 기운이 자선당에 가득해지자 그곳에 있던 사람들의 등골이 오싹해졌다. 또다시 사람들은 놀라서 웅성거렸다. 그들 모두가 놀란 낯빛이 역력했다.

곧 숨이 넘어갈 듯 그 어느 때보다 많은 각혈을 하고 그녀는 어느새 자신을 내려다보고 있는 탄닌과 눈이 마주쳤다. 칼에 베인 상처가 얼마나 고통스러운지 그녀의 시뻘건 두 눈이 두꺼비눈처럼 튀어나왔다. 곧 그녀는 힘겹게 그를 올려다보며 꾸짖듯 입을 열었다.

"네……놈이… 아무리 발버둥을 쳐도…… 소용없다. 그 아이가… 내가 못다 한 몫을 대신 맡아……되갚아 줄 것이다. 알겠느냐?"

"이 악랄한 년 같으니라고! 잘 가거라!!"

그녀의 말이 끝나기가 무섭게 탄닌은 그녀의 목에 검을 꽂았다.

순간 검이 꽂힌 자리에서 검붉은 피가 흥건히 배어 나왔다. 그녀는 원한에 사무친 듯 흰자위를 치뜨며 죽었다.

그녀가 죽자 곧 사라질 것으로 예상한 악의 기운이 오히려 더욱 강하게 발산되고 있었다. 자선당을 뒤덮은 먹구름이 순식간에 뱀의 형상으로 뒤바뀌었다. 궁궐에 모여 있던 사람들은 귀신이라도 본 듯 공포에 질려 몸을 바들거렸다.

그와 동시에 귀곡성과 같은 울음이 무시무시하게 자선당 안에 울려 퍼지기 시작했다. 군사들이 이리저리 사방을 살펴보았지만 어디에서 들려오는 소리인지 도통 알 수가 없었다.

최씨 노인이 이상한 낌새를 느끼고, 빛이 나오고 있는 지팡이를 높이 들어, 이리저리 주변을 비추었다. 바로 그때부터였다. 자선당의 무너진 건물 잔해들이 들썩들썩 움직이기 시작하더니, 그 속에서 붉은 불빛들이 나타났다. 순간 삼손은 머리카락이 쭈볏쭈볏 서는 느낌이 들었다. 그와 동시에 공주가 서 있는 자리에서 얼마 떨어지지 않은 무너진 건물 더미 속에서 흡혈귀들이 쏟아져 나왔다.

조금 전 공주가 지하에서 본 그 흡혈귀들이었다. 그들의 눈은 시뻘겠고 호랑이와 같은 송곳니를 드러내며, 곧장 중원에 모여 있던 사람들을 향해 달려들었다. 그냥 우두커니 서 있던 많은 사람들은 겁에 질려 얼굴이 금세 새파래졌다. 순식간에 귀를 째는 듯한 비명

소리가 여기저기서 들려왔다.

"어서 저 놈들을 막아라!"

공주는 곁에 서 있던 눈이 여러 개 달린 사내에게 급히 명령했다.

"지금은 안 됩니다. 제 몸이 움직이지 않습니다."

그 자의 몸은 돌처럼 굳어져가고 있었다.

"넌 왜 그러는 것이냐?"

그녀는 놀란 눈을 크게 뜬 채 사내를 쳐다보았다.

"저를…… 만든 그 여인이… 죽으면서…… 저주의 주술을 걸었기 때문입니다."

사내는 입도 돌처럼 변하는지 말도 어눌해지기 시작했다.

공주는 왕후 추씨가 죽으면서까지, 자기를 도와 준 사내를 돌처럼 만들었다는 사실에 경악했다. 그런데 그녀가 죽고 난 뒤에도 흡혈귀가 밖으로 나온 것은 도저히 이해 할 수가 없었다.

"너는 이 모양으로 변했는데…… 저놈들은 어떻게 살아있는 것이냐?"

사람들을 산채로 물어뜯고 있는 흡혈귀들을 쳐다보며 공주가 소리쳤다.

"그건……그 여인이… 죽기 전에 새로운…… 주술을 사용했기 때문입니다."

그자는 얼굴을 뺀 나머지 몸이 돌로 변한 상태였다.

"저 놈들을 막으려면 어떻게 해야 하는 것이냐? 아는 게 있으면 조금도 숨기지 말고 말하거라!"

공주는 몹시 다급한 목소리로 물었다.

"자선당 안에 펼쳐진……사술의 결계를 없애면 됩니다. 그러려면 결계를 만든 자의 기운을 흡수해야만 하는데……그건… 오직 주인님만이 하실 수 있습니다. 그 여인의 피를…… 갖고 계시기 때문이죠. 하지만, 그 방법은 상당히 위험합니다. 주인님도 그 여인이 행한 주술에 의해 조종당하실 수가 있습니다. 그런데도…… 하시겠습니까?"

사내는 이미 온몸이 돌덩이처럼 굳어진 상태였지만 그녀를 위해 알고 있는 사실을 모두 털어놓았다.

"뭐? 그녀의 기운을 내 몸속에……."

그녀는 사내의 말을 듣고 당황한 나머지 말을 잇지 못했다.

끝이 잘 보이지 않을 정도로 흡혈귀들이 바깥세상으로 쏟아져 나오고 있었다. 힘을 합친 삼손과 탄닌이 막아내고 있지만 상대의 숫자가 워낙 많아 버거울 지경이었다.

한편 최씨 노인은 세자와 세자빈을 지키기 위해, 동궁전 밖으로 그들을 피신시키고 있는 중이었다. 그곳까지 뒤쫓아 온 흡혈귀들을 행신 상단 단원들과 군사들이 막아서며 일진일퇴의 공방전을 벌였다.

궁궐 안에는 곳곳에 사람들의 시체가 널려 있었다. 그 광경은 차마 눈을 뜨고 볼 수가 없을 정도였다. 공주의 생각에 이대로 내버려두었다가는 더 많은 희생자가 나올 수밖에 없는 위험한 형국이었다.

"네가 말한 대로 하려면……내가 어떻게 하면 되는 거지?"

그녀는 말없이 생각에 잠겼다가 뭔가 결심을 한 듯 사내를 불렀다.

"아까……지하에서 문을 열 때, 하신대로만 하십시오. 그러면……될 것입니다."

왕후 추씨가 부린 주술에 당한 사내는 그 말을 마친 후 완전히 돌로 변해 버렸다.

추씨의 결계를 풀 시간이 얼마 남지 않았음을 깨달은 공주는 양 손을 높이 들고 공중에 떠 있는 뱀의 형상을 향해 소리쳤다.

"내 안에 있는 피로 명하노니…… 모든 결계를 풀고 나에게로 들어오너라!"

공주가 말을 하자마자 뱀의 형상을 한 먹구름이 발악을 하듯 괴성을 지르며 빠른 속도로 그녀에게 몰려가고 있었다. 거대한 뱀 같은 형상을 한 어두운 기운이 다가오자 그녀는 덜컥 겁이 났다. 두려움에 사로잡힌 공주는 그 모습을 차마 보지 못하고 두 눈을 질끈 감아 버렸다. 순식간에 뱀의 모양을 한 사술의 기운이 그녀의 몸속으로 쑥 들어가 버렸다.

눈 깜작할 사이에 벌어진 광경에 삼손과 탄닌이 경악을 금치 못했다. 조금 뒤 그녀는 사시나무 떨 듯 몸을 부들부들 떨기 시작하더니 이내 심한 발작을 일으켰다.

그런 공주의 모습을 본 탄닌이 걱정스런 빛으로 급히 그녀 곁으로 달려왔다. 그는 공주를 지켜주지 못한 자신에게 너무 화가 나 격정적 어조로 말하기 시작하였다.

"공주님! 정신 차리세요! 제발, 정신 좀 차려요!"

그의 말에 아무런 대꾸도 하지 않고, 몸을 심하게 떨고 있던 그녀가 갑자기 눈을 떴다. 그녀의 두 눈은 검은자가 뒤집어지고, 살기가 쏟아지는 흰자위만 보였다. 사랑스럽고 아름다웠던 얼굴은 어둡고 추하게 일그러졌으며, 따뜻하고 매혹적인 눈길은 온데간데없이 사라지고, 대신 찢어진 눈에 원한과 분노가 피어올랐다.

"흐흐흐. 내가 뭐라고 했느냐? 이 아이가 나를 대신해, 대업을 이루어 줄 것이라 하지 않았느냐?"

어둠의 기운이 들어 간 공주에게서 사악한 목소리가 흘러나왔다.

"이 사악한 년! 당장 그녀에게서 썩 나가지 못할까!"

탄닌은 왕후 추씨가 걸어놓은 주술의 기운이 그녀에게 들어간 사실에 분노가 치밀어 올랐다.

"어디 자신이 있으면 네놈이 한번 해 보거라! 호호호호호."

그녀의 요사스러운 웃음소리가 귀청을 찢어 놓았다.

지금 막 화염검으로 흡혈귀들을 모두 불태워 버린 삼손이 뒤늦게 그들이 서 있는 곳으로 다가왔다. 삼손은 공주가 한 눈에 봐도 악령에 씌어 있음을 직감할 수 있었다. 그녀가 이렇게까지 된 것을 보고 그는 울분이 목구멍까지 치받치는 것을 꾹 참았다. 자칫 화를 참지 못하고 칼을 휘둘렀다가는 공주가 다칠 수도 있었기 때문이었다.

바로 그때였다. 사라진 줄만 알았던 지하세계의 흡혈귀들이 무너진 건물 더미 속에서 다시 쏟아져 나오기 시작했다. 삼손은 사술로 만들어진 흡혈귀들을 없애기 위해서는 최종 숙주인 주술을 건 자를 반드시 죽여야 만 한다는 것을 깨달았다. 드넓게 퍼진 사술의 힘을 모두 흡수해 버린 공주를 없애는 도리 밖에는 달리 방법이 없었다.

궁궐 내 다른 사람들이 위험에 처하자 삼손은 쏟아져 나오는 흡혈귀들을 처단하기 위해 자리를 옮겨야만 했다.

"공주님! 지금 무척 힘들다는 것 알아요! 하지만 이겨내셔야 해요. 제가 알고 있는 공주님이라면 분명히 해내실 거예요."

탄닌은 간절한 목소리로 그녀를 설득했다.

"으윽……."

그의 말을 듣고 난 후, 갑자기 그녀는 머리가 아픈지 미간을 일그러트리며 고통스러워했다.

"공주님! 태룡산에서……저에게 자주 했던 말 기억나요? 포기하면 그 순간이 곧 끝이다! 이 말을 설마 잊으신 거는 아니죠? 그러니… 제발, 포기하지 말고 이겨내세요!"

그녀가 괴로워하는 모습을 보면서 그는 매우 큰 안타까움을 느꼈다.

순간 그녀의 눈이 정상으로 돌아왔다. 잔뜩 일그러져 있던 얼굴도 서서히 펴지기 시작했다. 그녀는 잠시 뒤에 눈앞에 바싹 서 있는 그가 누구인지를 알아보았다.

"탄닌! 혹시, 내가 무슨 짓을 한 거야? 나 때문에……일이 잘못된 건 아니지?"

공주는 몸속에 들어 있는 사술의 기운과 싸우고 있는지 아직도 고통받고 있었다.

"공주님! 돌아오실 줄 알았어요! 지금 당장 공주님 몸속에 들어 있는 사술의 힘을 내 보내세요. 어서요!"

탄닌은 손을 뻗어 그녀의 어깨를 잡고 애절한 목소리로 말했다.

그녀는 잠시 무너진 자선당 주변에서 흡혈귀와 치열하게 싸우고 있는 삼손과 군사들의 모습을 지켜보았다. 칼에 베인 흡혈귀들이 죽지 않고 다시 일어서는 장면을 보면서 그녀는 눈을 지그시 감으며 한숨을 내쉬었다.

그녀는 뭔가 결심을 했는지 자신의 어깨를 잡고 있는 탄닌의 손을 살며시 만져 보며 입을 열었다.

"탄닌! 네가 해준 말이 나를 깨우게 했어. 포기하면 그 순간이 곧 끝이다. 우리가 함께 태룡산에서 모험을 하면서 했던 말인데……내가 어떻게 잊을 수가 있겠어. 그래서 말인데……탄닌! 난 이 일을 해결해야 만 해. 이번엔 오라버니도…… 너도 아닌 내가 해야만 해. 그러니 내가 이번 일을 마무리 할 수 있도록 도와줘. 부탁이야."

그녀는 탄닌을 바라보며 애써 미소를 지었다.

탄닌은 그녀의 얼굴을 보자 과거의 기억들이 살아나기 시작했다. 그에게 있어서 두 번 다시 기억하고 싶지 않은 일이었다. 지금의 현실은 태룡산 동굴 속에서 본 장면 그대로였다. 그는 갑자기 고개를 숙인 채 저도 모르게 미간을 찌푸렸다. 그녀의 뜻대로 했다가 상황이 어떻게 될지 안심할 수가 없었기 때문이었다.

탄닌은 무엇보다 그녀의 안위가 걱정이 되었다. 그는 겉으로 내색은 안 했지만 혹시라도 그녀가 잘못되기라도 할까 봐, 얼마나 마음을 졸이고 있는지 모른다.

피할 수 없는 운명에 부딪힌 두 사람은 이제 결단을 내려야 할 시점이 됐다. 그녀의 생각을 꺾을 수 없다는 것을 안 탄닌은 한참 만에 목에 힘을 주며 입을 열었다.

"그 대신…… 제가 곁에 있겠습니다. 허락해 주시겠습니까?"

"아니……그래, 알았어. 그렇게 해."

그녀는 한번 결심한 일은 결코 뒤집지 않는 그의 성격을 잘 알기에 허락한다는 뜻으로 고개를 끄덕였다.

그녀는 흡혈귀와 싸우고 있는 삼손과 군사들이 있는 중원으로 걸음을 옮겨 갔다. 이미 많은 군사들이 풀밭에 피투성이가 된 채 쓰러져 있었다. 그 광경이 너무나 끔찍할 뿐만 아니라, 흡혈귀에게 물려 죽은 시체의 모습은 더 참혹했다.

삼손이 화염검으로 일거에 진멸시키면, 어디선가 떼거지 같은 흡혈귀들이 다시 몰려드는 형국이었다. 사술의 힘으로 만들어진 상대는 죽지 않고 끈질기게 되살아났다.

그런 와중에 갑자기 자선당 밖에서 시끄러운 소리가 들렸다. 동시에 흡혈귀들이 비명을 지르며 바퀴벌레 새끼 흩어지듯 도망을 쳤다. 뒤이어 최씨 노인이 강한 빛을 내쏟고 있는 지팡이를 높이 들고 자선당 안으로 들어왔다.

자선당 중원에 있던 흡혈귀들이 순간 강한 빛에 노출되자 괴로운 듯 소리를 지르며 발버둥을 쳤다. 그 모습을 본 최씨 노인이 높이 들고 있던 고대 마법의 지팡이를 힘껏 바닥에 내리 꽂았다. 그러자 지팡이에서 섬뜩할 정도로 날카로운 빛이 발산되었다. 그 빛은 마당에서부터 뻗어나가기 시작해 삽시간에 자선당에 퍼지고,

마침내 동궁전 전체를 삼켜 버렸다.

최씨 노인의 지팡이에서 나오는 빛이 너무 강렬하여, 그곳에 있는 사람들은 물론 흡혈귀들 조차 눈을 뜰 수가 없었다. 신기한 일은 사람들은 멀쩡한데 사술로 만들어진 흡혈귀들은 몸이 타들어 가고 있었다.

최씨 노인의 마법 지팡이가 삽시간에 동궁전과 자선당에 바글거리던 흡혈귀들을 모조리 진멸해 버렸다. 그와 동시에 공주가 탄닌의 부축을 받으며, 최씨 노인과 삼손이 서 있는 곳으로 다가왔다.

"앗!! 공주님! 괜찮으십니까?"

최씨 노인은 사술의 힘을 흡수해 버린 공주의 모습을 보고는 가슴이 아팠다.

"할아버지……놈들이 나오기까지… 시간이 얼마나 남았나요?"

공주가 몸속에 들어 있는 사술의 무게를 버거워하는 듯 했다.

"저, 그게 사실은……사술을 파괴하지 않는 이상, 곧 다시 나올 것입니다."

그녀의 안위 때문에 크게 상심한 터라, 최씨 노인의 목소리는 한없이 작아졌다.

아니나 다를까, 무너진 자선당의 건물 잔해 속에서 시뻘건 눈을 부릅뜬 흡혈귀들이 하나둘씩, 다시 나오기 시작했다.

"할아버지……그동안 베풀어 주신 은혜에 감사드립니다."

그녀는 머리를 숙여 공손하게 할아버지께 인사를 했다.

"공주……님."

최씨 노인은 목이 메어 아무 말도 할 수 없었다.

태룡산에서부터 최씨 노인은 어린 공주를 눈에 넣어도 아프지 않을 만큼 귀여워하며 각별히 사랑하였다. 그는 세자빈 월령과 마찬가지로 공주가 재롱을 떨고 무탈하게 잘 자라는 것을 보는 것이 큰 행복이었다. 하지만 지금 노인은 그녀가 스스로 위험을 무릅쓰고 사지로 뛰어든 것에 큰 충격과 함께 슬픈 마음을 달랠 길이 없었다.

"탄닌……나를 저 앞까지 데려다 줘."

그녀가 탄닌과 눈을 마주친 후 고개를 끄덕였다.

"네, 공주님."

그녀를 누구보다 걱정하고 있는 탄닌은 그 순간 억장이 무너지는 것만 같았다.

"공주야!"

삼손이 급히 공주를 불렀다.

앞으로 걸어가려 던 그녀가 뒤 돌아서 삼손에게 가볍게 눈인사를 할 뿐 말을 하지는 않았다. 그러나 공주의 애잔한 눈빛에는 삼손에게 무언의 말을 전하고 있었다. 사람의 생각과 마음을 꿰뚫어 볼 수 있는 삼손에게 어머니를 잘 부탁한다는 말을 한 것이다. 삼손은 그제서 알았다는 듯 고개를 끄덕였다.

탄닌의 부축을 받으며 공주는 무너져 내린 자선당의 건물 더미 앞에 가까이 다가섰다. 흉측하게 생긴 흡혈귀들이 그녀를 발견하고는 날카로운 이빨을 드러내며 달려들었다. 하지만 탄닌이 무섭게 휘두른 검에 그들의 목이 한꺼번에 잘려나가며, 떼굴떼굴 땅바닥으로 굴러떨어졌다.

그 사이 공주는 두 손을 앞으로 내밀어 자선당의 터를 향해 정신을 집중했다. 그리고 나서 그녀는 비장한 각오를 한 듯 무거운 음성으로 말을 하기 시작했다.

"사술로 만들어진 흡혈귀들아! 너희를 만든 피의 주인으로서 명하노니……모두 깊은 땅속으로 들어가거라! 두 번 다시, 지상으로 나오는 것을 금하노라!"

그녀의 말이 끝나기도 무섭게 건물 더미를 비집고 나오려는 흡혈귀떼들이 삽시간에 잔해 속으로 들어가 버렸다. 그녀는 여기서 그치지 않고 동궁전 하늘에 펼쳐진 사술의 결계를 향해서도 명을 내렸다. 그러자 하늘을 온통 뒤덮고 있던 먹구름이 순식간에 오그라들면서 시야에서 사라져 갔다.

곧바로 잔뜩 끼었던 구름이 걷히고, 거짓말처럼 맑은 하늘이 보이기 시작했다. 여느 날과 다름없이 햇볕이 쨍쨍 내리쬐는 날씨로 변하는 순간, 군사들이 환호성을 질러댔다.

그뿐만이 아니었다. 이번에는 공주가 무너진 자선당을 향해 두 팔을 넓게 벌리고는 무어라고 알 수 없는 말을 내뱉고 있었다. 그러자 그 주변으로 무슨 일이 곧 일어날 것만 같았다.

얼마 지나지 않아, 정말 놀라운 일이 터졌다. 갑자기 시간이 거꾸로 흐르는 기변이 일어난 듯, 무너진 잔해들이 허공에 떠오르기 시작했다. 바람 한 점 없는 청명한 날씨 가운데 벌어지고 있는 믿을 수 없는 놀라운 광경에 군사들은 입을 벌리고, 멍하니 바라다볼 뿐이었다.

마치 부러진 뼈들을 붙이듯이 자선당의 무너진 잔해들이 원래 있던 제자리로 찾아 들어가 서로 맞추기 시작했다. 이 일을 제대로 끝마치려면 적지 않은 시간이 필요했는지, 그녀는 팔을 들고 있는 것조차 힘겨워 보였다. 그녀가 이렇게 하는 동안 얼굴과 몸에서는 땀이 비 오듯 흘러내렸다.

그렇게 시간은 한없이 더디게 흘러가는 것 같았다. 삼손과 탄닌은 물론, 최씨 노인도 그녀의 뒷모습을 그저 안타깝게 바라만 볼 뿐, 아무 것도 할 수 없었다.

"세손 각하, 저……저기 자선당을 보십시오!"

어느새 삼손의 곁에 서 있는 황내관이 손가락으로 앞을 가리키며, 소리를 질러 대었다.

"그래. 보고 있네."

삼손은 자선당이 온전한 모습으로 돌아 온 것을 바라보며 나지막한 목소리로 입을 열었다.

그녀는 마침내 인고의 노력 끝에 자선당을 옛날의 모습 그대로 복원시켰다. 차마 꿈에도 보지 못한 기막힌 광경을 보러 온 내관과 상궁들 그리고 궁중 나인과 군사들이 여기저기에서 떼를 지어 웅성거리고 있었다.

사술의 힘을 몸속에 가두어 놓고 있는 그녀는 곧 기진맥진한 얼굴로 마침내 지쳐서 땅에 털썩 주저앉았다.

"공주님! 괜찮으세요?"

곁에 있던 탄닌이 걱정스러운 빛으로 조심스레 물었다.

"탄닌……이제 네 차례야. 날… 어서…… 죽여줘. 부탁이야!"

공주의 눈에서는 하염없이 눈물만 흐르고 있었다.

"아, 공주님……."

그녀를 죽여야만 모든 일이 끝난다는 것을 잘 알고 있는 탄닌은 목이 메어 말을 채 마치지 못했다.

삼손과 최씨 노인도 쏟아지는 눈물을 어찌할 수 없었다. 아무것도 모르는 사람들은 흡혈귀들이 모두 사라지고, 자선당마저 원래의 모습으로 돌아오자, 기뻐서 만세를 부르며 어쩔 줄을 몰라 했다.

"탄닌…… 네가… 나에게 말 못한 비밀이…… 바로 이거였던 거지? 걱정 마. 이건, 네 잘못이 아니야! 내가…… 선택한 길이야. 알았지?"

그녀의 얼굴에 또다시 검은 그늘이 드리워지고 있었다. 왕후 추씨의 사술이 그녀를 조종하려는 징조였다. 그녀는 몸속에 가둔 사술의 힘을 감당할 시간이, 얼마 남지 않은 것을 직감하고, 애원을 하는 눈빛으로 탄닌을 바라보았다.

"으음, 알겠어요. 공주님의 뜻이 정 그러하시다면……어쩔 수 없죠. 그렇게 해 드릴게요!"

탄닌이 눈물을 손바닥으로 닦은 뒤 그녀를 번쩍 안아 들었다.

"고마워……탄닌!"

공주는 그가 자신의 결정에 쉽게 따르기로 한 것이 좀 미심쩍었다. 하지만 지금 이 상황에서 그를 믿을 수밖에 달리 방법이 없었다.

"공주님! 그 대신 제가 하는 방식으로 끝낼 테니, 그리 알고 계세요. 알았죠?"

말이 끝나기도 전에 탄닌이 그녀를 아이처럼 품에 안고는, 땅을 박차고 하늘로 날아올랐다.

　그 광경을 본 삼손과 최씨 노인은 그가 무슨 짓을 하려는지 몰라, 어안이 벙벙한 얼굴로 그들을 쳐다보았다. 동시에 탄닌이 공주를 안고 하늘로 치솟아 오르자, 믿을 수 없는 놀라운 광경에 사람들은 입을 쩍쩍 벌릴 뿐이었다. 몇몇 사람들은 도깨비라도 본 듯 섬찟 놀라며 뒤로 발랑 나자빠졌다.

제29장 아, 내 친구여

'하늘을 날아 본 사람이 있을까?'

공주가 스스로에게 이런 질문을 할 때였다. 강한 바람 탓에 머리는 몹시 흐트러져 있었고 볼살이 춤을 추었다. 그녀는 아득히 멀어진 궁궐의 모습을 차마 보지 못하고 두 눈을 질끈 감아 버렸다. 호기심에 감았던 눈을 뜨고 밑을 내려다보자 갑자기 머리가 어찔하고 현기증이 났다.

그녀는 발밑을 내려다보지 않고 탄닌의 얼굴을 쳐다보았다. 그는 무표정한 채 뭔가 골똘히 생각을 하는 듯 보였다. 저 멀리 구름 밑에는 바다가 시야에 들어왔고 하늘과 맞닿은 수평선을 향해 배는 벌써 까마득하게 사라지고 있었다.

그녀는 하늘을 유영하고 있는 자신의 모습이 마치 새처럼 자유로워 보였다. 모든 근심 걱정이 바람결에 사라지는 것만 같았다. 몸속에 들어 있는 사술의 기운도 모두 날려 보냈으면 좋겠다는 생각이 순간 들기도 했다. 조금 뒤 낯익은 풍경들이 여기저기 눈에 띄었다. 발밑에는 우뚝 솟구친 여덟 개의 바위 봉우리가 보였다. 기이하게 생긴 봉우리 여럿이 어깨를 맞댄 채 줄지어선 태룡산은 선경처럼 신비스런 자태를 드러내었다.

어느새 두 사람은 태룡산 계곡에 도착했다. 그녀가 고개를 두리번거리자 바로 뒤로 탄닌과 오랜 시간을 함께 보냈던 동굴 입구가 보였다.

"어, 탄닌! 날 여기로…… 데리고 온 이유가 뭐야? 분명…… 사술의 힘을 없앨 시간이…… 얼마 없다고 말했잖아?"

공주는 의아한 듯 그를 보고 물었다.

"공주님은…… 훗, 이곳에서의 추억을 다 잊으실 수 있으세요?"

그녀의 의아한 눈길에도 불구하고 탄닌은 표정 하나 흐트러지지 않았다.

그의 말처럼 죽음을 생각한 그녀는 이곳을 다시 보게 될 줄은 미처 생각하지 못했다. 솔직히 그녀는 자신의 추억이 고스란히 깃들어 있는 태룡산에 오게 되어 너무나 기뻤다. 죽기 전에 그가 자신에게 주는 마지막 선물이라고 생각하니 마음이 뭉클해졌다.

"아니, 그럴 수 없지. 너와 나 그리고 할아버지와 월령아줌마의 추억을 어떻게 잊을 수가 있겠니? 정말…… 고마워! 네가 나에게

주는…… 마지막 선물이라 생각할게. 이곳에서의 추억은… 죽어서
도 잊지 못할 거야."

그녀는 지난날이 생각나는지 눈시울이 붉어졌다.

"참 나, 공주님이 죽기는 왜 죽어요? 공주님은 안 죽어요!!"

그는 확신에 찬 표정을 가지고 그녀를 바라보았다.

"뭐? 그게……무슨 말이야?"

그녀는 눈을 동그랗게 뜨고 그를 빤히 바라보았다.

"제가 한 말 안 들리세요? 공주님은 죽지 않는 다고요!"

그의 눈동자에는 슬픈 빛이 어리었다.

"죽지 않으면…… 내 몸속에 들어 있는 사술의 힘은 어떻게 하
고? 이대로 그냥 나두면… 또다시 이 세상을 멸망시키려 들 거야.
바로 내가 말이야!"

그녀는 생각하면 생각할수록 작금의 현실이 속상했다.

"그런 일은 일어나지 않아요.……내가 그 힘을 모두 가져 갈 거
니까……."

탄닌은 말을 끝마치기도 전에 공주의 안면혈을 손가락으로 지그
시 눌렀다.

그가 공주의 양쪽 귓불 뒤쪽 목과 머리가 만나는 부분의 움푹
들어간 안면혈을 누르고 있자 그녀의 시야에서 탄닌의 얼굴이 점
점 멀어져만 갔다. 곧장 그녀의 눈꺼풀이 스르르 내려 감기며 잠이
들어 버렸다.

탄닌은 마치 보물단지를 다루듯 잠든 그녀를 조심스럽게 안았다.
그는 계곡 큰 바위에 자신의 두루마기를 깔고 그녀를 그 위에 눕

헸다. 그 계곡의 바위는 탄닌과 공주의 꿈과 추억이 깃들어 있는 곳이기도 했다.

그가 가까이서 공주를 바라보고 있는 동안 슬픈 기운이 그녀의 얼굴을 떠돌고 있었다. 둘도 없는 단짝 친구였던 그녀가 그런 무시무시한 일을 당했다는 게, 측은도 하고 너무 안쓰러웠다. 지금이라도 당장 잠들어 있는 그녀를 꼭 끌어안아 주고 싶었다. 하지만 지금은 그녀를 살리는 것이 급선무였다.

'살려야 한다. 반드시 이 아이를 살려야 해……'

눈시울이 뜨거워진 탄닌은 서둘러 그녀의 가슴을 향해 닿을 듯 말 듯 하게 손을 뻗었다. 그러고는 손바닥을 펴서 기를 손에 모아들이 듯, 그녀의 몸속에 있는 사술의 기운을 거두어들이기 시작했다. 그러자 곧 그녀는 괴로운 듯 몸을 비틀었다. 동시에 그녀가 잠결에 낸 신음 섞인 비명 소리가 계곡에 흘러내리는 물소리와 함께 섞여 울려 퍼졌다. 그렇게 시간은 흘러갔다.

그는 한참 만에 공주의 몸속에 있는, 사술의 기운을 모두 빼내었다는 것을 깨닫고는, 숨을 길게 내쉬었다. 즉시 손을 거두어들인 그의 얼굴 표정에는 안도의 기색이 희미하게 엿보였다.

그녀의 얼굴은 원래대로 평온한 상태의 모습을 되찾았다. 그는 그런 그녀의 모습을 그리움에 가득 찬 시선으로 바라보았다. 다시는 그녀를 볼 수 없다는 사실이 그를 고통스럽게 만들었다.

그녀를 다시 한양 도성으로 데려다 주기 위해 탄닌이 허리를 굽히려는 순간이었다. 숲 뒤쪽에서 강한 살기가 느껴졌다. 아니나 다를까, 곧바로 고요한 숲의 정적을 깨뜨리면서 한 사내가 인기척을 내고 다가왔다.

탄닌이 잠시 허리를 펴고 서서 누구인지 쳐다보았다. 곧이어 3미터가 훨씬 넘는 큰 키에 육중한 체구의 웬 사내가 위협적으로 쩌벅쩌벅 다가왔다. 흐트러짐 없이 걷는 걸음걸이며, 절도 있는 몸동작이 어디서 본 것 같은, 낯이 익은 모습이었다. 그 사내는 왕후 추씨를 상징하는 청, 황, 녹색의 뱀 표식이 새겨져 있는 후위무사용 갑옷을 입고 있었다.

"이봐! 그 여인을 데리고 어딜 가려는 것이냐? 설마 도성으로 돌아가려고 했느냐?"

눈빛이 예사롭지 않은 거구의 사내가 묵직한 음성으로 탄닌을 불렀다.

"아니, 너는⋯⋯신전에서 보았던 그 호위무사가 아니냐?"

탄닌은 사내의 목소리를 듣자마자 그제야 누구인지 생각이 났다.

"하하하, 생각보다 기억력이 그리 나쁘지는 않구나!"

갑옷을 입고 장검을 들고 있는 사내의 웃음소리는 마치 그를 조소하는 듯 했다.

"그러잖아도 너의 모습이 통 보이지 않길래 궁금했는데, 이곳에서 만나다니 정말 뜻밖이구나. 음, 아니지⋯⋯이번엔 내가 한번 물어 보마. 한양에서부터 우리를 쫓아 온 진짜 이유가 무엇이냐?"

탄닌은 모든 것을 이미 다 알고 있다는 듯한 얼굴로 그를 바라보았다.

"역시, 왕후 마마님께 듣던 대로 눈치가 빠른 놈이로구나. 그럼 네놈이 내 손에 죽는다는 것도 알고 있겠구나! 하하하하하."

네모로 각진 얼굴에 성깔깨나 있어 보이는 사내는 좀처럼 어울리지 않는 웃음을 호탕하게 터뜨렸다.

"오호, 신전에서 아이들을 구한다며 동료의 목을 벤 것도, 이제 보니 모두 거짓이었구나. 하기야, 사악한 왕후의 호위무사였던 네놈이, 하루아침에 고결한 인격으로 바뀌었다는 것을 난 믿지 않았지. 그래서 널 눈여겨보았던 거다. 워낙 연기가 서툴렀거든. 쯧쯧!"

탄닌은 고개를 절레절레 저으며 상대방을 바라보았다.

"아쉽게도, 나와 같은 동족인 왕후님은 죽었지만……난 네놈을 기필코 죽여, 드래곤의 피를 마시고야 말겠다."

순간 사내의 두 눈에 살기가 서려 있었다.

"쯧쯧! 네놈도 결국 내 피 때문이었구나. 참으로… 한심한 놈 같으니라고."

말이 채 끝나기도 전에 그가 검을 꺼내 들었다.

그런데 그때였다. 거구의 사내 뒤로 한 무리의 사내들이 쇠사슬을 절걱거리며 다가왔다. 탄닌은 그들을 보자 깜짝 놀랐다. 그들은 다름 아닌 셀라의 수하에 있던 용 사냥꾼들이었다. 지난번 용 사냥꾼 마을에서 태룡산 분지마을을 습격했다가 붙잡힌 네피림들을 고문했던 그자들이었다.

오랜 세월 동안 용 사냥꾼들과 네피림종족의 관계는 분쟁을 계속해 왔고 서로 적대적인 사이처럼 앙숙이었다. 그런 그들이 한데 뭉쳐 나타났다는 것은 예삿일이 아니었다.

"푸하하하하! 네놈이 놀라는 걸 보니, 잔뜩 겁을 집어먹었구나. 하긴, 네피림과 용 사냥꾼들의 조합이 흔하지 않을 테니, 그럴 만도 할 테지.”

　사내는 상대의 당황한 기색을 보자 낄낄거리며 웃기 시작했다.

　‘분명 셸라족장이 죽고 난 후, 저들 세계에 무슨 일이 생긴 게 틀림없어.’ 하고 탄닌이 속으로 생각했다.

　네피림과 용 사냥꾼들은 그로서도 쉽지만은 않은 상대였다. 특히 나 고대 마법을 부리는 용 사냥꾼들이 있기에 그는 신경을 곤두세우지 않을 수 없었다. 조금 전 공주에게서 사술의 기운을 모두 빨아들인 탄닌은 여기서 시간을 지체하는 동안 자신이 흑화되지는 않을까 걱정이 앞섰다. 영물인 자신이 공주보다는 더 많이 견딜 수는 있겠지만, 자칫 잘못했다가는 몸속에 있는 사술의 기운이 폭발할 수도 있었기 때문이었다.

　“호호호. 순순히 너의 피를 나눠주면…… 저 여인과 함께 순순히 돌려보내 주겠다. 만약, 내 말을 거역한다면, 네놈과 저 여인을 죽일 수밖에 없다. 그리고 나서 천천히 죽은 네 몸을 갈라서 그 속에 들어 있는 피를 마실 것이다. 자, 어떻게 할 것이냐?”

　무섭게 눈을 희뜩이며 탄닌을 노려보고 있는 사내의 말은 최후통첩인 셈이나 다름없었다.

　영문도 모른 채 잠들어 있는 공주를 바라보던 그는 생각에 잠겨서 잠시 말을 잃고 있었다. 잠시 뒤 드디어 결심이 선 듯, 두 눈을 똑바로 뜨고 매서운 눈초리로 상대를 쏘아보았다.

　“네놈은 방금 해서는 안 될 말을 내뱉었어. 감히 이 나라의 공주님을 죽이겠다고 협박 하다니……웬만하면, 귀찮아서 그냥 가버릴까도 생각했는데……난, 모욕적인 말을 들으면 다시 되갚아줘야

직성이 풀리는 성격이거든. 후후! 너 오늘 상대를 잘못 건드렸어."

탄닌은 분노가 번뜩이는 눈으로 상대를 번갈아 노려보며, 여유 있게 웃음을 한 번 씨익 웃었다.

그의 용맹스러운 기세에 사내와 용 사냥꾼들은 잔뜩 주눅이 들어 있었다. 그런데 그때 왕후의 호위무사였던 사내가 갑자기 무슨 용기라도 얻은 듯 소리를 지르며 그에게 달려들었다. 그러자 기회를 찾지 못하여 머뭇거리고 있던 용 사냥꾼들도 쇠사슬과 무기를 들고 가세하기 시작했다.

탄닌은 눈앞에서 상대가 달려오는 것을 보고, 잽싸게 청룡언월도 같은 기다란 검으로 바위 주변에 동그랗게 원을 그렸다. 그러자 곧바로 불이 마구 활활대며 하늘 위로 치솟았다.

무섭게 달려오던 상대는 울타리처럼 쳐진 원 앞에 이르러 걸음을 멈추었다. 탄닌이 동그랗게 그린 원을 따라, 불길은 더욱 맹렬하게 뻗쳐오르기 시작했다.

원 밖으로 활활대는 불길 소리와 함께 뜨거운 열기가 계속 뿜어져 나왔다. 사내와 용 사냥꾼들이 감히 탄닌이 있는 곳으로 접근조차 하지 못했다. 한편 고막이 터질 듯한 상대가 내지르는 시끄러운 욕설과 고함 소리에도 불구하고 공주는 잠에 취해서 일어날 줄을 몰랐다. 탄닌이 그런 그녀를 번쩍 안고 그 자리를 막 벗어나려고 하는 순간이었다.

박박 밀어 버린 머리를 한 용 사냥꾼 하나가, 쇠사슬을 잘깡거리며, 원 안쪽으로 집어 던졌다. 곧장 쇠사슬은 공기를 가르는 소리와 함께 포물선을 그리며 길게 날아갔다. 순식간에 쇠사슬은 원 안쪽으로 날아들어 와, 마침 그녀를 안고 하늘로 오르려던 탄닌의 한 쪽 다리를 휘감았다. 탄닌은 올무에 걸린 새처럼 발버둥치다가, 그만 몸의 중심을 잃고 뒤로 쓰러졌다.

다행히 그가 공주를 품에 안고 있었기 때문에, 그녀에게는 땅바닥에 넘어진 충격이 거의 가지 않았다. 탄닌이 겨우 몸을 가누고 공주를 안고 일어났다. 싸우지 않고 그냥 자리를 피하려고 했던 그의 계획이 바뀌는 순간이었다. 그는 공주가 계속 잠들어 있는 편이 낫다 생각하고는 그녀를 다시 바위 위에 조심스럽게 눕혔다. 그러고 나서 탄닌은 그녀의 이마에 입을 맞추고 그윽한 눈으로 잠시 쳐다보았다.

그런데 그때였다. 둔탁한 금속성의 소리가 다시 귓전에 들려오고 있었다. 순간 그는 몸을 옆으로 급히 돌려 회전하며 피했다. 알고 보니 그 소리는 용 사냥꾼들이 던진 쇠사슬이 날아오는 소리였다. 그는 즉시 상대를 다른 곳으로 유인하기로 마음먹었다. 계속 이곳에 있다가는 공주의 안위마저 위험할 수 있었기 때문이었다.

갑자기 탄닌은 무슨 생각을 했는지, 바닥의 흙을 한 움큼 집어 들고, 무언가 말을 하기 시작했다. 그런 다음 손바닥을 편 그는 움켜쥔 흙을 아랫입술에 붙이고, 후후 입김을 불어 주었다. 그러자 금세 무언가 흙을 비집고 튀어나왔다. 어느새 그의 손바닥 위에 솜털이 보스스 돋아나 있는 날개달린 새가 모습을 드러냈다.

드래곤의 마법으로 급조해 만든 것 치고는 여느 다른 새들과 비교해 어떤 것이 진짜이고, 어떤 것이 가짜인지 잘 구별되지 않았다.

"너는 지금 당장 그분을 찾아뵙고 모시고 오너라. 알겠지?"

탄닌이 손바닥에 있는 새의 얼굴을 뚫어져라 쳐다보았다.

그러자 새가 알아들었는지 하늘로 호로록호로록 날아갔다.

순간 사방에서 쇠사슬이 날아들었다. 탄닌은 쉴 새 없이 날아드는 쇠사슬을 검으로 쳐내고는 전광석화처럼 사내의 옆을 치고 들어갔다. 그러자 깜작 놀란 사내와 여러 명의 용 사냥꾼들이 뒤로 흩어졌다. 왕후의 호위무사였던 사내와 용 사냥꾼들도 그의 실력을 잘 알고 있었기에 선뜻 덤비지 못했다. 탄닌도 지금 당장은 검을 사용할 생각이 없어 손을 내린 후 그냥 앞으로 나아가는 시늉을 했다. 싸움에서 방심은 금물이지만 그는 크게 걱정하지 않아도 될 듯하다고 상대에게 자신감을 내비친 것이나 다름없었다.

그때 기회를 엿보던 사내가 길이 여덟 자 칼을 세게 휘두르며 달려들었다. 웬만한 장정의 키보다 훨씬 큰 검날이 위에서 아래로 내려오자 탄닌이 부드럽게 몸을 돌려 피했다. 혼신의 힘을 다해 뛰어왔는지 사내의 숨소리가 거칠게 씨근거렸다. 지친 기색이 완연한 사내는 그만 멈추고 싶었지만, 여전히 검을 내리고 있는 탄닌을 보자 욕심을 부리기로 작정했다. 그는 이번에도 손을 높이 들고 탄닌의 등을 후려갈기기 위해 검을 힘차게 내리그었다.

하지만 탄닌은 그의 거친 숨소리를 듣고, 이미 검의 공격 방향을 간파하고 있었다. 이명과 같은 쉭 소리가 들리는 듯싶더니 탄닌은 급히 몸을 구부리며 전방낙법을 연상케 하는 앞구르기 동작으로 빠져나왔다.

탄닌은 지금껏 그 사내의 보법을 파악했고 그의 팔동작에 주목하고 있었다. 지난 번 그가 신전에서 동료들과 싸울 때 보여준 그의 검술에는 큰 변화가 없었다. 탄닌은 네피림들의 욕심이 이렇게까지 크리라고는 상상도 못했다. 지금 눈앞에 서 있는 사내도 이미 죽은 왕후 추씨와 마찬가지로 끝없는 탐욕을 추구하는데 있어서 별반 다를 게 없었다.

사내는 마치 산에 오르는 사람처럼 가쁜 숨을 몰아쉬었다. 탄닌이 검을 빼들고 그를 향해 가까이 다가섰다.

"크헉……."

반신반인인 그 사내의 배를 뚫고 창이 들어 온 것은 바로 그때였다. 사내의 배를 뚫고 창이 계속 날아오자 탄닌은 반사적으로 몸을 피했다.

간신히 창을 피한 탄닌이 고개를 돌려보니, 조금 전에 자신에게 쇠사슬을 던진 민둥산 머리의 용 사냥꾼의 짓이었다. 네피림 호위무사는 비명도 지르지 못하고 그대로 땅바닥에 엎어졌다.

"와, 이건…… 또 뭐지? 쯧쯧, 너희는 참으로 예측할 수 없는 놈들이로구나!"

방금 전 사내를 죽인 용사냥꾼의 행동을 보면서 탄닌은 어이가 없다는 듯 혀를 끌끌 찼다.

"저놈이 죽은 것이 피차간에 잘된 일이 아니냐? 어차피, 오래 살려 둘 마음도 없었거든. 감히 네피림 종족 주제에, 우리에게 이래라 저래라 참견을 하다니…… 정말 눈꼴사나워, 봐주기 힘들었지. 흐흐흐."

용사냥꾼은 조롱하는 얼굴로 죽은 사내를 내려다보았다.

"그러니까 뭐야? 결론은… 너희들끼리 내 피를 다 잡수시려고…… 저놈을 죽였다 이거잖아? 야, 이 썩을 놈들아! 네놈들이야 말로 먼저 죽은 저놈보다, 더 악질이네."

탄닌은 고개를 절레절레 저으며 한 무리의 용사냥꾼들을 바라보았다.

"저런, 참 안됐구나. 너를 지켜 줄 셀라족장도 죽고……알루쉬도 지금 여기 없으니, 이제 넌 죽은 목숨이야! 어서 저놈을 산 채로 포획하거라!!"

민둥산 같은 머리를 한 자가 우두머리였는지 그의 명령이 떨어지자 여러 명의 용사냥꾼들이 그를 에워싸기 시작했다.

"잠깐! 셀라족장이 나를 지켜 주었다고? 그게 무슨 소리냐?"

탄닌은 그가 왜 그런 말을 했는지 영문을 몰라 어리둥절하기만 했다.

"그것 보아라, 너도 이해가 가질 않지? 하물며, 용을 사냥하는 일을 천직으로 여기고 사는 우리는 어떠했겠느냐? 흐흐흐. 우린 네가 우리 마을에 왔을 때부터 네놈의 냄새를 맡고, 정체를 알고 있었다. 그런데 이상하게도, 셀라족장은 우리 부족원들에게 절대로 널 죽이지 말라는 명령을 내렸지. 이건 어디까지나 내 추측이지만, 그 이유가 바로 알루쉬 때문이 아닐까 싶었다. 원래 셀라족장과 알루쉬는 서로 죽고 못 사는 사이였거든. 흐흐흐. 아니나 다를까, 내 예상은 적중했지. 아쉽게도 이미 족장은 죽었고, 그 명령은 쓸모없게 되었어. 이젠 홀가분하게 너의 피를 얻을 수 있게 된 거야. 푸하하하하!"

그는 마치 형장의 망나니처럼 입술에 침을 튀겨 가며 지껄였다.

"결국 네놈들은 족장을 배반한 것이나 다름없다. 또한 신의를 쉽게 저버리는 쓰레기 같은 놈들이었어! 내 기필코 네놈들의 명줄을 끊어서…… 셀라족장의 명예를 지켜줄 것이다!"

모든 사실을 알게 된 탄닌이 분노에 찬 목소리로 소리를 질렀다.

"거 참, 곧 죽을 놈이 말이 많구나!"

더 이상 할 말이 없는 듯 그들은 서로를 향해 서슬 퍼런 검을 겨누고 있었다. 곧바로 검을 휘두를 듯 각자의 손에 힘이 바짝 들어갔다. 거기에다 서로를 향한 날카로운 눈빛이 더해져 극도의 긴장감을 감추지 못하고 있었다.

눈앞에 자신을 에워싸고 있는 사내들을 바라보는 탄닌의 눈빛은 형형하게 빛나고 있었다. 그는 오랜 시간 동안 그림자처럼 함께 단련 해 온 예리한 긴 검으로 들이찌르기 시작했다.

갑작스런 그의 파상 공격에 용사냥꾼들은 당황했고 일시에 상대의 전열이 흐트러졌다. 금세 포위망에서 벗어나자마자 탄닌은 땅을 박차고 뛰어올라 단번에 곰같이 생긴 사내의 목을 내리쳤다. 순간 사내의 머리가 댕강 잘리며 허공에 둥 떠 버렸다.

순식간에 벌어진 일에 다른 용사냥꾼들이 하나같이 충격과 경악을 금치 못하는 표정이었다.

눈앞에서 동료가 죽는 것을 본 사내 하나가 발광에 가까운 악다구니를 쓰며 탄닌을 향해 덤벼들었다.

완전히 이성을 잃은 듯한 사내와 달리 그는 침착한 눈으로 상대방을 쏘아보았다. 사납게 생긴 사내가 무식하게 검을 마구 휘둘러 대자 탄닌은 이리저리 피하며 상대의 동작 하나하나를 유심히 살펴보았다. 사내의 키는 단신이었지만 힘은 장사였고 빠르기는 비호 같았다.

탄닌은 감정을 다스리지 못하고 덤벼드는 사내의 검술 동작이 여러모로 허술하다는 것을 간파했다. 그는 급하게 검을 내리치는 상대의 약점을 치는 측공의 방식으로 되받아쳤다. 한 치의 양보도 없이 두 사람이 휘두르는 검과 검은 서로 부딪칠 때마다 빛이 번쩍거리며 검광을 내뿜었다.

그때 탄닌의 검날 위로 햇빛이 반사되자 사내가 눈이 부시는지 눈살을 쨍그린 것은 바로 그 순간이었다. 탄닌은 그 기회를 놓치지 않고 사내의 빈 곳을 향해 날카롭게 돌려 차기를 날렸다. 곧장 사내는 그만 중심을 잃고 뒤로 나가 자빠졌다.

탄닌은 잠시도 지체함이 없이 쓰러져 있는 사내를 향해 달려들어 머리에서부터 발끝까지 그대로 검을 그어 내렸다. 순식간에 사내의 비명소리와 함께 검붉은 피가 사방으로 튀었다.

나머지 무리들이 그 광경을 보고 극도의 공포에 빠졌다. 멈칫 물러서려던 무리를 향해 우두머리가 고함을 질렀다. 그의 불호령에 마지못해 다시 창을 잡은 한 무리가 몰려와 탄닌에게 창을 휘둘러 댔다. 그가 수십 개의 창을 피해 공중을 날면서 검을 휘두를 때마다 나는 쉭 소리가 예리한 검기를 느끼게 했다. 태룡산 계곡에는 수십 명이 합세하여 검과 창이며 쇠사슬을 휘두르고 탄닌을 거세게 몰아쳤다.

상대는 혼자가 아닌 집단을 이루고 공격해오고 있었기 때문에 탄닌이 그들 모두의 초식을 뚫기 위해서는 강력한 수단을 사용해야만 했다. 시간이 흐를수록 용사냥꾼들과 용족의 후예인 탄닌의 싸움은 일진일퇴의 호각지세였다. 그렇게 어려운 상황에서 마침 좋은 생각이 탄닌의 머리에 떠올랐다.

흙, 물, 불의 마법을 쓸 줄 아는 탄닌은 절벽을 타고 떨어지는 계곡의 폭포수를 잠시 멈추게 했다. 곧바로 물이 흐르는 방향을 바꾼 그는 자기에게 맹렬히 달려드는 용사냥꾼들을 향해 물을 세게 분사시켰다. 그러자 곧 파도와 같은 거센 물줄기가 그들 앞으로 쏟아졌다. 난데없이 물벼락을 맞은 용사냥꾼들은 강력한 수압을 견디지 못하고 모조리 물에 휩쓸려 태룡산 깊은 계곡 밑으로 떨어졌다.

그 광경을 지켜보고 있던 우두머리와 몰살 직전에 살아난 두 명의 사내가 큰 충격을 받은 듯했다. 더 이상 잃을 것이 없다고 생각한 세 사람은 악에 받친 고함을 내지르며 쇠사슬과 창을 휘두르고 또다시 탄닌에게 달려들었다.

아주 짧은 순간 우두머리로 보이는 사내의 생각은 급반전했다. 상대와 싸워 이길 승산이 없었으므로 상황을 뒤집기 위한 돌파구로 삼기 위해 표적을 바꿨다.

두 사내가 눈깔을 뒤집고 탄닌에게 덤벼들자 그 틈을 타서 우두머리인 사내가 공주가 있는 곳으로 접근했다. 하지만 상대의 행동을 놓칠 리 없는 탄닌이었다.

그는 공주가 위험에 빠질 수도 있다는 생각에 마음이 점점 조급해지기 시작했다. 이럴 때는 싸움을 빨리 끝내버리는 수밖에 없었다. 그러나 두 명의 사내는 죽기 살기로 덤벼들고 있었다. 그동안 탄닌과 싸운 대다수가 몇 합을 견디지 못하고 목이 달아나는 경우가 많은 반면, 그 둘은 제법 잘 버티며 시간을 끌었다.

바위 위에 누워있는 공주는 여전히 깊은 잠에 취해 있었다. 탄닌이 쳐 놓은 울타리 같은 불기둥을 뚫고 사내 하나가 들어 온 것은 바로 그때였다. 잠에 취해 누워있는 공주의 미모가 그 사내의 눈길을 끌었다. 공주의 아름다움에 한동안 정신을 차리지 못하던 사내가 순간 그녀에 대한 욕정을 느꼈다.

그는 이왕 죽을 목숨 이러나저러나 매한가지라는 생각이 들자 그녀에게 못된 짓을 하기로 마음먹었다. 그리고 그는 지난 번 태룡산에서 붙잡아 온 네피림들에게 고신을 행한 당사자였기 때문에 그녀의 몸속에 드래곤의 피가 흐른다는 것을 기억하고 있었다. 그래서 우두머리 사내는 탄닌의 피를 빼앗지 못할 바에는 차라리 잠들어 있는 공주의 피를 빨아먹는 게 낫겠다고 생각한 것이다.

자신의 수하들이 의외로 탄닌을 잘 막아주고 있다는 생각에 그는 그녀에 대해 더욱 욕심이 생겼다. 그는 곧장 음흉한 속내를 드러내고 그녀의 얼굴을 어루만지면서 속삭이듯 말했다.

"서방님이 금방 끝내 줄 테니…가만히 자고 있기만 하라고. 흐흐흐."

누군가가 몸을 더듬으면서 속삭이는 소리에 그녀는 눈을 떴다. 자욱한 안개가 낀 것처럼 시야가 뚜렷하지 아니하고 흐리게 어른거렸다. 그러다 차츰 보이기 시작한 것은 누런 이를 드러내고 씩 웃고 있는 낯선 사내의 얼굴이었다. 그제야 그녀는 자기가 어디에 있는지 알아차리고 벌떡 몸을 일으켰다.

"지금 뭣 하는 짓이냐? 썩 물러나지 못할까!"

그녀는 분홍색 저고리의 옷고름이 풀려있는 걸 본 순간 화들짝 놀라며 고함을 질렀다.

"아니, 이년이 어디에서 소리를 지르고 있는 게야!"

사내는 무서운 눈을 하고 공주의 뺨을 사정없이 갈기었다.

공주는 용사냥꾼의 매서운 따귀를 맞은 뒤 외마디 비명과 함께 그만 중심을 잃고 쓰러졌다. 그녀는 너무나 갑작스러운 충격에 몸을 움츠리며 놀랐다.

한편 두 명의 사내들과 치열하게 싸우고 있던 탄닌은 그녀의 비명 소리를 듣고 뒤돌아섰다. 빨리 싸움을 끝내야 한다는 압박감 때문에 마음이 초조해졌다. 그가 곧장 그녀에게로 달려가려고 하는 순간 창과 검을 든 두 상대가 앞을 가로 막았다.

그때 탄닌은 기다란 검날로 선을 그리듯 땅에 마찰시키며 불꽃을 일으키었다. 그 즉시 땅에 그려진 선을 따라 화르르 뜨거운 불길이 치솟았다. 두 사내가 불을 뚫고 넘어오려고 시도했지만 불길이 걷잡을 수 없이 커지자 감히 엄두조차 내지 못했다.

탄닌은 상대가 주춤거리고 있는 것을 보고 재빨리 화염을 방사했다. 한참을 멍하니 보고 있던 용사냥꾼들은 미처 피할 겨를도 없이 순식간에 몸에 불이 붙었다. 맹렬히 타오르는 불길에 휩싸인 사내들은 고통 속에 비명을 지르며 살려 달라고 애타게 부르짖었다. 그 모습을 보고 있던 탄닌의 눈 속에는 분노의 불길만이 이글거리고 있었다.

그는 곧바로 공주가 있는 곳으로 뛰어 갔다. 탄닌이 그 곳에 도착한 때는 눈 한 번 껌뻑 감았다가 뜬 시간이었다. 그가 불로 만든 울타리 안으로 들어가자 바닥에 꼼짝없이 엎어져 있는 공주를 발견하고 깜짝 놀랐다. 혹시 공주가 잘못되지나 않았을까 하는 염려로 가슴을 졸이며 가까이 다가갔다. 사색이 된 그는 조심스럽게 그녀를 양팔로 일으켜 세웠다. 그녀의 얼굴은 말로 표현할 수 없을 정도로 참담하게 일그러져 있었다.

그녀는 사내에게 얼굴을 세게 맞는 바람에 눈 주위가 퍼렇게 멍들어 있었고 볼이 뻘겋게 부어올랐다. 파르르 떨고 있는 그녀의 입술은 찢어져 피가 흐르고 있었다. 그는 그녀가 아파하는 모습을 보자 자기의 살점을 도려내는 듯 가슴이 아렸다. 바로 그때 공주의 옷고름이 풀려있는 것을 본 탄닌은 순간 눈이 뒤집힐 정도로 분노가 치밀었다. 그는 자기가 없는 동안 우두머리 사내가 그녀에게 무슨 짓을 하려고 했는지 단박에 알아보았다.

그런 와중에 한쪽 구석에서 웃통을 완전히 벗고 비열하게 웃고 있는 사내의 얼굴이 보였다.

"야, 너 잠깐 이리 와 봐. 이리 안와!"

그 순간 탄닌은 온몸의 피가 거꾸로 솟구치는 듯한 분노를 느꼈다.

"저 계집의 피를 살짝 맛만 봤을 뿐인데… 아주 달콤하구나. 여러 가지 피가 섞여 있는 것이 좀 아쉽기는 하지만 역시, 드래곤의 피는 다르단 말이지."

마치 술에 취한 사람처럼 약간 비틀거리던 사내는 곧 조롱하는 듯한 말투로 낄낄거리며 소리 내어 웃었다.

"야, 이 개새끼야!"

갑자기 탄닌은 자리에서 벌떡 일어나더니 칼끝을 겨누고 와다닥 사내에게 달려들었다. 그는 눈에 띄게 살기가 돌 만큼 거칠어졌다.

비틀거리던 상대는 당황하여 순간적으로 달아나려 했지만 전광 석화와 같이 빠른 그의 검을 피할 수는 없었다. 탄닌은 달리던 속 도를 줄이지 않고 그대로 사내의 심장을 검으로 찔렀다.

그런데 뭔가 이상했다. 탄닌의 검에 찔린 사내는 비명 한 번 크 게 지르지 않고 누런 이를 드러내 보이며 웃고만 있었다. 그러고 나서 조금 후에 사내는 하얀 연기를 뿜으며 감쪽같이 증발해 버렸 다.

탄닌은 갑자기 눈앞에서 사라진 사내로 인해 시선을 어디에다 두어야 할지 몰라 당황하였다. 곧바로 그는 고개를 두리번거리면서 사라진 사내를 찾기 위해 바짝 신경을 곤두세웠다.

어디에선가 쇠사슬이 바람 가르는 소리를 내며 탄닌을 향해 날 아든 것은 바로 그때였다. 순식간에 날아 든 쇠사슬이 쩔거덩 소리 를 내며 그의 양팔과 몸을 세게 휘감아버렸다.

이윽고 나타난 사내는 곧장 탄닌의 양팔과 양다리를 또 다른 쇠 사슬로 칭칭 감아 꼼짝하지 못 하도록 결박하였다.

"푸하하하하! 결국 네놈도 어쩔 수가 없구나. 지난 수백 년 동안 우리 용사냥꾼들은 너희 용족들을 사냥하기 위해 별의별 방법을 다 써 보았다. 결과는 거의 대부분 성공을 했지. 처음엔 다들 너처 럼 용맹스럽게 호기를 부렸어. 하지만 붙잡히고 난 뒤에 고문을 당하기 시작하면 상황이 달라졌지. 으흐흑, 나 좀 살려 주세요. 제발… 살려 주세요! 하고 눈물, 콧물, 침을 질질 흘리며 애원했었지. 흐흐흐, 곧 네놈도 그리 될 것이다."

사내는 노골적으로 비아냥거리며 불쑥 손을 내밀어 그의 턱을 잡았다.

"으… 으윽. 마법을 쓰다니……제법이구나. 어딘가 하는 짓이 시원찮아서…… 초짜인줄만 알았는데…….

그는 몸에 칭칭 감긴 굵은 쇠사슬이 서서히 몸을 조여 오고 있었다.

"흐흐흐. 셀라족장만 아니었어도 네놈은 벌써 죽은 목숨이나 진배없다. 그러니 너무 아쉬워하진 말거라."

사내는 눈을 할끗 흘기며 탄닌을 쳐다보았다. 그리고는 예리한 단검을 목에 들이대고 위협하기 시작했다.

"으윽……내 반드시 약속하마. 이 결계를 푸는 순간……네놈의 머리와 팔, 다리를 차례대로……고통스럽게 잘라주겠다."

탄닌은 자신이 위기에 몰린 것을 알고 아연해졌다. 하지만 공주를 구하는 것이 급선무였기 때문에 무슨 수를 써서라도 고대 마법이 걸린 쇠사슬을 풀어야만 했다.

"곧 죽을 새끼가 입만 살아가지고는 쯧쯧."

사내는 그를 노려보며, 더 이상 듣기 싫은지, 그의 왼쪽 가슴에 칼을 콱 꽂았다.

"으……으악!"

그가 극심한 고통을 참지 못하고 눈을 까뒤집으며 자지러지도록 비명을 질렀다.

사내가 칼을 뽑자 순식간에 그의 가슴에서 피가 사방으로 솟구쳤다. 그 사내는 그것을 놓치지 않고 물을 마시듯 입을 벌리고 피를 벌컥 마시기 시작했다. 시간이 얼마나 흘렀는지 한참 만에 사내가 입을 떼었다. 얼마나 피를 허겁지겁 마셨는지 사내의 얼굴은 온통 피투성이였다.

많은 양의 피를 흘린 탄닌은 그만 의식을 잃고 고개를 푹 떨구었다. 그와 동시에 바위 주변으로 쳐져있던 불기둥으로 만든 울타리가 소멸되었다.

"흐흐흐. 첫맛이 어떠냐? 아직 본격적으로 시작도 안 했는데……으흠, 벌써부터 이러면 재미가 없지 않은가. 오호, 이제야 알았다. 너를 흥분하게 만들 좋은 방법이 있었지. 바로 저 여인을 재미삼아 노는 일 말이다. 푸하하하하!"

사내는 의식을 잃고 쇠사슬에 묶여 있는 그를 바라보며 실실 쪼개며 웃었다. 그러다 갑자기 사내는 뒤돌아섰다. 그가 바닥에 쓰러져 있는 공주를 응시하며 음흉한 웃음을 지었다. 곧장 그녀에게 다가간 사내가 그녀를 번쩍 들어올렸다. 그러고는 평평한 바위 위에 그녀를 내려놓고 자기의 욕정을 채우려는 웃음을 흘리고 있었다. 그때 마침 차가운 바람이 바위틈에서 스며 나와 그녀의 얼굴을 스치고 지나갔다. 그제야 그녀는 부스스 눈을 뜨며 사내의 얼굴을

마주 보았다. 하지만 그녀는 이것이 꿈인지 생신지 긴가민가 가물거린다고 생각했다. 그러다가 그녀가 다시 한번 눈을 감았다가 뜬 순간 소스라치게 놀라고 말았다.

얼굴이 피투성이가 된 짐승 같은 사내가 누런 이를 드러내 보이며 자기에게 몹쓸 짓을 하려고 손을 내밀고 있었다. 그녀는 혼신의 힘을 다해 바위 위에서 옆으로 몸을 굴렀다. 다행히 사내의 손아귀에서 벗어난 그녀는 필사적으로 도망치기 위해 탈출구를 찾아보았다. 그러던 중 그녀는 쇠사슬에 묶여 죽은 듯이 고개를 떨구고 서 있는 탄닌을 발견했다. 그가 어떠한 지지대도 없이 정신을 잃고 서 있는 걸로 보아 마법에 걸린 것이 분명했다. 그녀가 더욱 충격을 받고 놀란 것은 조금 전 본 사내의 얼굴에 묻은 피가 실은 탄닌의 피였다는 사실이었다. 공주는 그가 죽은 것처럼 보이자 순간 온몸에 힘이 쑥 빠지는 걸 느꼈다.

"흐흐흐. 어딜 도망가려고 하는 것이냐? 아무리 뛰어 봐도 소용없다. 넌 결코 내 손에서 벗어날 수 없어. 푸하하하하!"

사내가 고개를 제껴 가며 계곡이 떠나가라 할 정도로 비열하게 웃어대었다.

"탄닌에게 도대체 무슨 짓을 한 거야? 어서 말해……대체 무슨 짓을 한 거냐고!"

공주는 순간 지금껏 참았던 눈물이 단번에 왈칵 쏟아졌다.

"보시다시피 내가 저 드래곤의 피를 다 마셔버렸어. 그리고 나서 널 즐겁게 해주려던 참이었지. 이 내숭쟁이야. 흐흐흐."

반라의 몸으로 서 있는 사내는 부끄러움도 모르는지 히죽거렸다.

"이 사악하고 더러운 놈! 내 기필코 네놈의 사지를 찢어 죽여주마!"

공주는 자선당에서처럼 양팔을 들어 무언가를 시도하려고 했지만 아무런 반응이 없었다.

"푸하하하하! 미친년처럼 아주 지랄을 떨고 있구나? 그래, 너와 재미 보기 전에 한 가지는 말해주마. 네 몸 안에 들어있던 사술의 힘은 어리석게도 저 녀석이 몽땅 가져가 버렸다. 어차피 그냥 나두었어도 죽을 놈이었어. 그러니 날 너무 원망하지 말거라."

사내는 벗겨진 머리의 정수리를 몇 번 긁고 난 뒤 적반하장 격으로 생색을 냈다.

"안 돼… 안 돼… 안 돼."

그 사내의 말을 듣고 난 뒤, 그녀는 경련이 일어나는 입술을 지그시 깨물고 뜨거운 눈물을 흘렸다.

"흑흑, 탄……닌. 탄…닌. 탄닌!"

그러다가 곧 그녀는 목을 놓아 울기 시작하더니 그의 이름을 세 번 불렀다.

"저놈을 깨우기에는 이미 늦었다. 아무리 그렇게 불러 봐도 소용없어! 넌 이제 내 거야!!"

우두머리 사내는 둘 사이가 보통이 아니었음을 눈치 채고 샘이 났다.

"아니야! 탄닌은 아직 죽지 않았어!! 탄닌이 깨어나서 네놈을 죽이고 말거야!!"

그녀는 악에 받쳐 사내를 향해 소리를 질렀다.

사내가 더 이상 안 되겠다 싶었는지 눈을 치켜뜨고 그녀를 붙잡으려고 몸을 움직이기 시작했다. 공주의 얼굴은 눈물로 흠뻑 젖어 있었다. 순간 그녀는 두 주먹을 불끈 쥐고 복받치는 슬픔을 죽이며 이를 악물었다. 짐승 같은 사내에게 몸을 더럽힐 바에는 죽기를 각오하고 싸우겠다고 결심했다. 그녀는 어려서부터 자라 온 태룡산을 그 누구보다 잘 알고 있었기에 한번 해 볼만 하다는 기분이 들었다.

저 괴물 같은 사내를 유인하기 위한 최적의 장소를 생각하던 공주는 탄닌과 함께 놀던 동굴이 문득 떠올랐다. 그녀는 어두컴컴한 동굴 속을 불빛에 의지하지 않아도 자유자재로 다닐 수 있었기 때문에 할 수 있다는 용기가 생겨나기 시작했다.

그녀는 땅에 있던 돌멩이 하나를 집었다. 사내가 바위 옆에 엉거주춤 서 있는 공주를 우습게 여기는 듯 피식피식 웃으며 성큼 성큼 위협적으로 다가오기 시작했다. 그녀는 이성을 잃은 사내가 자기를 향해 걸어오자 뒷걸음질로 물러나며 일정한 거리를 두고 동굴로 뛰어갈 기회를 엿보고 있었다.

사내가 마치 굶주린 맹수처럼 그녀를 향해 땅을 박차고 오르려 하자 그녀는 사내를 향해 돌멩이를 힘껏 던졌다. 순식간에 날아오는 돌멩이에 사내가 이마 한가운데를 정통으로 맞았다.

탁 하는 소리와 함께 그 남자는 그 자리에서 앞으로 폭 고꾸라졌다.

그녀는 사내가 쓰러진 때를 놓치지 않고 계곡 옆에 있는 동굴을 향해 뛰어갔다. 그녀는 빽빽하게 심어진 나무들 사이로 난 잡풀들을 밟으며, 뒤도 돌아보지 않고 동굴로 내달렸다. 어려서부터 자주 다녀 본 곳이라, 눈을 감고도 쉽게 찾아갈 수 있는 길이었다. 그녀는 거친 숨을 발딱거리며 이를 악물고, 죽기 살기로 뛰었다. 숲길을 지나오자 눈앞에 외나무다리가 보였다. 그녀는 오랫동안 습관처럼 해오던 대로 가슴을 활짝 펴고는, 심호흡을 크게 한 번 했다. 그러고는 외나무다리를 사뿐히 밟으며 건너갔다. 그녀는 다리를 건너고 난 뒤 동굴입구가 보이자 위험한 고비를 넘겼다는 생각에 안도의 기색이 희미하게 비쳤다.

그런데 그때였다. 갑자기 누군가가 나뭇잎을 밟는 소리가 뒤쪽에서 들려왔다. 그러고는 그녀의 뒷등으로 검은 그림자가 드리워져 왔다. 그녀가 얼른 뒤를 돌아보니 외나무다리 건너편에서 용사냥꾼 우두머리 사내가 자기를 노려보고 있었다. 그녀는 이마가 찢어져 얼굴 전체가 피투성이가 된 사내의 모습을 보자 그만 가슴이 덜컹했다.

그녀가 땅에 있는 돌들을 집어 사내를 향해 마구 집어 던졌다. 머리와 얼굴 그리고 가슴에 돌을 맞은 사내는 몇 번 쓰러질 듯하더니 곧 중심을 잡고 다시 일어섰다. 그녀는 돌에 맞고도 멀쩡한 사내를 보고 사색이 되어 동굴 속으로 달아났다.

오랜만에 온 동굴 안은 여전히 음침하고 매우 어둡기 짝이 없었다. 그녀는 어려서부터 해오던 대로 불어오는 바람을 정면으로 마주하고 동굴 안쪽으로 깊숙이 들어가고 있었다. 바로 그때 느닷없이 귀를 찢는 듯한 고함 소리가 들려왔다.

"네년이 어디까지 가든지 찾아 낼 것이다! 내 손에 잡히는 순간 단단히 각오해야 할 것이야!"

그녀는 숨소리조차 죽여 가며 한 걸음 한 걸음 조심조심히 안쪽을 향해 더 깊이 들어갔다.

제30장 혈투

그가 좁고 깊은 골짜기에 도착하자 기암바위 사이로 끊임없이 쏟아지는 거대한 물줄기가 보였다. 고개를 완전히 뒤로 젖혀야만 정상을 볼 수 있을 만큼, 높고 가파른 절벽들이 폭포 주변을 병풍처럼 에워싸고 있었다. 그때 기암바위 위에 한 여인의 모습이 홀연히 나타났다.

그는 잠시 여인을 바라보다가 본능적으로 그녀 곁으로 다가갔다. 그가 자기에게 오고 있는 것을 알고 있는 여인은 고개를 돌려 환한 웃음을 지어 보였다.

"오, 탄닌! 몰라보게 많이 컸구나."

그녀가 그의 이름을 알고 있었다.

"누구시죠? 저를 어떻게 알고 계신건가요?"

그는 처음 보는 그녀가 자기에 대해서 얼마나 알고 있는지 궁금했다.

"아주 오래 전부터 널 알고 있었단다."

그녀의 목소리는 따뜻했고 얼굴에는 미소가 깃들어 있었다.

"혹시, 엄마? 당신은…… 엄마가……맞죠?"

탄닌은 직감적으로 그녀가 자기의 엄마라는 사실을 깨달았다.

"그래, 네 말이 맞아. 탄닌! 내가 바로 네 엄마란다."

어느새 그녀의 눈에 눈물이 가득 고여 있었다.

"흑흑, 엄마……보고 싶었어요. 너무나…… 보고 싶었어요."

탄닌은 어린아이 같이 그녀의 품에 안겨 엉엉 소리 내어 울기 시작했다.

"그래 나도…… 탄닌…널 많이 보고 싶었단다."

그녀는 탄닌의 등을 어루만져 주며 아픈 마음을 위로했다.

"엄마, 이제 두 번 다시 헤어지지 않을 거예요."

그가 그녀를 꼭 껴안으며 다짐했다.

그 순간 그녀는 그의 얼굴을 유심히 살펴보며 무언가 말을 할 듯 말 듯 입술을 달싹였다.

"혹, 무슨 일 있으세요?"

탄닌은 재빨리 눈치를 채고 궁금한 듯이 엄마의 얼굴을 바라보았다.

"탄닌! 네가 이곳으로 오는 도중에 망각의 늪을 지나 온 것 같구나. 너의 얼굴에 수심이 가득 찼는데…… 그 이유를 잊어버린 것 같아. 물론, 여기서는 세상에서의 모든 것과 단절이 되는 것이 맞는단다. 그런데 왠지, 너의 얼굴과 마음에서, 깊은 슬픔과 회한이 느껴지고 있어. 혹시, 그 아이 때문에 그러는 것이니?"

그녀는 그의 마음과 생각을 꿰뚫어 보고 있었다.

"어떤…… 아이요? 누구를 말씀하시는 거죠?"

그녀가 누구를 말하는지 도대체 생각이 나지 않았다.

"내가 목숨을 걸고 신전에서 구해낸 아이 말이다. 네 기억 속에는 그 아이의 이름을 공주라고 불렀더구나. 꽤나 가까운 사이인 것 같던데……정말 기억이 안나니?"

그녀가 갑자기 그의 이마에 손가락을 갖다 대며 재차 물었다.

"공주……공…주. 아, 맞다. 생각났어요! 잠깐, 그런데……지금 그녀가……으윽! 목숨이…… 위험해요!"

그녀의 말을 듣고 나니 그는 순식간에 모든 기억이 되살아났다.

"그럼, 그 아이에게 네가 꼭 필요하겠구나."

그녀가 아들의 어깨에 손을 가만히 얹었다.

"그런데, 전 이미 죽었잖아요? 제가 어떡하면 좋겠어요? 엄마, 제발 공주를 살릴 수 있게 도와주세요!!! 부탁드려요!!"

북받쳐 오르는 감정 때문인지 눈이 붉게 충혈 된 채 그는 애원하듯이 매달렸다.

"얘야, 넌 아직 죽지 않았어. 다만, 지금 혼수상태에 빠져 있을 뿐이야. 그녀를 도우려면 무엇보다 너의 의지가 중요하단다. 탄닌, 넌 반드시 할 수 있어! 이 엄마는 널 믿는다."

그녀는 말이 끝나기도 무섭게 그의 시야에서 감쪽같이 사라졌다.

"가지마세요 엄마! 안 돼……. 아, 제발……엄마!"

탄닌이 안간힘을 다해 엄마를 붙잡으려다가 의식 불명 상태에서 깨어 눈을 뜬 것은 바로 그때였다. 그가 눈을 떠보니 쇠사슬에 묶여 있는 자기의 모습이 보였다. 고개를 들어 주위를 둘러보아도 공주의 모습은 어디에도 보이지 않았다. 순간 탄닌은 그녀가 위험에 빠졌다는 것을 직감적으로 알아차릴 수가 있었다. 그는 정신을 차렸는지 이내 단번에 자기를 묶은 쇠사슬을 끊어 버렸다.

드래곤은 원래 자연적인 치유력을 갖고 있었다. 칼에 찔린 자리는 얼마나 피를 쏟았는지 모르겠지만 이미 지혈이 된 상태였다. 다행히도 그의 가슴에는 큰 상처가 남지는 않았다. 그는 곧바로 고개를 두리번거리며 주위를 둘러보았다. 공주가 숨은 곳을 찾기 위해 그는 시야를 넓혀 가며 계곡 주변을 샅샅이 훑었다. 그때 그는 동굴로 가는 나무숲 사이 길목에 검붉은 핏자국이 얼룩져 있는 것을 발견했다.

가까이 다가가 확인해 보니 공주의 피가 아닌 용사냥꾼의 피가 분명했다. 바닥에 난 핏자국은 동굴을 향하고 있었다. 그는 그녀가 지금 동굴 안에 있음을 직감했다. 그는 얼른 검을 빼어 든 채, 긴 머리를 휘날리며 동굴 쪽으로 바람처럼 달려갔다.

아니나 다를까, 동굴 입구에 도착한 그는 그곳에서도 사내의 핏자국이 선명하게 나있음을 확인할 수 있었다. 오래간만에 온 동굴 안은 바뀐 게 하나도 없었다. 그는 공주가 왜 이곳으로 사내를 유인했는지 알 것만 같았다. 그녀는 동굴 안 천장에 달려 있는 종유석으로 놈을 끝장내 버리려는 계획이었던 것이다. 고드름 모양의 뾰족한 암석인 종유석이 촘촘히 달려 있는 동굴은 상대를 완전히 끝장내 버리기에 충분했다.

그는 오래전에 자신이 공주에게 해주었던 종유석에 대한 이야기를 그녀가 잊지 않고 기억하고 있었다는 것에 가슴이 뭉클해졌다. 그는 그녀를 위해서라면 그 어떤 위기에서도 사멸적인 운명을 받아들이기로 했다.

그때 갑자기 우르르 쾅. 쾅. 동굴이 한꺼번에 무너지는 듯한 소리가 귀청을 찢듯 들려왔다.

"공주님!"

그는 너무 놀란 나머지 몸이 마비가 되어 버린 것만 같았다.

그가 안쪽으로 더 깊숙이 들어가자 맹수의 이빨처럼 생긴 종유석이 한 무더기로 쌓여 있었다. 그 옆으로 초췌해 보이는 얼굴을 한 그녀의 모습이 보였다. 그는 다짜고짜 그녀의 이름을 목청껏 불렀다.

"공주님!"

"어, 탄닌? 거기 정말! 탄닌……인거 맞지? 탄닌!"

그녀는 두 눈을 동그랗게 뜨고 그를 확인 한 뒤 기뻐서 한걸음에 달려왔다.

"저예요, 공주님!"

다시는 못 볼 줄만 알았던 탄닌과 공주는 서로를 부둥켜 안고 소리 내어 울었다. 얼마나 울었는지 눈물도 다 말라버린 것만 같다.

"탄닌! 다친 데는 괜찮은 거야?"

눈이 퉁퉁 부은 그녀는 상처 난 그의 가슴을 만지며 물었다.

"제가 누굽니까? 이래 봬도 왕년엔 잘 나가는 드래곤이었거든요. 하하하. 전 괜찮습니다. 그나저나 공주님은 어떠세요?"

그는 얼굴과 몸이 많이 상한 그녀를 보고 무척 걱정이 되었다.

"안 아프다고는 할 수 없지만, 그래도 참을 만해. 그건 그렇고 내가 여기 있는 줄은 어떻게 알았어?"

탄닌과 함께 있는 그녀의 얼굴에는 안도의 빛이 떠올랐다.

"놈이 흘린 핏자국을 보고 따라 왔어요. 저도 궁금한 게 있는데, 어떻게 여기로 올 생각을 하셨어요?"

그는 모든 것을 알고 있었지만 아무것도 모르는 척하며 시치미를 뚝 뗐다.

"으응, 예전에 네가 나한테 해 준 말이 생각났어. 동굴 천장에 매달려 있는 종유석에 관한 이야기 말이야. 보기에 따라 마치 쏟아지는 폭포수 같기도 하고 고드름처럼 생긴 것 같지만, 언젠가는 무서운 무기가 될 수도 있다고 한, 네가 한 말이 떠올랐어. 불안정하게 매달려 있어서 큰 고함소리나 진동에도 무너질 수 있다는 말 잊지 않고 있었거든."

그녀는 탄닌과 나누었던 사소한 이야기 하나하나까지도 다 기억하고 있었다.

"아무튼 천만다행이에요. 공주님이 무사하셔서요."

그녀에게 자초지종을 들은 탄닌은 겉으론 내색을 하지 않았지만 속으로는 뛸 듯이 기뻤다.

"탄닌 너도 마찬가지야."

그녀는 입가에 행복한 미소를 지었다.

탄닌과 공주가 동굴 밖으로 걸어 나가려는 바로 그 순간이었다. 무너진 종유석 더미가 조금씩 움직였다. 동굴 안은 조용한 공간이었기 때문에 뿌스럭뿌스럭 거리는 소리가 크게 들려왔다. 두 사람은 거의 동시에 뒤를 돌아보았다. 공주는 믿을 수 없는 광경에 몸이 그 자리에 얼어붙는 것만 같았다.

조금 뒤 매몰되었던 사내가 종유석 더미에 짓눌린 몸을 움찔움찔 움직이면서 기어 나왔다. 눈 깜짝 할 사이에 완전히 빠져나온 사내는 온통 먼지투성이였다. 그자의 홀딱 벗은 몸을 본 탄닌은 상처 하나 없는 상대의 모습에 강한 의문이 들었다.

그는 거대한 종유석에 깔린 용사냥꾼이 저 정도로 버틸 수 없다는 것을 잘 알기에 뭔가 이상한 구석이 있다고 느꼈다. 그런데 그때 탄닌은 상대의 뒤집어진 눈을 보고서야 모든 것을 짐작할 수 있었다. 공주의 몸 안에 꽉 차 있던 사술의 기운을 모두 빼내어 가지고 온 탄닌의 피를 마셔버린 저 사내에게 그 모든 기운이 흘러 들어간 것이었다. 왕후 추씨는 사술의 기운을 자기의 피로 만들었기 때문에 그 피를 최종적으로 마신 자가 그 힘의 주인이 되는 것이다.

다행인지 불행인지 탄닌은 이미 자신의 몸속에 있던 사술의 기운이 모두 사내에게로 옮겨갔다는 것을 깨닫게 되었다. 눈앞에 있는 상대는 드래곤의 피는 물론 엄청난 사술의 힘을 소유한 괴물로 변해 있었다.

용사냥꾼은 원래부터 인간을 해치지 않는 종족들이었다. 하지만 그는 처음부터 달랐다. 탐욕과 색정으로 가득 차 있는 그에게 사술의 힘이 더해지자 더욱 사악한 존재로 변한 것이다. 네피림의 피를 마신 사내는 죽을 수밖에 없었지만 드래곤의 피를 함께 마신 탓에 살아 있는 것이 분명했다.

　사내의 얼굴이 알아 볼 수 없는 형체로 일그러지기 시작했다. 곧 그의 얼굴이 굶주린 짐승처럼 변했고 피부는 붉은 색으로 바뀌어 갔다. 사내는 몸속에서 사술의 힘이 점점 커져가는 것을 느꼈다. 계속 두껍게 자라는 뼈와 어깨에 새로 생긴 갈기털, 그리고 어느새 입술 밖으로 툭 튀어 나온 날카로운 송곳니를 보는 것만으로도 흉측하고 무서웠다. 또한 사내의 머리와 목 그리고 몸통은 물론 팔과 다리마저 우쭉우쭉 자라고 있었다. 그런데 그 속도가 너무 빨랐다. 금세 동굴의 천장에 머리가 쾅 하고 닿자 천장에 암석들이 머리 위로 와르르 무너져 내렸다.

　더 이상 그곳에 머무를 수가 없자 탄닌은 얼이 빠진 것처럼 서 있던 공주를 데리고 급히 동굴 밖으로 몸을 피했다. 두 사람이 동굴에서 나오고 난 바로 직후였다. 산 전체가 무너지는 듯한 뇌성벽력과 같은 소리가 들리더니 괴물로 변한 사내가 동굴 입구를 부수고 나왔다.

　웬만한 일에는 놀라지도 않던 탄닌이 눈앞에 벌어진 광경을 보고 너무 놀라 벌어진 입을 다물 수 없었다. 그의 모습은 흉측한 괴물 그 자체였다. 그 사내의 키는 대략 어림잡아 9미터가 넘어보였다. 다자란 소나무의 키와 엇비슷했다. 몸집은 거대하다 못해 바위산 만했다.

공주는 사악한 사술의 기운이 저리도 끈질길 줄 몰랐다. 악은 모양이라도 버려야 한다는 것을 새삼 느끼게 되었다. 그녀는 탄닌의 손에 이끌리어 정신없이 뛰기 시작했다. 그러자 괴물이 무서운 기세를 내뿜고는 두 사람의 뒤쪽으로 성큼성큼 따라왔다.

괴물로 변한 사내가 발을 내딛을 때마다 땅이 웅덩이처럼 움푹 파였다. 지반이 약한 곳은 땅 덩어리가 푹 주저앉아버리기도 했다. 그뿐만이 아니었다. 그가 두 팔을 휘젓고 쫓아오는 바람에 계곡 주변 숲속으로 빽빽이 서 있는 오래 된 교목들이 넘어지며 연쇄적으로 옆의 나무들까지 쓰러트렸다. 괴물이 지나가는 곳마다 마치 벌목을 한 것처럼 숲이 훼손되고 있었다.

태룡산에서 자라 온 탄닌과 공주는 뒤에서 쫓아오는 괴물이 분지마을 쪽으로 가지 못하도록 다른 방향으로 뛰었다. 혹시라도 괴물이 그곳으로 방향을 틀 경우 마을 사람들 전체가 위험해질 수 있기 때문이다. 두 사람이 지금으로서는 딱히 저 괴물로 변한 사내를 처치할 뾰족한 방법이 없었다. 무조건 도망치는 수밖에 없었다.

계곡을 벗어난 두 사람이 분지마을과 반대 방향으로 나 있는 능선 하나를 넘었을 뿐인데 거대한 괴물은 순식간에 바로 뒤까지 쫓아왔다. 태룡산 구릉지대는 울창한 나무는 물론 기암괴석과 낭떠러지가 많았다. 그러기에 이런 곳에서 빨리 달린다는 것은 여간 힘든 일이 아니었다.

도망갈 시간도 없는데 설상가상으로 공주가 돌부리에 걸려 휘청 쓰러질 뻔했다. 공주의 몸은 더 이상 뛸 수 없는 한계점에 도달해 있었다. 그녀는 심장이 터질 것처럼 고통스러운 듯 숨을 헐떡이면서 탄닌의 손을 겨우 붙잡고 있었다. 어느덧 해가 서쪽하늘을 붉게 물들이면서 서서히 떨어지고 있었다. 날이 점차 어두워지며 기온도 차츰 떨어지기 시작했다. 단지 눈앞에 길게 이어져 있는 능선만이 선명해졌을 뿐이다.

"공주님! 괜찮으세요?"

탄닌은 이 상태로 가다가는 공주가 또다시 혼절해 쓰러질 것 같은 느낌이 들었다.

"헉헉……미안해. 내 몸이……정상은… 아닌 것 같아."

그녀는 허리를 숙인 채 말도 제대로 못할 정도로 숨을 헉헉 몰아쉬었다.

"조금만 더 힘을 내세요! 자, 가요!"

탄닌은 안타까운 표정을 짓고는 그녀의 손을 꼭 잡고 다시 뛰기 시작했다.

바로 그때 거인과 같은 괴물이 공주를 잡으려고 손을 뻗었다. 아슬아슬하게 손가락 끝에 툭 건들린 공주는 그만 중심을 잃고 앞으로 넘어지고 말았다. 그녀의 으악 하는 비명소리에 깜짝 놀란 탄닌은 재빨리 넘어진 그녀를 부축해 일으켜 세웠다. 그 순간 거대한 검은 그림자가 하늘을 가리고 있었다.

이상한 낌새를 눈치챈 탄닌과 공주가 고개를 들어 하늘을 올려다보았다. 그때 괴물로 변한 사내가 사나운 야수의 눈으로 그들을 내려다보고 있는 바람에 두 사람은 머리털이 곤두설 정도로 기겁하였다.

거인이 손을 뻗쳐 공주를 잡으려고 하는 순간 탄닌이 펄쩍 높이 뛰어오르며 칼끝으로 손가락을 찔렀다. 그러자 괴물이 바늘에 찔린 것처럼 고통스러워하며 즉시 손을 거두어들였다.

그들은 괴물이 방심한 틈을 타서 뛰기 시작했다. 탄닌은 공주를 업고 달리지 못할 정도로 몸 상태가 좋지 않았다. 조금 뒤 가파른 능선을 지나 밑으로 내려가니 작은 평지가 나타났다.

곧바로 두 사람은 울창한 소나무 숲으로 들어갔다. 그곳은 소나무에 둘러싸여 있어 눈에 잘 띄지 않는 숨어 있기 좋은 장소였다. 탄닌은 그곳에 공주를 숨게 하고 자기가 괴물을 다른 곳으로 유인하려던 참이었다.

"공주님은 여기 가만히 계세요. 제가 금방 돌아올게요."

"몸도 성치 않으면서, 뭘 어떻게 하려고?"

그녀는 가쁜 숨을 몰아쉬면서 물었다.

"괴물은 괴물이 상대해 줘야죠. 저 껑다리 놈은 제가 알아서 할 테니 걱정하지 마세요."

그는 공주가 걱정하지 않게 하려고 신경을 쓰는 듯싶었다.

"탄닌, 가지마! 만약 네가 잘못되기라도 하면 난 단 하루도 견딜 수 없을 거야. 그러니까 가지마!"

그녀는 눈물을 글썽이며 그에게 제발 가지 말라고 애원했다.

탄닌도 그녀의 마음을 잘 알고 있었기 때문에 발이 쉽게 떨어지지 않았다. 하지만 태룡산을 쑥대밭으로 만들어 놓고 있는 괴물을 가만 나두었다가는 공주는 물론, 분지마을 사람들이 위험해 질 수 있기 때문에 그로서도 어쩔 수 없는 선택이었다.

"공주님! 꼭 살아서 돌아올 테니 걱정하지 마세요. 날 믿어요! 아셨죠?"

그는 결의에 찬 눈빛으로 그녀를 바라보았다.

"꼭 돌아와야 해!"

그녀의 큰 눈망울에는 어느덧 눈물이 고였다.

"약속할게요! 그건 그렇고, 혹시라도 놈이 속지 않을 수도 있으니, 제가 소리를 지르면 그땐 무조건 뛰세요! 제 말 무슨 뜻인지 아시겠죠?"

그는 그녀가 걱정이 되어 다짐을 받듯이 물었다.

"그래, 알았어! 너도 조심해야 해!"

그녀는 알았다는 듯 고개를 끄덕였다.

한편 괴물은 능선을 휘젓고 다니며 공주를 찾고 있었다. 흡사 거대한 오크 같이 생긴 괴물은 숲속의 나무들을 무참히 발로 짓밟아 버리고 산골이 쩌르렁거리도록 괴성을 질렀다.

나무들 사이를 헤치고 나온 탄닌이 누군가를 찾는 듯 인근 숲을 이잡듯이 뒤지고 있는 괴물을 향해 고함을 질러 댔다.

"어이, 이봐! 이 도깨비 같이 못생긴 놈아!!"

그러자 조금 전보다 키가 더 커진 괴물은 그의 소리를 듣고 반응하는 것 같았다. 이걸로는 안 되겠다 싶었는지 그가 큼직한 돌멩이를 집어 들었다. 그러고는 후다닥 괴물의 머리를 향해 힘껏 돌을 던졌다.

빠르게 날아오는 돌에 머리를 맞은 괴물이 괴성을 지른 뒤 고개를 숙여 탄닌을 사납게 노려보았다. 괴물은 화가 치밀어 오르자 두 주먹을 불끈 쥐고서 태릉산이 떠나갈 듯 큰 소리로 포효를 했다.

악의와 분노로 가득 찬 눈빛으로 상대를 노려보던 괴물은 주위에 있는 키 큰 느티나무 하나를 쑥 뽑아냈다. 괴물은 수백 년은 묵었을 거대한 나무를 아무렇지 않은 듯, 한 손에 집어 들고는 다짜고짜 탄닌을 향해 내려치기 시작했다.

탄닌은 잽싸게 옆으로 몸을 날려 나무를 피했다. 거대한 나무가 땅을 칠 때마다 요란한 소리와 함께 땅껍질이 벗겨지며 흙먼지가 자욱이 일었다. 나무의 가지와 잎이 달려 있는 부분이 꽤 넓은 탓에, 괴물이 나무를 내려칠 때 마다 강한 바람을 일으켰다.

웬만한 장정이 날아갈 정도로 바람이 너무 세서 서 있기조차 힘들었다. 괴물은 나무를 피해 요리조리 피해 빠져나가는 탄닌을 마치 벌레를 보는 듯한 눈빛으로 쳐다보았다. 상대는 곧바로 혼신을 다하여 피하고 있는 탄닌에게 최후의 일격을 가하려는 듯 느티나무를 힘껏 내려쳤다.

워낙 거대한 나무가 내려오는 속도가 빠르다보니 그는 미처 피할 겨를이 없었다. 탄닌은 서둘러 검을 앞으로 겨누고는 무언가를 큰 소리로 부르기 시작했다.

"마겐, 친나, 샤마르!"

그가 그렇게 외치자 순식간에 강력한 불길이 온몸을 감쌌다.

순간 그의 몸을 강타하려던 나무가 두 동강이 나며 튕겨져 나갔다. 탄닌의 검은 시뻘건 불길을 토해내며 그의 몸을 보호하기 위해서 감싸고 돌았다. 그 광경을 목격한 괴물이 화가 잔뜩 났는지 거센 콧김을 내뿜으며, 그를 향해 주먹을 마구 내리쳤다.

원을 그리며 돌고 있는 불덩어리가 날아오는 괴물의 주먹을 막 아냈다. 분을 참지 못하고 연달아 내리치는 괴물의 무지막지한 주먹질도 그의 보호막을 뚫지 못하고 튕겨 나갔다.

금성철벽과 같은 보호막을 뚫을 수 없자 지쳐버린 듯한 괴물이 잠시 머뭇거리는 사이 탄닌은 방어에서 공세로 전환해 반격을 가했다.

"헤츠 헤레브!"

그는 잽싸게 검을 머리 위로 높이 들고는 괴물을 향해 힘껏 던졌다.

화염에 휩싸인 기다란 검이 시위를 떠난 화살처럼 빠르게 날아 갔다. 그가 던진 검의 빠르기는 마치 빛의 속도와 같았다. 공기를 가르며 날아간 검이 괴물의 왼쪽 눈을 뚫고 지나갔다. 그와 동시에 괴물이 고통스러운 비명을 지르며 발광을 하다시피 앞뒤 가리지 않고 나무들을 마구 차고 짓밟았다. 다친 눈을 만지고 있는 손을 타고 검붉은 피가 흘러내리고 있었다.

한쪽 눈을 잃은 괴물은 앙갚음이라도 할 듯이 두 주먹을 불끈 쥐었다. 곧바로 탄닌을 찾기 위해 한쪽 눈을 이리저리 굴리며 살펴보았다. 한참 만에 자기 발밑에 서 있는 상대를 발견한 괴물이 허공으로 손을 펼치자 거대한 도끼가 홀연히 나타났다. 이 모든 게 사술의 힘으로 나타나는 현상이었다. 괴물은 두 번 다시 똑같은 실수를 되풀이하지 않으려는 듯 이전과 달라진 모습이었다. 괴물은 잠시도 지체함이 없이 도끼를 허공에서 몇 번 빙빙 돌리더니 탄닌을 향해 단숨에 내리 갈겼다. 거대한 쇳덩어리가 바람을 가르는 무서운 소리가 곧 귓전을 때려왔다.

"마겐, 친나, 샤마르……으윽!"

사내에게 가슴을 찔린 후유증으로 인해 탄닌은 제대로 된 능력을 발휘하지 못했다. 그의 검은 퍼렇게 불꽃이 오르더니 금세 연기만을 남기고 꺼지고 말았다.

바로 그때 괴물의 도끼가 내려옴과 동시에 탄닌은 몸을 굴려 간발의 차이로 피했다. 순식간에 거대한 도끼는 굉음을 내며 산자락을 두 동강 냈다. 그 여파로 인해 갑자기 공주가 숨어 있던 나무 숲속의 땅이 쩍쩍 갈라지고 산이 무너지는 사태가 발생했다.

"아악!"

그때 숲속에서 공주의 귀를 째는 듯한 비명 소리가 크게 들려왔다.

조금 전 땅이 갈라질 때 그 사이로 미끄러져 추락하던 탄닌은 가까스로 나무뿌리를 잡았다. 사력을 다해 두 손으로 나무뿌리에 매달려 있던 탄닌은 비명 소리를 듣고 공주가 위험하다는 것을 깨달았다. 그는 끝이 보이지 않을 정도로 깊은 절벽 속에서 이를 악물고는 맨손으로 튀어 나온 돌을 잡고 올라가기 시작했다.

공주가 숨어 있던 소나무 숲은 상황이 더 안 좋았다. 숲이 협곡처럼 갈라지면서 빽빽하게 죽 늘어서 있는 나무들을 집어 삼켰다. 다행히 그녀가 있는 지반은 무너지지 않고 잘 버티고 있었다. 그때 괴물의 시야를 가리고 있던 울창한 나무들이 대부분 사라지자 그녀가 숨어 있는 위치가 쉽게 노출되었다.

그녀를 발견한 괴물은 산이 떠나갈 듯 큰 소리로 포효를 했다.

어둡게 땅거미가 깔리기 시작한 태룡산은 살벌한 전쟁터를 방불케 했다. 송곳니를 세우며 으르렁거리던 괴물은 그녀에게 가기 위해 크게 벌어져 있는 협곡을 가뿐히 건너뛰었다. 괴물의 발이 땅에 닿는 순간 지축을 뒤흔들었다.

"아악!!! 저리 가버려!! 탄닌!"

공주는 괴물이 얼굴을 가까이 들이밀자 비명이 절로 나왔다.

어느새 절벽에서 빠져나온 탄닌은 칼등으로 괴물의 뒤통수를 번갯불 치듯 후려 갈겼다. 동시에 빡 하는 소리와 함께 괴물의 상체가 휘청하고는 앞으로 고꾸라지고 말았다. 괴물이 쓰러진 엄청난 충격에 지반이 크게 무너져 내린 숲속은 군데군데 벼랑이 협곡을 이루면서 천길만길의 아득한 절벽으로 변했다. 벼랑 끝 쪽에 쓰러져있던 괴물은 위험을 짐작하고 얼른 그 자리를 빠져나왔다. 그러자 조금 전까지 괴물이 쓰러져 있었던 지반도 순식간에 붕괴되고 말았다. 뒤이어 그 주변으로 흙더미들이 밀려 내려가기 시작하더니 마침내 산사태가 크게 일어나며 순식간에 산등성 여러 군데가 쓸려나갔다.

탄닌은 더 이상 여기 계속 있다가는 꼼짝없이 흙더미와 함께 벼랑 밑으로 떨어질 것만 같았다. 그는 공주를 번쩍 안고 사력을 다해 소리를 질렀다.

"에베르 아바르!"

그가 그렇게 소리를 지르자마자 몸이 공중으로 튀어 올랐다. 그는 도망 갈 곳을 둘러보다가 이내 다시 동굴이 있는 계곡방향으로 날아갔다. 괴성을 지르며 괴물도 두 사람의 뒤를 쫓기 시작했다.

곧이어 쫓고 쫓기는 숨 막히는 추격전이 한참 벌어졌다. 날이 선 거대한 도끼를 휘두르며 몸에 닿을 듯 말 듯 괴물은 탄닌과 공주를 잡으려고 안간힘을 쓰며 가깝게 바싹 쫓아오고 있었다.

해가 막 떨어진 계곡은 어둠이 짙게 깔려있었지만 다행히 나뭇가지 사이로 달빛이 흘러들었다. 쏴악 소리를 내며 거침없이 쏟아지는 폭포의 물줄기와 찌잇 찌잇 울어대는 새소리가 여기저기에서 들려왔다.

탄닌은 공주를 안고 높은 산봉우리에 둘러 싸여 있는 계곡 옆 넓은 평지로 내려왔다. 그들이 밟은 땅은 돌들이 많은 자갈밭이었다. 이곳은 공주가 어렸을 적에 예쁜 돌을 찾겠다고 탄닌을 주머니 속에 넣고 즐겨 찾는 장소였다. 그래서 그런지 공주는 이곳에 발을 딛는 감회가 새로웠다. 하지만 지금은 한가하게 지난 추억을 떠올리고 있을 그럴 만한 여유가 없었다. 어느새 괴물은 무서운 속도로 산기슭에서부터 공주를 뒤쫓아왔다.

이제 더 이상 도망갈 곳이 없다고 생각한 탄닌은 배수의 진을 치고 결사 항전의 의지를 불태웠다.

괴물은 살기가 가득한 한쪽 눈으로 계곡이 떠나갈 듯 큰 소리로 포효를 했다. 거대한 도끼를 집어 들고 허공에 휘두르고 있는 괴물이 그를 향해 걸어오기 시작했다. 탄닌은 공주를 자기 등 뒤에 서 있게 한 뒤, 기다란 검을 앞으로 겨누었다. 그러자 강렬한 검기가 주변으로 뿜어져 나오기 시작했다. 그러고 난 뒤 그는 서두르지 않고 침착하게 한 마디 한 마디에 힘을 주며 큰 소리로 외쳤다.

"켈리…… 나샤크… 롬파이아… 하니트… 직킴… 샬라흐!"

갑자기 그들 주변으로 흙바람이 불더니 검에서 거센 불길이 일기 시작했다. 순식간에 시뻘건 화염이 온 세상을 다 집어삼킬 듯 타올랐다. 괴물이 그 광경을 보고 놀라 슬금슬금 뒷걸음질을 치기 시작했다.

정신을 한곳에 집중시키고 코로 깊게 숨을 들이마셔 배에 공기를 가득 채운 탄닌은 검에 내공을 밀어 넣었다. 마치 검기만으로 상대를 제압하려는 듯 그는 자신의 힘을 모조리 검에 실었다. 눈앞에서 위협적으로 다가오는 거대한 괴물을 향해 그는 기다렸다는 듯이 주홍의 화염과 함께 강력한 검기를 내뿜었다. 그가 허공으로 검을 휘두르자 맹렬한 파공음을 동반한 화염과 검기가 순식간에 괴물의 가슴을 관통해서 등으로 뚫고 나갔다.

탄닌에게 일격을 당한 괴물이 고통에 겨운 듯 크게 괴성을 내질렀다. 그러더니 갑자기, 자갈밭에 뒤로 벌렁 나가자빠졌다.

"역시, 탄닌이 해냈어! 드디어 놈이 쓰러졌어!"

괴물이 쓰러지자 그녀는 기뻐서 어쩔 줄을 몰랐다.

"아니, 그건 저 혼자만 한 게 아니에요. 공주님과 저랑 둘이서 해낸 거예요."

탄닌은 지금껏 잘 버텨 준 공주를 격려하며 그제야 안도의 한숨을 내쉬었다.

근데, 이게 웬 일이란 말인가. 죽은 줄만 알았던 괴물이 궁둥이를 털며 일어서는 것을 본 순간, 그들은 귀신이라도 만난 듯이 경악해 버렸다.

"흐흐흐. 겨우 이 정도의 공격으로 나를 이길 것이라 생각했느냐? 어리석은 놈 같으니라고!"

괴물은 송곳니를 드러내고 씩 웃더니 고압적인 어조로 말을 시작했다.

"어라, 이게 뭐야. 말을 할 줄 아네?"

탄닌은 멀쩡해 보이는 괴물을 보며 긴장을 했는지 그만 침이 꼴깍 목구멍을 타고 넘어갔다.

"드래곤이라 조금은 다를 줄 알았는데, 솜씨가 형편없구나! 날 쓰러트리려면 엄마 젖 좀 더 먹고 와야겠다. 푸하하하하!"

도끼를 한쪽 어깨에 얹어놓은 괴물이 가소롭다는 듯 피식 웃으며 그를 쳐다보았다.

"야, 이놈 좀 봐. 꼴에 키가 멀대같은 괴물이 되었다고……쳇! 자기가 뭐라도 되는 줄 아는 모양이지? 야, 임마!!! 지금 누구더러 이래라저래라 하는 거야! 너희 종족들에게 부끄럽지도 않냐? 명색이 용사냥꾼인 놈이 색정에 사로잡힌 것도 쪽팔린데… 여인네 하나 때문에 이렇게 흉한 몰골로 변하다니……쯧쯧쯧, 네놈 인생도 참으로 딱하구나."

탄닌은 괴물이 자기를 조롱하자 주눅 들지 않으려는 오기로 약간 빈정거리는 어투로 말했다.

"아니, 이놈이 죽으려고 환장했구나! 상황 파악도 잘 못하고 주둥이를 함부로 나불거리다니 단단히 각오해라!"

괴물은 도끼를 고쳐 들더니 곧장 달려들었다.

기세가 오른 괴물이 질풍노도처럼 다가오자, 공주는 겁에 잔뜩 질려 탄닌의 등 뒤에 바짝 붙어 섰다. 탄닌은 칼자루를 꽉 움켜쥐자, 팔의 근육과 힘줄이 불끈거리기 시작했다. 그는 조금 전 많은 힘을 쏟았기에 이미 체력이 고갈이 된 상태였다.

"마겐, 친나, 샤마르!"

그는 마지막 혼신의 힘을 다해 검을 들고 겨누었다.

달려오던 괴물이 높이 도약하여 두 손으로 도끼를 힘껏 내리쳤다. 어둠 속에서 공기를 가르는 날카로운 소리와 함께 퍼런 서슬의 도끼의 날이 달빛에 비쳤다.

그와 동시에 검에서 나오는 붉은 화염이 두 사람을 에워싸며 보호막을 형성했다. 순식간에 괴물의 도끼와 그들을 에워싼 불로 된 보호막이 쾅 소리를 내며 부딪쳤다. 곧장 뇌성벽력과 같은 소리가 골짜기를 울렸고 땅이 무섭게 진동했다.

"아악! 탄닌!"

그녀는 비명과 함께 두 손으로 귀를 막았다.

"으윽! 이 상태로는 얼마 못 버틸 것 같아요."

탄닌은 더 이상 자기의 힘으로 막는 것은 역부족이라는 사실을 깨달았다.

어디서 그런 힘이 나오는지 괴물은 잠시도 쉬지 않고 보호막을 향해 도끼를 연달아 내리치고 있었다. 탄닌이 괴물의 도끼질을 스무 번가량 막아 냈을 즈음 보호막이 뚫리고 말았다.

"헉헉…헉. 죄송해요……공주님."

탄닌은 모든 내공을 다 써버려 기진맥진이 되었다. 온몸에 기운이 없고 다리가 후들대서 서 있을 수조차 없었다. 그 순간 괴물은 회심의 웃음을 띠며 겁에 잔뜩 질려 있는 공주를 쳐다보았다.

"흐흐흐. 이젠 저 녀석도 끝이니, 넌 곧 나의 차지가 될 것이다."

"야, 이 괴물새끼야! 난 아직…… 끝이 아니거든. 네놈이 반칙만 쓰지 않았어도, 넌 벌써 돌무더기 속에 들어가 있었을 것이야. 이런 치사한 괴물 새끼 같으니라고!"

탄닌은 기다란 검으로 땅을 짚은 뒤 어림없다는 듯 괴물을 향해 침을 퉤 뱉어 버렸다.

"탄닌……미안해. 괜히 나 때문에 너까지 위험하게 만들어서……."

눈시울이 뜨거워진 공주는 탄닌의 등 뒤에서 그를 힘껏 끌어안았다. 그녀는 그러고는 폭포수와 같은 눈물을 쏟기 시작했다.

"아니, 그게 무슨 말씀이세요? 누가 누구를 위험에 빠지게 했다고 그러세요? 그건 공주님 잘못이 아니에요! 잘못이 있다면 사술을 행한 왕후 추씨와 탐심과 정욕에 눈이 먼 저런 괴물 같은 놈에게 있죠. 공주님과는 전혀 무관한 일이라고요. 그러니까 미안한 마음 갖지 않으셔도 되요. 아시겠죠?"

탄닌은 돌연 정색을 하고 단호하게 말했다.

"흑흑, 알았어……고마워, 탄닌."

그녀는 깍지를 끼고 더욱 세게 껴안았다.

그 모습을 지켜 본 괴물이 질투심에 화가 났는지 송곳니를 크게 드러내며 으르렁거렸다. 괴물이 도끼를 세우고 다시 그들 곁으로 다가오기 시작했다. 괴물은 살기가 가득한 눈을 하고서는 위협적으로 발걸음을 내딛었다. 탄닌으로서는 괴물의 공격을 막아내기는커녕 피할 힘조차 없었다. 그는 자기가 죽는 것은 그렇다 치고 단지

애꿎은 공주가 놈에게 유린당할 것을 생각하자 피가 거꾸로 솟구치는 것 같았다.

"헤츠…… 헤레브!"

그가 검을 겨누고 이렇게 외쳤지만 아무런 반응도 일어나지 않았다.

"푸하하하하! 이 미꾸라지 같은 놈! 잘 가거라!"

괴물은 도끼를 머리 위로 높이 들어올렸다.

바로 그때였다. 갑자기 보랏빛 번개가 번쩍번쩍 하면서 밤하늘을 가르더니 자갈밭 주변에 내리꽂혔다. 아니나 다를까 도끼를 높이 들고 있던 괴물의 몸으로도 번개가 떨어졌다. 얼마나 충격이 셌던지 괴물은 손에 들고 있던 도끼를 떨어트리고 말았다.

번개가 치고 난 뒤에 곧바로 계곡의 어둠을 날려 버릴 듯한 강한 빛이 허공 속에서 쏟아져 내려오기 시작했다.

조금 뒤 눈을 제대로 뜰 수 없을 정도로 거대한 섬광이 번쩍하며 일었다. 한참 만에 탄닌과 공주가 겨우 눈을 뜨고 앞을 바라보자 화염검을 손에 들고 있는 삼손의 모습이 보였다. 그뿐만이 아니었다. 그 주변으로 또 다른 한 무리의 사람들이 보였는데, 다름 아닌 최씨 노인과 행신 상단 단원들이었다.

넋이 빠진 채 멍하니 주변을 둘러보던 괴물이 넘어진 자리에서 일어나기 시작했다. 겨우 정신을 차린 듯한 괴물이 두 주먹으로 가슴을 치며 포효했다.

"오라버니! 할아버지!"

공주는 삼손과 일행들을 보자 반가움에 어쩔 줄을 몰랐다.

"공주야! 이제 안심하거라! 이 오빠가 왔다!"

삼손은 그녀를 바라보며 환하게 미소를 지어 보였다.

"공주님! 여기에는 이 할애비도 있으니 어서, 탄닌을 데리고 뒤로 물러나세요!"

최씨 노인이 그윽한 눈길로 그녀를 바라보았다.

"할아버지……."

공주는 최씨 노인의 얼굴을 보자 긴장이 사르르 녹아내리는 것만 같았다.

바로 그때 미소년과 같이 잘생긴 송철이 어느샌가 공주에게 다가왔다.

"공주님! 이제부터 제가 모시겠습니다. 가시죠."

그는 미소를 지으며 먼저 손을 내밀었다.

"어머, 도련님도 오셨군요."

그녀는 부끄러운지 얼굴에 홍조를 띠며 슬며시 그의 손을 잡았다.

탄닌은 삼손과 일행들을 둘러보며 이제 죽지 않고 살았구나 싶은 안도감에 온몸의 기운이 쑥 빠지는 것만 같았다. 그래서 그런지 자기도 모르게 다리가 휘청거렸다. 멀리서 그의 그런 모습을 보고 춘삼이가 한걸음에 달려왔다.

"이보게 탄닌! 괜찮나? 지금 그 상태로 걸을 수 있겠는가?"

춘삼이가 걱정스러운 얼굴로 그를 부축했다.

"난 괜찮네. 힘이 조금 빠졌을 뿐일세. 하하하. 그 녀석이 세손 각하를 잘 찾아 갔구나……가짜 새 치고는 제법인 걸."

탄닌은 갑자기 긴장이 풀리는 듯 몸에서 힘이 빠지는 것 같았다. 한편으로 그는 자기가 만든 새가 한양 도성까지 가서 세손 각하를 데리고 온 것에 만족하는지 웃음이 절로 나왔다.

한편, 삼손과 최씨 노인은 약이 바짝 오른 괴물을 상대로 일진일퇴의 공방전을 벌였다. 괴물은 삼손을 향해 도끼를 힘껏 던졌다. 도끼는 부메랑처럼 자유자재로 날아가며 삼손을 위협하고 있었다. 괴물은 도끼를 뒤로 한 체 이번에는 거대한 쇠사슬을 꺼내들었다. 이 또한 사술로 만들어 낸 현상이었다. 괴물은 손에 든 무거운 쇠사슬을 찰가닥거리면서 상대방에게 겁을 주었다. 곧이어 웅웅거리며 바람을 가르는 쇠사슬의 소리가 무섭게 들리더니 곧장 최씨 노인과 행신 상단 단원들을 향해 날아들었다.

왕호와 정길 그리고 화룡과 승수는 크게 당황하여 어찌할 바를 몰라 했다. 그때 최씨 노인이 앞으로 불쑥 나서며 지팡이를 높이 들었다.

"오! 샤바트, 카라트, 다바르."

한 손에 지팡이를 든 최씨 노인이 빠르게 날아오는 거대한 쇠사슬을 주시하며 무언가를 외쳤다.

그러자 너무도 놀라운 일이 벌어졌다. 무서운 소리를 내며 날아오던 쇠사슬이 갑자기 허공에서 멈추더니 그대로 자갈밭에 떨어져 부딪치면서 쩔그렁 쩔그렁 소리를 냈다.

행신 상단 단원들은 믿을 수 없는 광경에 입을 벌리고 멍하니 최씨 노인을 바라보았다. 조금 전 그의 마법으로 눈 깜짝 할 사이에 한양에서 태룡산으로 오게 된 그들이지만 아직도 적응이 되지 않는 모양이었다.

몹시 당황했는지 괴물이 크게 괴성을 지르며 최씨 노인에게 맨손으로 달려들었다. 그 모습을 지켜보고 있는 최씨 노인이 이번엔 다른 말로 크게 소리쳤다.

"야라, 아사르, 파흐, 헤렘."

그 소리가 끝나기도 무섭게 자갈밭에 떨어진 쇠사슬이 찰카당 찰카당 소리를 내며 저절로 허공에 뜨기 시작했다. 최씨 노인이 지팡이를 얼른 괴물을 향해 겨누자 공중에 떠 있는 쇠사슬이 무서운 속도로 괴물에게로 날아갔다. 당황한 괴물은 쇠사슬을 낚아채려고 팔로 어둠 속을 휘저었지만 속도가 너무 빨라 아무것도 잡히지 않았다. 마치 쇠사슬이 살아 움직이는 것처럼 신속하게 괴물의 팔과 다리를 꽁꽁 동여맸다. 괴물은 발악을 하듯 괴성을 지르며 쇠사슬을 끊으려고 발버둥을 쳤다. 하지만 쇠사슬이 점점 강하게 조여오자 괴물은 옴짝달싹할 수가 없었다.

"세손 각하! 지금이옵니다."

최씨 노인이 삼손을 바라보며 목소리를 높였다.

"알겠습니다!"

그의 말이 채 끝나기도 전에 삼손은 불이 붙은 화염검을 휘두르며 괴물의 등을 타고 올라갔다.

괴물은 자기의 몸에 누군가가 올라탔다는 것을 직감했지만, 쇠사슬에 몸이 꽁꽁 묶여 있는 탓에 소리만 지르기만 할 뿐, 할 수 있는 게 아무 것도 없었다.

"어떤 놈이 감히 내 등에 올라 탄 것이냐? 이 사슬을 푸는 순간 네놈부터 요절을 내고야 말겠다!"

"오, 그래? 앞뒤 상황이 어떻게 돌아가는지도 모르고, 속 편한 소리 하고 있구나. 감히 네놈이 내 여동생을 욕보이고 죽이려고 하다니, 널 용서하지 않겠다! 그럼, 잘 가거라. 이 괴물아!"

삼손은 괴물의 귀에 입을 바짝 가져다 대고 사형 선고를 내리듯 위엄에 찬 목소리로 말했다.

삼손은 분노에 찬 눈길로 괴물을 쳐다보고는 날이 시퍼렇게 선 화염검으로 괴물의 목을 찔렀다. 급소를 찔린 괴물은 비명도 지르지 못하고 나무막대기처럼 딱딱하게 굳은 채 앞으로 쿵하고 고꾸라졌다.

삼손이 괴물의 등을 밟고 서 있는 모습을 본 일행들이 기쁨을 감추지 못하고 환호성을 질렀다. 멀리서 그 광경을 지켜보던 공주가 삼손을 향해 단숨에 뛰어왔다. 곧 그들은 서로를 부둥켜안고 울기 시작했다.

"공주야! 몸은 괜찮은 것이냐? 어머니도 함께 따라오신다는 걸 겨우 말렸다. 네가 잘못되기라도 할까 봐 얼마나 마음 졸이며 계신지……아무튼, 네가 이렇게 무사하니 천만다행이구나!"

삼손은 눈물을 글썽이며 공주를 바라보고 있었다.

"오라버니……심려를 끼쳐드려…송구하옵니다. 그나저나 아바마마의 옥체는 무탈하신지요?"

공주는 그의 따뜻한 위로에 그만 눈물을 왈칵 쏟고 말았다.

"다행히 어르신께서 정성껏 치료해 준 덕분에 많이 호전되셨어. 그러잖아도 아바마마께서도 너에 대한 이야기를 자주 하고 계셔.

만일 네가 아니었다면, 소중한 사람들을 두 번 다시 볼 수 없었을 거라며, 너무나 고마워하고 계신다. 특히, 어마마마께서 너를 공주로 받아들이셨다는 사실을 들으시고는, 얼마나 기뻐하셨는지 모른단다."

삼손은 공주의 눈에서 연신 흘러내리는 눈물을 닦아 주었다.

"아바마마의 옥체가 호전되고 계시다니…… 소녀, 그저 감개무량할 뿐입니다."

그의 이야기를 들은 공주의 얼굴에 미소가 피어나기 시작했다.

그때 삼손은 춘삼과 송철 곁에 서 있는 탄닌을 보고는 서둘러 발걸음을 옮겨 갔다.

"이보게, 탄닌! 몸은 괜찮은 건가?"

만신창이가 된 탄닌의 몸을 확인한 삼손은 걱정스러운 빛으로 바라보았다.

"세손 각하! 아니, 왜 이리 늦으신 겁니까? 어휴, 제가 저 놈한테 얼마나 혼이 났는지 아십니까?"

탄닌은 마치 아이처럼 입술을 쫑그리며 투정을 부렸다.

"정말 미안하네. 아바마마의 병환 때문에 급히 오질 못했네."

삼손은 미안한 표정으로 그를 바라보았다.

"하하하. 농담입니다. 농담! 그래도 절묘하게 시간을 딱 맞춰 오셔서, 공주님과 제가 살았지 뭡니까? 하하하. 그것보다 제가 보낸 새가 용케도 세손 각하를 찾아 갔다니, 정말 대단하지 않습니까? 제가 처음으로 만들어 본 건데 말입니다. 하하하."

탄닌은 뭐가 그리 좋은지 연방 깔깔깔 웃음을 터뜨렸다.

"거참, 자네가 웃는 걸 보니 멀쩡하구먼. 하하하."

삼손은 그가 천진난만하게 웃는 걸 보고는 어이없는지 절로 웃음이 나왔다.

그들의 모습을 보고 주변에 있던 모든 사람들도 웃음을 터트렸다. 밤이 새는 줄도 모르고 혈투를 치르고 나니, 어느새 동쪽 하늘이 환하게 밝아 오고 있었다. 태룡산 계곡에는 삼손과 일행들의 웃음과 잠에서 깬 새들이 지저귀는 소리가 한데 섞여 메아리치고 있었다.

제31장 결실의 계절

한양 도성 안은 새로운 임금의 즉위식이 성공적으로 끝이 나자 축제의 분위기에 휩싸였다. 시장저잣거리는 물론 거리 곳곳으로 몰려나온 수많은 사람들이 만세를 부르며 환호성을 질렀다.

남녀노소 할 것 없이 도성 안 사람들이 모두 나와 새로운 임금의 탄생을 축하했다. 그동안 하나같이 자신들의 이익 챙기기에 급급하여 왕후 추씨의 편에 섰던 조정 신료들과 백성들의 고혈을 짜내는 일에만 열중했던 탐관오리들이 모조리 척살되었다.

꽤 긴 세월을 모진 박해 속에서 살아 온 백성들의 얼굴에 근심 걱정은 사라지고, 새로운 희망과 꿈에 부풀어 있었다.

삼손은 세자로 책봉되었고, 임금은 행신 상단 최낙훈 대행수의 여식인 세령을 세자빈으로 간택하였다. 공주는 임금과 월령왕후의 양녀로 입적되어, 이제 어엿한 왕가의 일원이 되었다. 얼마 뒤 송철은 탄닌이 예견했던 대로 임금의 부마가 되었다.

또한 행신 상단의 춘삼, 정길, 왕호, 화룡, 승수 다섯 사람은 세자를 모시고 호위하는 직책인 세자익위사에 임명되었다.

그리고 최씨 노인은 임금과 왕족의 질병을 치료하는 내의원 소속의 당상 의관의 최고 직책인 어의로 임명받았으나, 본인이 끝내 고사하고 태룡산으로 돌아갔다.

오갈 데 없는 신세가 된 복순, 춘희, 동철, 만식, 원식, 두식 그리고 길상, 정월, 다연이는 월령왕후의 보살핌 속에 궁궐 안에서 지낼 수 있게 되었다.

한편 금부옥에 갇혀 있던 나장 심어준은 목숨을 살려주는 조건으로 태룡산 밑에 있는 마을 관아로 적사하였다. 그곳은 시도 때도 없이 요괴들이 출몰하여 사람들이 마을을 버리고 떠난 지 이미 오래였다. 하루가 멀다 하고 관아에 파견 된 관리들이 비명횡사를 당했다. 중앙에서 좌천되다 시피 그곳 관아로 간 관리들의 공통점은 평소 부정부패에 연루되었거나 가난한 백성들의 등골을 빼먹은 자들이 대부분이었다.

그들이 살기 위해서는 요괴들을 토벌하는 방법밖에는 없었다. 중앙에 있는 다른 관리들은 그곳으로 가지 않기 위해서라도 청렴하고 결백한 삶을 살기 위해 노력하지 않을 수 없었다. 지난 세월 동안 끈질기게 당파 싸움을 일삼던 신료들이 자취를 감추어 버렸다. 요괴들을 모두 퇴치할 수 있는 힘이 있었던 삼손은 일부러 그 곳을 나두고 신료들의 기강을 잡기위해 그런 생각을 해낸 것이었 다. 그의 생각대로 조선은 잃어버렸던 기나 긴 세월을 훌쩍 뛰어넘 어 단기간 내에 백성들이 행복한 태평성대를 구가하였다.

-에필로그-

　그녀는 멀쩡했던 날씨가 갑자기 심술궂게 변한 것하며, 도깨비처럼 뜬금없이 나타난 쥐가 자신을 도와 준 것을 볼 때, 단순히 우연의 일치로 볼 수 없는 상황들이라고 생각했다. 너무나 궁금한 나머지 그녀가 자신의 다리를 베고 누워있는 세자를 빤히 내려다봤다.

　"저하! 소녀 궁금한 것이 있사옵니다."

　세령은 사랑스러운 눈빛으로 누워있는 삼손을 바라보았다.

　"또 무엇이 그리 궁금한 것이오? 으음, 어서 말해 보시오."

　그는 세령이 자기에게 무엇을 물어볼지 이미 알고 있었다. 하지만 그는 아무것도 모르는 양하며 시치미를 뗐다.

　"지난 번 육영왕후님의 생가에서 있었던 그 일 말이에요. 소녀의 목숨이 경각에 달렸었는데…… 어디선가 갑자기 쥐 한 마리가 불쑥 나타나서, 소녀를 도와주었지 뭡니까. 아무리 생각해 보아도 짚이는 바가 없어서 말입니다. 저하, 정말 이상하지 않습니까?"

그녀가 그때 일을 회상하며 차분히 털어놓았다.

"어험, 지성이면 감천이란 옛말이 헛말은 아닌 것 같군. 세자빈과 같이 마음씨 착한 사람을 위해 하늘에서 쥐를 보내 준 것이 아니겠소."

삼손은 알면서 모르는 척 새침을 떼고 있자니 마음이 영 꺼림칙했다.

"저하, 정말 그런 걸까요? 그런데 이상한 게 또 하나 있어요. 그런 일이 있고 난 직후, 세자저하께서 나타나셨는데…… 혹시, 그 쥐가……아, 아니에요."

그녀는 괜한 말을 했다는 생각이 들자 하던 말을 서둘러 갈무리했다.

"혹시 아오? 누군가 그대를 너무 사모하여 쥐로 변해서라도 도와주고 싶었는지 말이오."

삼손은 진담 반 농담 반으로 눈을 감고 이야기했다.

"네? 그럼 그 말씀은… 혹시, 저하께서……아니시죠?"

그의 말이 너무나 뜻밖이라 그녀는 긴가민가하면서 재차 되물었다.

"하하하. 농담이오. 세자빈께서 그렇게 믿고 싶은 듯 해서 일부러 말해 본 것이었소. 자, 이제 그런 생각은 잊어버리고 이리 오시오."

그는 그녀가 몹시 당황해하자 누웠던 자리에서 벌떡 일어나 앉았다.

세령은 수줍게 얼굴을 붉히며 삼손의 가슴에 안겨 들었다. 그의 품은 생각했던 것보다 더 따뜻했다. 그 순간만큼은 그것만으로도 모든 잡념이 사라졌다. 그는 그런 그녀를 자신의 품으로 더욱 끌어 당겼다.

"세자빈, 이 방법은 어떻겠소? 그때의 쥐가 나였는지 아닌지, 그대가 직접 확인해 보는 것 말이오. 이렇게……."

삼손은 불쑥 그녀에게 입맞춤을 했다.

"저…저하."

그녀가 그의 갑작스런 행동에 놀라워하는 듯 두 눈을 동그랗게 떴다.

"어떻소? 아직도 헷갈리는 것이오?"

삼손의 눈빛은 그녀에 대한 사랑으로 그득하다 못해 뜨거웠다.

"아…아니요. 소녀는 그저 그때의 일이 궁금했을 뿐입니다. 그런데, 저하. 이건 반칙이 아닙니까? 갑자기 이리 나오시면……소녀가 뭐라 답할 수 있사옵니까? 그러니까…제 말은……."

그녀가 말을 채 끝내기도 전에 또다시 삼손의 입술이 그녀의 입술에 닿았다.

"그대의 말대로 이게 반칙이라면, 내가 하루에도 수백 번은 써야겠구려."

삼손은 자상한 손길로 그녀의 얼굴을 어루만지며 입술을 포갰다.

세령은 그의 입술이 와 닿는 순간 어떠한 생각이나 말도 떠오르지 않았다. 그녀는 이것이 설령 꿈을 꾸는 것이라 해도 일생의 단 한 순간으로 꼽을 만큼 심장이 터질 듯한 감동과 큰 희열을 느꼈다.

한편, 같은 시각 구름 위로 치솟은 산봉우리 여럿이 어깨를 맞댄 채 줄지어선 태룡산은 선계처럼 신비스런 자태를 드러내고 있었다. 서쪽 능선 건너 산등성이에 둘러싸여 있는 분지마을은 평화로운 옛 모습을 되찾았고 마을 사람들은 생업에 정신없이 매달려 있었다.

동쪽에서 시작해 남쪽 바다로 향해 흘러가는 태룡산 계곡의 물줄기가 바닥까지 투명하게 비쳤다. 웅장한 기암절벽과 바다 사이로 난 길을 통해 거대한 동굴 안으로 들어갔다 나온 최씨 노인은 무엇을 봤는지, 갑자기 얼굴이 새파랗게 질려 있었다. 그가 즉시 지팡이로 땅을 두 번 치자 번개와 같은 섬광이 일더니 그는 형체도 없이 감쪽같이 사라졌다

어느새 도성 안에 나타난 최씨 노인이 창백해진 얼굴로 공주의 사가로 급히 발걸음을 옮겼다. 조금 뒤 공주의 사가를 삼엄하게 지키고 있는 군사들 사이로 훤칠한 키에 뛰어난 용모를 지니고 있는 탄닌의 모습이 보였다.

탄닌이 누군가를 기다리는 듯 고개를 두리번거리다가 이쪽을 향해 걸어오는 최씨 노인을 돌아다본 것은 바로 그때였다.

"아니, 영감이 어쩐 일로 여기에 오셨소? 설마 공주님 호위무사 노릇 잘 하고 있는지, 감시라도 하러 온 거요? 나 참, 날 뭘로 보고……어, 근데 얼굴이 왜 그렇게 어둡소? 혹, 무슨 일이라도 생긴

거요?"

갑자기 찾아온 최씨 노인의 표정이 예사롭지 않자 탄닌은 필시 무슨 일이 생긴 것을 영감으로 깨달아 알았다.

"사라졌어."

마치 실어증에 걸린 사람처럼 최씨 노인은 할 말을 다 못하는 듯 했다.

"아니, 대체 그게 무슨 말이오? 사라졌다니……뭐가 말이오?"

탄닌은 답답하다는 듯이 큰 소리로 되물었다.

"그놈이……."

"그놈? 그놈이라니? 어휴, 답답해! 아니, 대체 누굴 말하는 거요?"

"결계로 봉인해 놓은 거인 놈이 사라졌다고!"

최씨 노인은 말하는 자신조차 그 사실을 믿을 수 없었다.

"아니, 뭐요? 그게…… 사실이오?"

탄닌도 그의 말을 듣고 난 후 당황하는 기색이 역력했다.

"되도록 빨리, 공주님을 안전한 곳으로 피하시게 해야 해. 그리고 어서 저하께 이 사실을 알려야만 하네. 자, 어서 서둘러!"

다급해진 최씨 노인은 목청을 높여 서두르라고 외쳤다.

"이런 젠장! 그때 내가 뭐라고 했소? 불에 태워버려 놈의 시체 한 조각이라도 남지 않게 해야 한다 하지 않았소. 요 며칠 동안 뭔가 꺼림칙하다 했더니, 결국 사달이 나고야 말았구나……."

탄닌은 거인이 결계를 풀고 사라졌다는 사실에 분개함과 동시에 통탄하였다.

지축을 울리는 거대한 북소리가 어둠을 가로 지르며 귓전을 때리던 것은 바로 그때였다. 적의 침입을 알리는 북소리에 놀란 도성 안의 사람들이 우왕좌왕하기 시작했다. 동시에 저잣거리를 오고가는 사람들이 못 볼 것이라도 본 듯 사색이 되어 큰 고함을 질렀다.

"저…저기, 목면산 봉수대에 봉홧불이 타오른다!"

시끄럽게 울리는 북소리와 사방에서 들려오는 사람들의 아우성 소리에 놀란 탄닌과 최씨 노인은 약속이나 한 듯 서로의 얼굴을 망연히 들여다보았다.

"제기랄, 겁나 빨리 왔네."

탄닌은 갑자기 짜증이 난다는 듯한 표정으로 절레절레 고개를 흔들었다.

"야, 이 녀석아! 지금 도대체 뭐 하고 있는 거야? 빨리 움직여야지!"

최씨 노인은 화풀이를 하듯 애꿎은 탄닌을 보고 성질을 부렸다.

"알았어요. 간다고요! 아휴, 노인네 성질머리하고는. 그나저나 내 이놈을 만나기만 해 봐라. 이번에는 기필코 요절을 내 버릴 테다! 헤레브 에쉬 파라츠!"

탄닌이 순간 두 눈을 번쩍 빛내며 손을 허공에 내밀자 불붙은 기다란 검이 나타났다. 그리고 난후 뭐라고 입 속으로 몇 마디 중얼거리더니 눈 깜작할 사이에 빛이 반뜩하며 그의 모습과 함께 사라졌다.

마치, 눈앞에 신기루처럼 그가 있다가 사라진 것처럼.

작가의 말

소설 레비아탄은 세상을 파멸시키려는 악에 대항해 싸우는 영웅들의 이야기를 담았습니다. 레비아탄이라는 제목이 생소한 분들도 계실텐데요. 여러 성서 한글 번역판에서는 리워야단으로 번역하여 표기하기도 합니다. 바다에 산다고 생각되던 거대한 동물로 고대 사람들은 혼돈을 가져오는 생물이라고 여겼습니다. 저는 성서에서 이 소설의 모티브를 얻었는데요. 욥기에 나오는 레비아탄은 악마적인 세력보다는 인간이 다룰 수 없는 괴력을 가진 피조물로 언급되고 있습니다. 이 소설에서는 혼돈의 괴수, 드래곤이라고 생각하시면 되겠습니다. 이 세상에는 선과 악이 존재합니다. 인간에게도 선과 악이 공존을 하고 있다고 봅니다. 인간 역사는 선과 악의 투쟁의 역사라고 해도 과언이 아닙니다. 이 작품은 판타지 소설로 권선징악의 교훈성을 강하게 나타내고 있습니다. 소설은 우리의 상상과 꿈을 이룰 수 있는 세계입니다. 나의 능력이나 재주로는 감히 미치지 못하는 것일지라도 소설 속에서는 얼마든지 이룰 수 있기 때문입니다. 또 시대나 공간을 마음대로 넘나들 수 있는 것이 소설의 세계입니다. 가상의 조선시대에서 펼쳐지는 화끈한 모험과 액션 활극이 지친 당신에게 휴식과 같은 즐거움으로 남기를 바랍니다.

정승렬